MON TOURMENTEUR

Anna Zaires

♠ Mozaika Publications ♠

Copyright © 2017 Anna Zaires
http://annazaires.com/series/francais/

Publié par Mozaika Publications, une mention légale de Mozaika LLC.
www.mozaikallc.com

Couverture: Najla Qamber Designs
najlaqamberdesigns.com

Sous la direction de Valérie Dubar
Traduction : Sarah Morel

e-ISBN: 978-1-63142-252-2
Print ISBN: 978-1-63142-253-9

PARTIE 1

CHAPITRE 1
PETER

5 ans plus tôt, monts du Caucase du Nord

— Papa !

Le cri aigu est suivi par l'écho de petits pieds alors que mon fils se propulse dans l'encadrement de la porte, ses boucles foncées bondissant autour de son visage illuminé.

En riant, j'attrape son petit corps robuste comme il se jette sur moi.

— Je t'ai manqué, *pupsik* ?

— Oh oui !

Ses petits bras entourent mon cou et j'inspire profondément, sa douce odeur d'enfant emplissant mon nez. Bien que Pasha ait presque trois ans, il sent encore le lait, le bébé en bonne santé et l'innocence.

Je le serre fort et la froideur qui m'habite est chassée par une chaleur lumineuse qui emplit ma poitrine. La sensation est douloureuse, comme si j'étais submergé dans de l'eau chaude après avoir été gelé, mais c'est une bonne douleur. Elle me fait sentir vivant, remplit toutes les fissures vides en moi, jusqu'à ce que j'aie presque l'impression d'être complet et de mériter l'amour de mon fils.

— Tu lui as manqué, dit Tamila, en entrant dans le hall.

Comme toujours, elle se déplace discrètement, presque sans bruit, les yeux baissés. Elle ne me regarde pas directement. Depuis son enfance, on lui a appris à éviter le regard des hommes. Je ne vois donc que ses longs cils noirs, alors qu'elle fixe le plancher. Elle porte un foulard traditionnel qui dissimule sa longue chevelure foncée, et sa robe grise est longue et informe. Pourtant, elle me semble toujours belle, aussi belle que lorsqu'elle s'est glissée dans mon lit, trois ans et demi plus tôt, pour échapper à un mariage avec un ancien du village.

— Et vous m'avez tous deux manqué, dis-je, alors que mon fils pousse sur mes épaules, voulant être reposé.

En souriant, je le dépose au sol et il attrape immédiatement ma main, la tirant vers lui.

— Papa, veux-tu voir mon camion ? Veux-tu, papa ?

— Bien sûr, dis-je, en souriant de plus belle, alors qu'il me tire à sa suite vers la salle de séjour.

— Quel genre de camion ?

— Un gros camion !

— Oh, montre-le-moi.

Tamila nous suit, et je réalise que je ne lui ai pas encore adressé la parole. En m'arrêtant, je me retourne et regarde ma femme.

— Comment vas-tu ?

Elle me jette un œil à travers ses cils.

— Je vais bien. Je suis heureuse de te voir.

— Et je suis heureux de te voir.

Je veux l'embrasser, mais je la rendrais mal à l'aise si je le fais devant Pasha, alors je me retiens. Je lui caresse plutôt la joue, doucement, puis je laisse mon fils me tirer vers son camion, celui que je lui ai envoyé de Moscou, il y a trois semaines.

Il me montre avec fierté toutes les particularités de son jouet alors que je m'accroupis à ses côtés, en observant son visage animé. Il possède la beauté sombre et exotique de Tamila, jusqu'aux cils, mais il a un peu de moi aussi en lui, même si je ne peux pas vraiment mettre le doigt dessus.

— Il possède ta témérité, dit Tamila doucement, en s'agenouillant près de moi. Et je crois qu'il sera aussi grand que toi, même s'il est probablement trop tôt pour le savoir.

Je la regarde. Elle me surprend souvent ainsi, m'observant avec tant d'attention que j'ai l'impression qu'elle lit dans mes pensées. Bien qu'il ne soit pas difficile de deviner mes pensées ; j'ai tout de même demandé un test de paternité avant la naissance de Pasha.

— Papa, papa.

Mon fils tire sur ma main à nouveau.

— Joue avec moi.

Je ris et reporte mon attention sur lui. Pendant l'heure qui suit, nous jouons avec le camion et une dizaine d'autres jouets, chacun d'entre eux, un type de véhicule. Pasha est obnubilé par les véhicules-jouets, des ambulances aux voitures de course. Peu importe le nombre de jouets que je lui offre, il joue uniquement avec ceux qui possèdent des roues.

Après le jeu, nous dînons, et Tamila donne le bain à Pasha avant l'heure du coucher. Je remarque que la baignoire est craquée et je prends note d'en commander une nouvelle. Le petit village de Daryevo est haut dans les monts Caucase et difficile d'accès. Je ne peux donc pas demander une livraison normale d'un magasin, mais j'ai les moyens de faire monter des choses ici.

Lorsque je mentionne l'idée à Tamila, elle relève les yeux et me lance l'un de ses rares regards directs, accompagné d'un sourire lumineux.

— Ce serait vraiment bien, merci. Je dois essuyer le plancher pratiquement tous les soirs.

Je lui retourne son sourire et elle termine le bain de Pasha. Une fois qu'il est sec et vêtu de son pyjama, je le porte jusqu'à son lit et lui lis une histoire de son livre préféré. Il s'endort presque immédiatement et j'embrasse son front lisse, mon cœur se serrant sous l'effet d'une émotion puissante.

De l'amour. Je le reconnais, même si je ne l'ai jamais ressenti avant, même si un homme comme moi n'a aucun droit de le ressentir. Aucun de mes actes passés n'a d'importance ici, au cœur de ce petit village du Daguestan.

Lorsque je suis auprès de mon fils, le sang sur mes mains ne brûle pas mon âme.

Soucieux de ne pas réveiller Pasha, je me lève et sors silencieusement de la petite pièce qui lui sert de chambre. Tamila m'attend déjà dans notre chambre, alors j'enlève mes vêtements et la rejoins dans le lit, lui faisant l'amour aussi tendrement que je le peux.

Demain, je devrai faire face à la laideur de mon monde, mais ce soir, je suis heureux.

Ce soir, je peux aimer et être aimé.

— Ne pars pas, papa.

Le menton de Pasha tremble alors qu'il retient avec peine ses larmes. Tamila lui a dit quelques semaines plus tôt que les grands garçons ne pleurent pas, et il fait de son mieux pour être un grand garçon.

— Je t'en prie, papa. Reste un peu plus longtemps.

— Je serai de retour dans deux semaines, lui dis-je, en m'accroupissant à la hauteur de ses yeux. Je dois aller travailler, vois-tu.

— Tu dois toujours travailler.

Son menton tremble un peu plus et ses grands yeux bruns débordent de larmes.

— Pourquoi je ne peux pas y aller avec toi ?

Des images du terroriste que j'ai torturé la semaine dernière emplissent mon esprit, et il me faut toute ma force pour garder une voix égale, alors que je lui réponds :

— Je suis désolé, Pashen'ka. Mon travail n'est pas un endroit pour les enfants.

Ou même pour les adultes, mais je me tais. Tamila sait un peu ce que je fais au sein d'une unité spéciale de la Spetsnaz, les forces spéciales russes, mais elle ignore tout des réalités sombres de mon monde.

— Mais je serai tranquille.

Il pleure maintenant à chaudes larmes.

— Je te le promets, papa. Je serai tranquille.

— Je sais.

Je l'attire contre moi et le serre étroitement, son petit corps tremblant sous les sanglots.

— Tu es mon bon garçon, et tu dois être bon pour maman pendant mon absence, oui ? Tu dois prendre soin d'elle, comme un grand garçon.

Ces mots semblent magiques, car il renifle et se recule.

— Oui.

Son nez coule et ses joues sont humides, mais son petit menton est résolu lorsqu'il croise mon regard.

— Je vais prendre soin de maman, je le promets.

— Il est si intelligent, dit Tamila, en s'agenouillant à mes côtés pour prendre Pasha dans ses bras. Il semble plus près des cinq ans que des trois ans.

— Je sais.

Ma poitrine se gonfle de fierté.

— Il est incroyable.

Elle sourit et croise mon regard à nouveau, ses grands yeux bruns si semblables à ceux de Pasha.

— Sois prudent et reviens-nous vite, d'accord ?

— D'accord.

Je me penche pour lui embrasser le front, avant d'ébouriffer la tignasse soyeuse de Pasha.

— Je serai de retour en un clin d'œil.

Je me trouve à Grozny, en Tchétchénie, vérifiant une piste concernant un nouveau groupe radical d'insurgés, lorsque j'apprends la nouvelle. C'est Ivan Polonsky, mon supérieur à Moscou, qui m'appelle.

— Peter.

Sa voix est d'une rare gravité, lorsque je prends l'appel.

— Il y a eu un incident à Daryevo.

Mes entrailles se glacent.

— Quel genre d'incident ?

— Une opération qui ne nous a pas été communiquée. L'OTAN était impliquée. Il y a eu des… victimes.

La glace en moi se répand me déchirant de ses rebords tranchants et j'ai toutes les peines du monde à prononcer les mots, ma gorge serrée.

— Tamila et Pasha ?

— Je suis désolé, Peter. Certains villageois ont été tués pendant l'opération et...

Je l'entends déglutir.

— … les rapports préliminaires démontrent que Tamila était dans les victimes.

Mes doigts serrent le téléphone à le briser.

— Et Pasha ?

— Nous ne le savons pas encore. Il y a eu plusieurs explosions et…

— Je suis en route.

— Peter, attends…

Je raccroche et sors à la course.

Je vous en prie, je vous en prie, je vous en prie, faites qu'il soit vivant.

Je n'ai jamais été religieux, mais alors que l'hélicoptère militaire passe au-dessus des montagnes, je prie, je supplie et je marchande avec ce qu'il y a là-haut, peu importe ce dont il s'agit, pour un petit miracle, pour sa clémence. La vie d'un enfant est insignifiante à l'échelle de l'univers, mais elle m'est essentielle.

Mon fils est ma vie, ma raison d'être.

Le grondement des hélices est assourdissant, mais ce n'est rien par rapport aux hurlements dans ma tête. J'ai peine à respirer, je ne peux pas penser à travers la rage et la peur qui m'étouffent de l'intérieur. J'ignore comment Tamila est morte, mais j'ai vu assez de cadavres pour imaginer son corps, pour imaginer avec une précision acérée comment ses yeux magnifiques sembleront vides et aveugles, sa bouche molle et tâchée de sang sec. Et Pasha...

Non, je ne peux pas y penser. Pas avant d'être sûr.

Ce n'était pas censé arriver. Daryevo est à des lieues de tout point chaud du Daguestan. C'est un petit village pacifique, sans aucun lien avec des groupes d'insurgés. Ils devaient y être en sécurité, loin de la violence de mon univers.

Faites qu'il soit vivant. Faites qu'il soit vivant.

Le trajet semble éternel, mais enfin, nous passons le couvert nuageux et j'aperçois le village. Ma gorge se resserre, me coupant le souffle.

De la fumée monte de différents bâtiments dans le centre et des soldats armés parcourent le village.

Je saute de l'hélicoptère au moment même où il touche le sol.

— Peter, attends. Tu as besoin d'une autorisation, lance le pilote, mais je cours déjà, écartant les gens sur mon passage.

Un jeune soldat tente de m'arrêter, mais je lui arrache son M16 et le mets en joue.

— Montre-moi les corps. Tout de suite.

Je ne sais pas si c'est l'arme ou la note meurtrière dans ma voix, mais le soldat obéit, se déplaçant en hâte vers une cabane au bout de la rue. Je le suis, l'adrénaline comme une vase toxique dans mes veines.

Faites qu'il soit vivant. Faites qu'il soit vivant.

J'aperçois les corps derrière la cabane, certains soigneusement disposés, d'autres empilés sur l'herbe parsemée de neige. Il n'y a personne autour ; les soldats doivent tenir les villageois éloignés pour l'instant. Je reconnais certains des morts immédiatement ; l'ancien du village fiancé à Tamila, la femme du boulanger, l'homme qui m'a déjà vendu du lait de chèvre, mais il y en a d'autres que je ne reconnais pas, en partie en raison de l'ampleur de leurs blessures, mais aussi parce que je n'ai pas passé beaucoup de temps au village.

Je n'ai pratiquement *pas* passé de temps ici, et maintenant ma femme est morte.

Me ressaisissant, je m'agenouille près d'un corps féminin élancé, dépose le M16, et déplace le foulard couvrant son visage. Une partie de son visage a été pulvérisée par une balle, mais je peux suffisamment distinguer ses traits pour savoir qu'il ne s'agit pas de Tamila.

Je passe au prochain corps de femme, celui-ci est troué de plusieurs balles dans la poitrine. Il s'agit de la tante de Tamila, une femme timide dans la cinquantaine qui m'avait adressé moins de cinq mots au cours des trois dernières années. Pour elle et le reste de la famille de Tamila, j'étais un étranger, un étranger effrayant venant d'un monde différent. Ils n'avaient pas compris la décision de Tamila de m'épouser, ils l'avaient même condamnée, mais Tamila n'en avait cure.

Elle avait toujours été indépendante comme ça.

Un autre corps féminin attire mon attention. La femme est étendue sur le côté, mais la douce courbe de son épaule est douloureusement familière. Ma main tremble alors que je la retourne, et une douleur cuisante me transperce lorsque j'aperçois son visage.

La bouche de Tamila est aussi molle que je l'imaginais, mais ses yeux ne sont pas vides. Ils sont fermés, ses longs cils roussis, et ses paupières sont collées par le sang. Sa poitrine et ses bras sont couverts de sang, rendant sa robe grise presque noire.

Ma femme, la belle jeune femme qui avait eu le courage de choisir sa propre destinée, est morte. Elle est morte sans jamais avoir quitté son village, sans avoir vu Moscou comme elle en rêvait. Sa vie s'est éteinte avant qu'elle n'ait la chance de vivre, et tout est de ma faute. J'aurais dû être là, j'aurais dû les protéger, Pasha et elle. Bordel, j'aurais dû être au fait de cette putain d'opération ; personne n'aurait dû se trouver ici sans en avoir informé mon équipe.

Je sens la rage m'envahir, combinée à une douleur et à une culpabilité atroces, mais je l'écarte et m'efforce de continuer mes recherches. Il n'y a que des adultes dans les rangées, mais il y a encore cette pile.

Faites qu'il soit vivant. Je suis prêt à tout du moment qu'il est vivant.

J'ai les jambes en coton alors que je m'approche de la pile. Le sol est jonché de membres arrachés et les corps sont mutilés au point d'empêcher toute identification. Il doit s'agir des victimes des explosions. J'écarte chaque corps, fourrageant à travers les membres. L'odeur viciée de sang et de chair calcinée pèse dans l'air. Un homme normal aurait vomi depuis longtemps, mais je n'ai jamais été normal.

Faites qu'il soit vivant.

— Peter, attends. Une équipe spéciale est en route et elle ne veut pas que nous touchions aux corps.

Il s'agit du pilote, Anton Rezov, qui s'approche de l'arrière de la cabane. Nous travaillons ensemble depuis des années et je le considère comme un ami proche, mais s'il tente de m'arrêter, je le tuerai.

Sans répondre, je poursuis ma tâche macabre, observant chaque membre et buste brûlé avant de l'écarter. La plupart des restes semblent appartenir à des adultes, bien que je tombe aussi sur quelques membres appartenant à des enfants. Ils sont toutefois trop gros pour être ceux de Pasha et je suis assez égoïste pour m'en réjouir.

Puis, je l'aperçois.

— Peter, tu m'as compris ? Tu ne peux rien faire pour l'instant.

Anton fait mine d'agripper mon bras, mais avant qu'il puisse m'atteindre, je me retourne, ma main se resserrant automatiquement. Mon poing s'écrase contre sa mâchoire et il chancelle sous le coup, ses yeux roulant dans leurs orbites. Je ne le regarde pas tomber ; je suis déjà en mouvement, fourrageant dans la pile de corps, jusqu'à atteindre la petite main que j'ai aperçue plus tôt.

Une petite main serrant une petite voiture brisée.

Je vous en prie, je vous en prie. Faites que ce soit une erreur. Faites qu'il soit vivant. Faites qu'il soit vivant.

Je me mets à la tâche comme un homme possédé, toute mon attention fixée sur un seul but : atteindre cette main. Certains des corps sur le dessus sont pratiquement entiers, mais je ne sens pas leur poids alors que je les écarte violemment. Je ne sens pas la douleur de mes muscles éreintés ni la puanteur révoltante de la mort violente. Je me contente de me baisser, de soulever et de jeter les corps, jusqu'à me retrouver entouré de corps et ensanglanté.

Je ne m'arrête qu'au moment où le petit corps est entièrement exposé, et qu'il ne reste plus aucun doute.

En tremblant, je tombe à genoux, mes jambes incapables de me soutenir.

Par un quelconque miracle, la moitié droite du visage de Pasha est intacte, sa douce peau de bébé n'arbore pas même une égratignure. L'un de ses yeux est fermé, sa petite bouche entrouverte, et s'il avait été étendu sur le côté comme Tamila, on aurait pu croire qu'il dormait. Mais il n'est pas étendu sur le côté et je vois le trou béant où l'explosion a pulvérisé la moitié de son crâne. Il lui manque son bras gauche et la moitié de sa jambe en dessous du genou. Son bras droit, toutefois, est indemne, ses doigts serrant convulsivement la petite voiture.

Au loin, j'entends un hurlement, un son brisé et fou empli de rage inhumaine. Ce n'est que lorsque je me retrouve à serrer le petit corps contre moi que je réalise que le cri vient de moi. Je me tais alors, mais je ne peux m'empêcher de me balancer d'avant en arrière.

Je ne peux arrêter de le serrer contre moi.

Je ne sais pas combien de temps je reste ainsi, serrant les restes de mon fils, mais il fait noir lorsque les soldats de l'équipe spéciale arrivent enfin. Je ne les repousse pas. Ça ne sert à rien. Mon fils n'est plus, sa lumière éclatante s'étant éteinte avant même d'avoir eu la chance de briller.

— Je suis désolé, dis-je dans un murmure, alors qu'ils me traînent au loin.

Avec chaque mètre de distance entre nous, je sens le froid en moi croître, les vestiges de mon humanité s'écoulant de mon âme. Il n'y a plus de supplication, plus de marchandage avec quiconque ou quoi que ce soit. Je suis sans espoir, dépourvu de chaleur et d'amour. Je ne peux plus revenir en arrière et serrer mon fils plus longtemps, je ne peux plus rester avec lui comme il me l'a demandé. Je ne peux pas amener Tamila à Moscou l'an prochain comme je le lui ai promis.

Je n'ai plus qu'une seule chose à faire pour ma femme et mon fils, une chose qui me forcera à vivre.

Je les ferai payer.

Chacun de leurs tueurs.

Ils répondront de ce massacre de leurs vies.

CHAPITRE 2
SARA

États-Unis, aujourd'hui

— Tu es sûre de ne pas vouloir aller prendre un verre avec les filles et moi ? demande Marsha, en s'approchant de mon casier.

Elle s'est déjà débarrassée de son uniforme d'infirmière pour enfiler une robe sexy. Avec son rouge à lèvres éclatant et ses boucles blondes flamboyantes, elle ressemble à une version plus vieille de Marilyn Monroe et elle aime faire la fête autant qu'elle.

— Non, merci. Je ne peux pas.

Je tempère mon refus d'un sourire.

— La journée a été longue et je suis éreintée.

Elle lève les yeux au ciel.

— Évidemment. Tu es perpétuellement éreintée ces jours-ci.

— Le résultat de travailler.

— Oui, si tu travailles quatre-vingt-dix heures par semaine. Si je ne te connaissais pas, je croirais que tu veux te tuer à la tâche. Tu n'es plus une interne, tu sais ? Tu n'as pas à supporter tout ça.

Je soupire et attrape mon sac.

— Quelqu'un doit rester de garde.

— Oui, mais pas toujours toi. C'est vendredi soir, et tu as travaillé tous les week-ends depuis un mois, en plus de tous les quarts de nuit. Je sais que tu es le plus récent ajout, mais…

— Je n'ai rien contre les quarts de nuit, l'interromps-je, en me dirigeant vers le miroir. Le mascara que j'ai appliqué ce matin a laissé des taches foncées sous mes yeux, et j'utilise une serviette en papier humide pour les effacer. Ça n'améliore pas vraiment mon apparence hagarde, mais je suppose que ça n'a pas d'importance, puisque je m'en vais directement à la maison.

— Parce que tu ne dors pas, dit Marsha, en se plaçant derrière moi.

Je me prépare, sachant qu'elle est sur le point d'aborder son sujet préféré. Bien qu'elle soit mon aînée de quinze ans, Marsha est ma meilleure amie à l'hôpital et elle exprime de plus en plus ses inquiétudes.

— Marsha, je t'en prie. Je suis trop fatiguée pour ça, dis-je, en rassemblant mes boucles indisciplinées en une queue de cheval.

Je n'ai pas besoin d'un sermon pour savoir que je m'épuise à la tâche. Mes yeux noisette sont rougis et larmoyants dans le miroir et j'ai l'impression d'avoir soixante ans, et non vingt-huit.

— Oui, parce que tu travailles trop et que tu ne dors pas assez.

Elle se croise les bras.

— Je sais que tu as besoin d'une distraction après toute cette histoire avec George, mais…

— Mais rien.

En me retournant, je la fixe du regard.

— Je ne veux pas parler de George.

— Sara…

Elle fronce les sourcils.

— Tu dois arrêter de te punir. Ce n'était pas de ta faute. Il a *choisi* de prendre le volant ; c'était *sa* décision.

Ma gorge se serre et mes yeux me piquent. Avec horreur, je réalise que je suis sur le point d'éclater en sanglots, et je me détourne dans un effort pour me contrôler. Seulement, je ne peux pas m'enfuir ; le miroir me fait face et il reflète tout ce que je ressens.

— Je suis désolée, chérie. Je suis complètement insensible. Je n'aurais pas dû dire ça.

Marsha semble réellement pleine de regrets alors qu'elle s'approche et me serre doucement le bras.

Je prends une profonde inspiration et me retourne vers elle à nouveau. Je *suis* éreintée, ce qui n'aide pas aux émotions qui menacent de me submerger.

— Ça va.

Je me force à sourire.

— Ce n'est rien. Tu devrais y aller ; les filles t'attendent probablement.

Et je dois retourner chez moi avant de m'écrouler et de pleurer en public, ce qui serait le summum de l'humiliation.

— D'accord, chérie.

Marsha me sourit, mais je vois la pitié dans son regard.

— Repose-toi ce week-end, d'accord ? Promets-moi de le faire.

— C'est d'accord… *maman.*

Elle lève les yeux au ciel.

— Oui, oui, j'ai compris. Je te vois lundi.

Elle sort du vestiaire, et j'attends une minute avant de la suivre, évitant ainsi de croiser son groupe d'amies près des ascenseurs.

J'ai eu plus de pitié que je ne peux en supporter.

En mettant le pied dans le parc de stationnement de l'hôpital, je vérifie mon téléphone par habitude, et mon cœur s'emballe lorsque je vois un texto d'un numéro bloqué.

Je m'arrête et glisse un doigt incertain sur l'écran.

Tout va bien, mais je dois remettre la visite de ce week-end, dit le message. *Problème d'horaire.*

Je soupire de soulagement et, du coup, je sens la culpabilité familière m'envahir. Je ne devrais pas me sentir soulagée. Je devrais espérer ces visites, plutôt que de les voir comme une obligation désagréable. Je ne peux pourtant pas changer la façon dont je me sens. Chaque fois que je rends visite à George, je me remémore cette nuit-là, et je perds le sommeil pendant plusieurs nuits.

Si Marsha croit qu'il me manque du sommeil maintenant, elle devrait me voir après l'une de ces visites.

Après avoir remis mon téléphone dans mon sac, je m'approche de ma voiture, une Toyota Camry, la même que j'ai depuis cinq ans. Maintenant que j'ai remboursé mes prêts d'études en médecine et que j'ai quelques économies, je pourrais me permettre mieux, mais je n'en vois pas l'utilité.

George était le fanatique de voitures, pas moi.

La douleur me transperce, familière et tranchante, et je sais que le texto en est la cause. Ça, et ma conversation avec Marsha. Dernièrement, je peux passer des jours sans penser à l'accident, suivre ma routine sans l'incroyable culpabilité qui me pèse, mais ce n'est pas l'un de ces jours.

C'était un adulte, dois-je me rappeler, répétant ce que tout le monde me dit toujours. *C'était son choix de prendre le volant ce jour-là.*

Rationnellement, je sais que ces mots disent vrai, mais même si je les entends souvent, ils ne s'imprègnent pas. Mon esprit est pris dans une boucle, rejouant sans fin cette soirée, et aussi fort que je le veuille, je ne peux pas empêcher l'affreuse bobine de tourner.

Ça suffit, Sara. Concentre-toi sur la route.

En prenant une inspiration pour me calmer, je sors du parc de stationnement et me dirige vers ma demeure. Le trajet dure quarante minutes, soit quarante minutes de trop en ce moment. Mon estomac se serre et je réalise qu'une des raisons de mon émotivité actuelle est que je suis sur le point de commencer mes règles. En tant qu'obstétricienne-gynécologue, je connais mieux que quiconque l'effet puissant des hormones, et lorsque le syndrome post menstruel est combiné à de longues heures et à des souvenirs de George… Disons que c'est un miracle que je ne sois pas déjà une fontaine de sanglots.

Oui, c'est ça. Ce ne sont que mes hormones et la fatigue. Je dois retourner chez moi et tout ira bien. Déterminée à reprendre le contrôle, j'allume la radio à une station pop de la fin des années quatre-vingt-dix, et commence à chanter en chœur avec Britney Spears. Ce n'est peut-être pas la musique la plus sérieuse, mais elle est joyeuse et c'est exactement ce qu'il me faut.

Je ne me laisserai pas m'écrouler. Ce soir, je *vais* dormir, même si je dois prendre un somnifère pour y arriver.

Ma maison se trouve dans un cul-de-sac bordé d'arbres, juste après une route à deux voies traversant des champs. Comme bien d'autres dans le beau quartier d'Homer Glen, en Illinois, elle est énorme : cinq chambres et quatre salles de bain, en plus d'un sous-sol totalement aménagé. Avec son énorme cour arrière et tous les chênes qui l'entourent, elle donne l'impression d'être située au milieu d'une forêt.

Elle est parfaite pour cette grande famille que George voulait et horriblement solitaire pour moi.

Après l'accident, j'avais pensé vendre la maison et me rapprocher de l'hôpital, mais je ne pouvais pas m'y résoudre. C'est toujours le cas. George et moi avions rénové la maison ensemble, modernisant la cuisine et les salles de bain, décorant méticuleusement chaque pièce pour y donner une ambiance accueillante et chaleureuse. Une ambiance *familiale*. Je sais que les chances d'avoir cette famille sont maintenant inexistantes, mais une partie de moi s'accroche à ce vieux rêve, à la vie parfaite que nous étions censés avoir.

— Trois enfants, au moins, m'avait dit George lors de notre cinquième rendez-vous. Deux garçons et une fille.

— Pourquoi pas deux filles et un garçon ? Avais-je demandé, en souriant. Qu'en est-il de l'égalité des sexes et tout ça ?

— En quoi deux contre un est-il égal ? Tout le monde sait que les filles font n'importe quoi de nous, et lorsqu'il y en a deux...

Il frissonna dramatiquement.

— Non, il nous faut deux garçons pour équilibrer la famille. Sinon, papa sera dans de beaux draps.

J'avais éclaté de rire et lui avais frappé l'épaule, mais secrètement, j'aimais l'idée de deux garçons se chahutant et protégeant leur petite sœur. Je suis enfant unique, mais j'avais toujours voulu un grand frère, et il m'était facile d'adopter les rêves de George.

Non. N'y pense pas. Difficilement, je repousse les souvenirs, parce que bons ou mauvais, ils mènent tous à cette soirée, et je ne peux pas l'affronter maintenant. Les crampes sont de plus en plus douloureuses et c'est à peine si je peux garder les mains sur le volant alors que j'entre dans mon garage pour trois voitures. J'ai besoin d'un Advil, d'un coussin chauffant et de mon lit, dans cet ordre, et si j'ai de la chance, je vais m'endormir tout de suite, sans l'aide d'un somnifère.

En retenant un grognement, je ferme la porte du garage, entre le code de l'alarme et me traîne dans la maison. Les crampes sont si horribles que je suis incapable de marcher sans me plier en deux. Je me rends donc directement à l'armoire à pharmacie dans la cuisine. Je ne prends même pas la peine d'allumer les lumières ; l'interrupteur se trouvant loin de l'entrée du garage. Et puis, je connais suffisamment la cuisine pour m'y déplacer dans le noir.

J'ouvre l'armoire et je trouve au toucher le flacon d'Advil. Je prends deux comprimés, puis je me rends à l'évier, emplis ma main d'eau et avale les comprimés. En haletant, j'agrippe le comptoir de cuisine et j'attends que le médicament fasse effet avant de tenter quelque chose d'aussi ambitieux que de me rendre à la chambre principale à l'étage.

Je le sens une seconde avant qu'il ne frappe. C'est subtil, le simple déplacement de l'air derrière moi, un soupçon de quelque chose d'étranger… le sentiment d'un danger soudain.

Un frisson me passe dans le cou, mais il est trop tard. Une seconde, je suis debout devant l'évier, et la suivante, une grande main recouvre ma bouche, alors qu'un corps solide et grand me coince contre le comptoir par l'arrière.

— Ne crie pas, murmure une profonde voix masculine à mon oreille.

Quelque chose de froid et de tranchant se presse contre ma gorge.

— Tu ne veux pas que ma lame glisse.

CHAPITRE 3
SARA

Je ne crie pas. Pas parce que c'est la bonne chose à faire, mais parce que je ne peux pas prononcer un mot. Je suis figée de terreur, absolument et totalement paralysée. Tous mes muscles sont de marbre, y compris mes cordes vocales, et mes poumons ont cessé de fonctionner.

— Je vais retirer ma main, murmure-t-il à mon oreille, son souffle chaud sur ma peau moite. Et tu vas rester silencieuse. Compris ?

Je ne peux pas même gémir, mais je réussis tout de même à hocher faiblement la tête.

Il baisse la main, son bras s'enroulant maintenant autour de ma cage thoracique, et mes poumons choisissent ce moment pour recommencer à fonctionner. Sans le vouloir, je prends une inspiration sifflante. Immédiatement, la lame presse davantage contre ma peau, et je me fige à nouveau en sentant du sang chaud couler le long de mon cou.

Je vais mourir. Oh, mon Dieu, je vais mourir ici, dans ma propre cuisine.

La terreur est une créature monstrueuse en moi, me transperçant de ses serres glacées. Je ne me suis jamais trouvée aussi près de la mort. Quelques centimètres à droite et...

— Tu dois m'écouter, Sara.

La voix de l'intrus est douce, en contraste avec le couteau s'enfonçant dans ma gorge.

— Si tu coopères, tu pourras t'en sortir vivante. Sinon, tu finiras dans un sac mortuaire. C'est ton choix.

Vivante ? Un éclat d'espoir transperce le brouillard de panique qui emplit mon cerveau, et je réalise qu'il a un léger accent. Une touche exotique. Du Moyen-Orient, peut-être, ou de l'Europe de l'Est.

Étrangement, ce détail me recentre un peu, m'offrant quelque chose de concret sur lequel mon esprit peut s'accrocher.

— Q-que voulez-vous ?

Les mots ne sont qu'un murmure tremblant, mais je suis stupéfaite de pouvoir parler. Je me sens comme un cerf devant les phares d'une voiture, paralysée et dépassée, mon raisonnement étrangement lent.

— Seulement quelques réponses, dit-il, en relâchant quelque peu le couteau.

Sans l'acier glacial se pressant contre ma peau, une partie de ma panique se résorbe, et je remarque d'autres détails, comme le fait que mon agresseur me dépasse d'au moins une tête et qu'il est bourré de muscles. Le bras autour de ma cage thoracique me fait l'effet d'une tige d'acier et il n'y a aucune flexibilité dans le corps massif qui se presse contre mon dos, aucune trace de douceur palpable. Je suis une femme de taille moyenne, mais je suis mince avec une ossature délicate. S'il est aussi musclé que je le crois, il doit faire pratiquement le double de mon poids.

Même sans le couteau, je serais incapable de m'en sortir.

— Quel genre de réponses ?

Ma voix est un peu plus ferme cette fois. Il a peut-être seulement l'intention de me voler et il veut la combinaison du coffre. Il sent bon, comme le détergent à lessive et la peau d'un homme en bonne santé, alors il n'est probablement pas un consommateur de meth ou un voyou de bas quartier. Un cambrioleur professionnel, alors ? Si c'est le cas, je lui laisserai avec plaisir mes bijoux et l'argent pour les cas d'urgence que George a caché dans la maison.

— Je veux que tu me parles de ton mari. Plus particulièrement, je veux savoir où il se trouve.

— George ?

Mon esprit s'embrouille alors qu'un nouvel effroi me submerge.

— Q-quoi… pourquoi ?

La lame se presse davantage contre ma peau.

— Je pose les questions.

— J-je vous en prie, dis-je d'une voix étranglée.

Je ne peux pas penser ni me concentrer sur autre chose que le couteau. Des larmes brûlantes coulent sur mes joues et je tremble de tous mes membres.

— Je vous en prie, je ne…

— Répond à ma question. Où se trouve ton mari ?

— Je…

Oh, mon Dieu, que dire ? Il doit être l'un d'entre *eux*, la raison de toutes ces précautions. Mon cœur bat si fort que je me sens près de l'hyperventilation.

— Je vous en prie, je ne… Je n'ai pas…

— Ne me mens pas, Sara. Je dois savoir où il se trouve. Maintenant.

— Je ne sais pas, je le jure. Je vous en prie, nous sommes…

Ma voix se fêle.

— Nous sommes séparés.

Le bras qui retient ma cage thoracique se resserre et le couteau s'enfonce un peu plus.

— Tu souhaites mourir ?

— Non. Non, je ne veux pas. Je vous en prie…

Je tremble encore plus fort, les larmes inondant mon visage sans relâche. Après l'accident, il y a eu des jours où je pensais vouloir mourir, lorsque la culpabilité et la douleur des regrets m'écrasaient, mais maintenant, avec la lame contre ma gorge, je veux vivre. Je le veux tant.

— Alors, dis-moi où il se trouve.

— Je ne sais pas !

Mes genoux sont sur le point de céder, mais je ne peux pas trahir George ainsi. Je ne peux pas l'exposer à ce monstre.

— Tu mens.

La voix de mon agresseur est glaciale.

— J'ai lu tes messages. Tu sais exactement où il est.

— Non, je…

J'essaie de trouver un mensonge plausible, mais je n'y arrive pas. La panique laisse un goût âcre sur ma langue alors que des questions affolées se pressent dans mon esprit. Comment a-t-il pu lire mes messages ? Quand ? Depuis combien de temps me traque-t-il ? Est-il l'un d'entre *eux* ?

— Je… je ne sais pas de quoi vous parlez.

Le couteau s'enfonce davantage et je ferme les yeux avec force, mon souffle s'échappant en sanglots étouffés. La mort est si près que je peux la goûter, la sentir… je la ressens dans toutes les fibres de mon corps. C'est l'odeur métallique de mon sang et la sueur froide qui coule dans mon dos, le fracas de mon pouls à mes tempes, et la tension de mes muscles frémissants. Dans une seconde, il entaillera ma jugulaire et je me viderai de mon sang, ici sur le plancher de ma cuisine.

Est-ce ce que je mérite ? Est-ce ainsi que j'expie mes péchés ?

Je serre les dents pour m'empêcher de parler.

Pardonne-moi, George. Si c'est ce dont tu as besoin…

J'entends le soupir de mon agresseur et, l'instant d'après, le couteau disparaît et je me retrouve basculée sur le comptoir. Mon dos cogne contre le marbre et ma tête tombe vers l'arrière dans l'évier, les muscles de mon cou se tendant sous la pression. En haletant, je donne des coups de pieds et tente de le frapper, mais il est trop fort et trop rapide. En un instant, il saute sur le comptoir et me chevauche, me retenant en place sous son poids. Il attache mes poignets avec quelque chose de solide et d'incassable avant de les attraper d'une main. Malgré tous mes efforts, je suis incapable de me libérer. Mes talons glissent inutilement sur le comptoir lisse et les muscles de mon cou brûlent sous l'effort de retenir ma tête. Je suis impuissante, immobilisée et je sens monter en moi un autre type de panique.

Je vous en prie, mon Dieu, non. Tout, sauf un viol.

— Nous allons essayer autre chose, dit-il, en laissant tomber un bout de tissu sur mon visage. Voyons voir si tu es vraiment prête à mourir pour ce salaud.

Haletante, je bouge la tête de tous les côtés, en tentant de repousser le tissu, mais il est trop long et j'ai de la peine à respirer sous lui. Veut-il m'étouffer ? Est-ce son plan ?

Puis, la poignée du robinet grince, et tout prend son sens.

— Non !

Je me débats avec plus de force, mais il agrippe mes cheveux de sa main libre, me retenant sous le robinet, la tête vers l'arrière.

Le choc initial de l'eau n'est pas si mal, mais en quelques secondes, l'eau coule dans mon nez. Ma gorge se contracte, mes poumons se convulsent et tout mon corps se soulève alors que je m'étouffe et suffoque. La panique est instinctive et incontrôlable. Le tissu est comme une patte mouillée appuyée contre mon nez et ma bouche, les bloquant. Je suffoque, je me noie. Je ne peux plus respirer, plus respirer...

Le robinet se referme, et le tissu est retiré de mon visage. En toussant, j'inspire avec peine, en sanglotant, la respiration sifflante. Mon corps tremble et je combats un haut-le-cœur, et des points blancs dansent devant mes yeux. Avant que je puisse me reprendre, le tissu claque à nouveau sur mon visage et le robinet s'ouvre une seconde fois.

Cette fois, c'est encore pire. Mes voies nasales brûlent sous l'effet de l'eau, et mes poumons s'affaiblissent à chercher de l'air. J'ai des nausées et je suffoque, m'étouffant et pleurant. Je ne peux pas respirer.

Oh, mon Dieu, je suis en train de mourir ; je ne peux pas respirer...

L'instant d'après, le tissu disparaît, et j'inspire convulsivement.

— Dis-moi où il est, et j'arrêterai.

Sa voix est un murmure sinistre au-dessus de moi.

— Je ne sais pas ! Je vous en prie !

Je peux goûter le vomi dans ma gorge, et savoir qu'il recommencera me glace le sang. Il était facile d'être courageuse avec le couteau, mais pas avec ça. Je ne peux pas supporter de mourir ainsi.

— Dernière chance, dit doucement mon bourreau, en laissant tomber le tissu mouillé sur mon visage.

Le robinet commence à grincer.

— Arrêtez ! Je vous en prie !

Le cri vient de mes entrailles.

— Je vais vous le dire ! Je vais vous le dire.

L'eau se referme et le tissu est retiré de mon visage.

— Parle.

Je sanglote et je tousse trop fort pour former une phrase cohérente, alors il me descend du comptoir jusqu'au plancher, puis s'accroupit pour m'encercler de ses bras. Pour un spectateur, cela a tout d'une étreinte consolatrice ou de l'étreinte protectrice d'un homme amoureux. Pour ajouter à l'illusion, la voix de mon tortionnaire est douce et tendre alors qu'il murmure à mon oreille :

— Dis-moi, Sara. Dis-moi ce que je veux savoir, et je partirai.

— Il est…

Je m'arrête une seconde avant de dévoiler la vérité. L'animal paniqué en moi veut survivre à tout prix, mais je ne peux pas. Je ne peux pas mener ce monstre vers George.

— Il est à l'hôpital Advocate Christ, dis-je d'une voix étranglée. L'unité de soins de longue durée.

C'est un mensonge, et apparemment pas un très bon, car les bras qui m'entourent se resserrent jusqu'au point de me broyer les os.

— Ne me raconte pas de putains de conneries.

La note tendre de sa voix est remplacée par une rage mordante.

— Il n'y est plus… depuis des mois. Où se cache-t-il ?

Je sanglote davantage.

— Je… je ne…

Mon agresseur se relève, m'entraînant avec lui, je crie et je me débats alors qu'il me tire vers l'évier.

— Non ! Je vous en prie, non !

Je suis hystérique alors qu'il me dépose sur le comptoir, mes mains liées se balançant alors que j'essaie de lui griffer le visage. Mes talons frappent le marbre comme il me chevauche, me coinçant sous lui à nouveau, et ma gorge s'emplit de bile comme il agrippe mes cheveux, arquant ma tête vers l'arrière dans l'évier.

— Arrêtez !

— Dis-moi la vérité, et j'arrête.

— Je… je ne peux pas. Je vous en prie, je ne peux pas !

Je ne peux pas faire ça à George, pas après tout ce qui s'est passé.

— Arrêtez, je vous en prie !

Le tissu mouillé claque contre mon visage, et ma gorge se convulse sous la panique. L'eau est fermée, mais je me noie déjà ; je ne peux pas respirer, pas respirer…

— Bordel !

Je suis brusquement tirée du comptoir et jetée au sol, où je m'écrase en un tas tremblant et sanglotant. Seulement, cette fois-ci, aucun bras ne me retient et je réalise vaguement qu'il s'éloigne.

Je devrais me relever et fuir, mais mes mains sont liées et mes jambes refusent de bouger. Je réussis avec peine à rouler sur le côté et je tente de me traîner sur le sol. La peur m'aveugle, me désoriente, et je ne vois rien dans l'obscurité.

Je ne *le* vois pas.

Cours, ordonné-je à mes muscles tremblants et sans force. *Lève-toi et cours.*

Inspirant profondément, j'attrape quelque chose, un coin du comptoir, et je me remets sur mes pieds. Il est pourtant trop tard ; il est déjà de retour, son bras de fer entourant ma cage thoracique de l'arrière.

— Voyons voir si nous avons plus de chance ainsi, murmure-t-il, lorsqu'une chose froide et pointue me pique le cou.

Une aiguille, réalisé-je avec horreur, avant de sombrer dans le néant.

Un visage flotte devant mes yeux. C'est un visage séduisant, beau, malgré la cicatrice qui traverse son sourcil gauche. Des pommettes hautes et saillantes, des yeux d'un gris acier bordés de cils noirs, une forte mâchoire assombrie par une barbe naissante ; un visage masculin décide finalement mon esprit. Ses cheveux sont épais et foncés, plus longs sur le dessus que sur les côtés. Pas un vieil homme alors, mais pas non plus un adolescent. Un homme dans la force de l'âge.

Les traits froncés sont figés en un masque hostile et sinistre.

— George Cobakis, dit la bouche sculptée et dure.

C'est une bouche séduisante, bien dessinée, mais j'entends les mots comme s'ils sortaient d'un mégaphone au loin.

— Sais-tu où il se trouve ?

Je hoche la tête, du moins j'essaie. Ma tête semble lourde, mon cou étrangement douloureux.

— Oui, je sais où il se trouve. Je croyais que je le connaissais aussi, mais ce n'était pas le cas, pas vraiment. Peut-on vraiment connaître quelqu'un ? Je ne crois pas, du moins, je ne *le* connaissais pas vraiment. Je croyais que oui, mais non. Toutes ces années ensemble et tout le monde croyant que nous étions si parfaits. Le couple parfait, disaient-ils. Peux-tu le croire ? Le couple parfait. Nous étions la crème de la crème, la jeune médecin et le journaliste prometteur. Ils disaient qu'il finirait par remporter un Pulitzer.

J'ai vaguement conscience de babiller, mais je ne peux pas m'arrêter. Les mots déboulent, toute l'amertume et la douleur accumulées.

— Mes parents étaient si heureux, si fiers le jour de notre mariage. Ils n'avaient aucune idée, ignoraient ce qui suivrait, ce qui nous attendait...

— Sara. Concentre-toi sur moi, dit la voix dans le mégaphone.

Je détecte une trace d'accent étranger. Il me plaît, cet accent, me donne envie de tendre la main et de la presser contre ces lèvres sculptées, puis de laisser courir mes doigts sur cette mâchoire solide pour découvrir si elle est rugueuse. J'aime lorsque c'est rugueux. George revenait souvent de ses voyages à l'étranger, la mâchoire rugueuse, et j'aimais ça. Même si je lui disais de se raser. Il était plus beau fraîchement rasé, pourtant j'aimais sentir la rugosité de son chaume parfois, j'aimais la sentir contre mes cuisses lorsqu'il...

— Sara, ça suffit, m'interrompt la voix, et les traits séduisants et exotiques se renfrognent davantage.

Je parlais à voix haute, réalisé-je, mais je ne suis pas embarrassée, pas du tout. Les mots ne m'appartiennent pas ; ils sortent de leur propre chef. Mes mains bougent aussi d'elles-mêmes, tentant d'atteindre ce visage, mais quelque chose les arrête. Lorsque je baisse ma tête lourde pour voir ce qui se passe, je vois une attache en plastique autour de mes poignets, une grande main masculine recouvrant mes paumes. Elle est chaude, cette main, et elle retient mes mains sur mes genoux. Pourquoi ? D'où vient-elle, cette main ? Lorsque je relève les yeux avec confusion, le visage est plus près, les yeux gris fixant les miens.

— J'ai besoin que tu me dises où se trouve ton mari, articule la bouche, et le mégaphone s'approche. Il semble être tout à côté de mon oreille. Je grimace, mais en même temps, cette bouche m'intrigue. Ces lèvres me donnent envie de les toucher, de les lécher, de les sentir sur… attends. Elles me demandent quelque chose.

— Où se trouve mon mari ?

Ma voix semble ricocher contre les murs.

— Oui, George Cobakis, ton mari.

Les lèvres m'attirent pendant qu'elles forment les mots et l'accent caresse mes entrailles, malgré l'effet persistant de mégaphone.

— Dis-moi où il est.

— Il est en sécurité. Il est dans une résidence protégée, dis-je. Ils peuvent le trouver. Ils ne voulaient pas qu'il publie cette histoire, mais il l'a fait. Il était brave comme ça, ou stupide… probablement stupide, non ? Et puis, il y a eu l'accident, mais ils peuvent encore s'en prendre à lui, parce que c'est ce qu'ils font. La mafia se fout qu'il soit un légume maintenant, un concombre, une tomate, une courgette. Bon, la tomate est un fruit, mais il est un légume. Un brocoli, alors ? Je ne sais pas. Ce n'est pas important de toute façon. Ils veulent en faire un exemple, menacer les autres journalistes qui leur tiennent tête. C'est ce qu'ils font, la manière dont ils fonctionnent. Tout est question de corruption et de petites enveloppes, et lorsqu'on le dévoile…

— Où se trouve cette maison ?

Les yeux d'acier brillent d'un éclat sombre.

— Donne-moi l'adresse de la maison.

— Je ne connais pas l'adresse, mais elle est sur un coin de rue près de la buanderie chez Ricky, à Evanston, réponds-je à ces yeux. Ils m'y conduisent toujours, alors je ne connais pas l'adresse exacte, mais j'ai aperçu cet immeuble d'une fenêtre. Il y a au moins deux hommes dans cette voiture et ils conduisent pendant des heures, changeant parfois de voiture aussi. C'est à cause de la mafia, parce qu'ils pourraient les surveiller. Ils m'envoient toujours une voiture, mais pas ce week-end. Un problème d'horaire. Ça arrive parfois ; les quarts des gardes ne le permettent pas toujours et…

— Combien de gardes y a-t-il ?

— Trois, parfois quatre. Ce sont d'imposants militaires ou ex-militaires, je ne sais pas. Ils ont simplement cet air. Je ne sais pas pourquoi, mais ils ont tous cet air. C'est comme la protection des témoins, mais pas vraiment, parce qu'il a besoin de soins spéciaux et je ne peux pas quitter mon emploi. Je ne veux pas quitter mon emploi. Ils m'ont dit qu'ils pouvaient me faire changer d'endroit, disparaître, mais je ne veux pas disparaître. Mes patients ont besoin de moi, et mes parents aussi. Que ferais-je avec mes parents ? Ne plus jamais les voir ou les appeler ? Non, c'est fou. Alors, ils ont fait disparaître le légume, le concombre, le brocoli…

— Sara, chut.

Des doigts se pressent contre ma bouche, interrompant le torrent de paroles, et le visage s'approche encore davantage.

— Tu peux arrêter maintenant. C'est fini, murmure la bouche sensuelle, et j'ouvre mes lèvres, aspirant ces doigts.

Je peux goûter le sel et la peau, et je veux plus, alors je passe ma langue sur les doigts, suivant le contour rugueux des callosités et le contour émoussé des ongles courts. Ça fait si longtemps que je n'ai pas touché quelqu'un, et mon corps s'échauffe de cet avant-goût, de l'éclat de ces yeux d'argent.

— Sara…

La voix à l'accent est plus basse maintenant, plus profonde et plus douce. Elle me fait moins l'effet d'un mégaphone, et plus d'un écho sensuel, comme la musique d'un synthétiseur.

— Tu ne veux pas de ça, *ptichka*.

Oh, mais je le veux. Je le veux tant. Je continue de passer ma langue sur ces doigts et je regarde les yeux gris s'assombrir, les pupilles se dilatant visiblement. C'est un signe d'excitation, je sais, et j'ai envie de plus. J'ai envie d'embrasser ces lèvres sculptées, de frotter ma joue contre cette mâchoire rugueuse. Et ces cheveux, ces cheveux épais et foncés. Seraient-ils souples ou moelleux au toucher ? Je veux le savoir, mais je ne peux pas bouger mes mains, alors je me contente de plonger ces doigts plus profondément dans ma bouche, les prenant de mes lèvres et de ma langue, les suçotant comme s'il s'agissait d'un bonbon.

— Sara.

La voix est rauque et voilée, le visage froncé sous l'effet d'une faim difficilement contenue.

— Tu dois arrêter, ptichka. Tu le regretteras demain.

Le regretter ? Oui, probablement. Je regrette tout, tant de choses, et je relâche les doigts pour le lui dire. Mais avant de pouvoir prononcer un mot, les doigts s'éloignent de mes lèvres, et le visage se recule.

— Ne me laisse pas.

C'est une plainte pathétique, comme celle d'un enfant accaparant. Je veux davantage de ce contact humain, de cette connexion. Ma tête me fait l'effet d'un sac de roches et j'ai mal partout, surtout près de mon cou et de mes épaules. J'ai aussi des crampes au ventre. Je veux que quelqu'un me brosse les cheveux et me masse le cou, qu'on m'étreigne et qu'on me berce comme un bébé.

— Je t'en prie, ne me laisse pas.

Quelque chose qui ressemble à de la douleur traverse le visage de l'homme, et je sens à nouveau la piqûre froide de l'aiguille sur mon cou.

— Au revoir, Sara, murmure la voix, et je suis partie, mon esprit flottant comme une feuille dans le vent.

CHAPITRE 4
SARA

Le mal de tête. C'est la première chose qui me frappe. Mon crâne semble se morceler, les vagues de douleur pulsant dans mon cerveau.

— Dr Cobakis… Sara, m'entendez-vous ?

La voix féminine est douce et tendre, mais elle m'emplit d'appréhension. Il y a de l'inquiétude dans cette voix, accompagnée d'une insistance contenue. J'entends perpétuellement ce ton à l'hôpital et ce n'est jamais bon signe.

En tentant de ne pas bouger ma tête qui cogne, je me force à soulever mes paupières et je bats spasmodiquement des cils dans la lumière éclatante.

— Que… où…

Ma langue est épaisse et lourde, ma bouche est douloureusement sèche.

— Voilà, prenez une gorgée.

Une paille est placée près de mes lèvres et je l'attrape, aspirant avec avidité l'eau. Mes yeux commencent à s'ajuster à l'éclairage et je peux apercevoir la pièce. C'est un hôpital, mais pas le mien, vu le décor inconnu. D'ailleurs, je ne me trouve pas où je suis habituellement. Je ne suis pas près du lit d'hôpital de quelqu'un ; je suis étendue dans un lit.

— Que s'est-il passé ? demandé-je, d'une voix rauque.

Alors que mon esprit s'éclaircit, je prends conscience d'une nausée et d'un éventail de douleurs. Mon dos me fait l'effet d'une énorme ecchymose, et mon cou est raide et sensible. Ma gorge est quant à elle à vif, comme si j'avais crié ou vomi, et lorsque je soulève une main pour la toucher, je sens un bandage épais sur le côté droit de mon cou.

— Vous avez été attaquée, Dr Cobakis, me dit doucement une femme noire d'âge mûr.

Je reconnais cette voix, c'est celle qui a parlé plus tôt. Elle est vêtue d'un uniforme d'infirmière, mais elle ne ressemble pas à une infirmière. Lorsque je la fixe d'un regard vide, elle ajoute :

— Dans votre maison. Il y avait un homme. Vous souvenez-vous de quoi que ce soit ?

Je bats des cils, tentant avec peine de comprendre cette déclaration déroutante. J'ai l'impression qu'on a bourré mon cerveau d'une énorme boule de coton à côté du tambour battant.

— Ma maison ? Attaquée ?

— Oui, Dr Cobakis, répond une voix masculine et je tressaille instinctivement, mon cœur battant la chamade, avant de reconnaître la voix. Mais vous êtes en sécurité, maintenant. C'est terminé. Nous sommes dans un établissement privé où nous traitons nos agents. Vous êtes en sécurité, ici.

Tournant avec précaution ma tête douloureuse, je fixe l'agent Ryson et mes entrailles se serrent devant l'expression de son visage pâle et ravagé. Des bribes de mon calvaire me reviennent à l'esprit et, avec les souvenirs, je suis envahie de terreur.

— George, est-il…

— Je suis désolé.

Le visage de Ryson se rembrunit davantage.

— La propriété a aussi été attaquée la nuit dernière. George… Il ne s'en est pas sorti. Ni lui ni les trois gardes.

— Quoi ?

C'est comme si un scalpel s'était enfoncé dans mes poumons. Je suis incapable de saisir ses paroles, d'en assimiler l'énormité.

— Il… il ne s'en est pas sorti ?

Puis, le reste de ses mots me frappe.

— Et les trois gardes ? Que… comment…

— Dr Cobakis, Sara.

Ryson s'approche.

— Je dois savoir exactement ce qui s'est passé la nuit dernière, pour qu'il soit appréhendé.

— Il ? Qui est-*il* ?

Il était toujours question d'*eux*, la mafia, et je suis trop hagarde pour comprendre le changement brusque de pronom. George est mort. George et trois gardes. Je suis incapable de le comprendre, alors je n'essaie pas. Du moins, pas pour l'instant. Avant de me laisser envahir par le chagrin et la douleur, je dois retrouver la mémoire et reconstituer cet horrible casse-tête.

— Elle ne s'en souvient peut-être pas. Le cocktail dans son sang était assez puissant, dit l'infirmière et je réalise qu'elle doit être avec l'agent Ryson.

Cela explique pourquoi il parle si librement devant elle, alors qu'il est d'ordinaire discret à un point qui frôle la paranoïa.

Pendant que j'assimile ce point, la femme s'approche. Je suis branchée à un appareil de surveillance des signes vitaux, et elle vérifie le brassard entourant mon bras, puis elle sert légèrement mon avant-bras. Je jette un œil à mon bras et un étau enserre ma poitrine lorsque j'aperçois la mince ligne rouge autour de mon poignet. La même marque entoure mon autre poignet.

Une attache. Le souvenir me frappe brusquement. Mes poignets étaient retenus par une attache.

— Il m'a soumise à la quasi-noyade. Lorsque j'ai refusé de lui dire où se trouvait George, il a planté une aiguille dans mon cou.

Je réalise que j'ai parlé à voix haute en voyant l'horreur sur les traits de l'infirmière. L'agent Ryson se maîtrise davantage, mais je sais que je l'ai choqué.

— Je suis vraiment désolé.

Sa voix est tendue.

— Nous aurions dû le prévoir, mais il ne s'était pas attaqué aux familles des autres et vous ne vouliez pas déménager… Nous aurions tout de même dû savoir que rien ne l'arrêterait.

— Quels autres ? Qui est-il ?

Je hausse le ton, alors que d'autres souvenirs me submergent.

Le couteau contre ma gorge, le tissu mouillé sur mon visage, l'aiguille dans mon cou, je ne peux pas respirer, pas respirer...

— Karen, elle a une crise de panique ! Fais quelque chose.

La voix de Ryson est affolée alors que l'appareil se met à sonner. Je suis en hyperventilation et je tremble, pourtant je trouve la force de regarder l'appareil. Ma tension artérielle monte en flèche et mon pouls est dangereusement rapide, mais voir ces chiffres me calme. Je suis médecin. C'est mon milieu, ma zone de confort.

Je peux y arriver. *Inspire. Expire.* Je ne suis pas faible. *Inspire. Expire.*

— C'est bien, Sara. Respire.

La voix de Karen est douce et apaisante alors qu'elle caresse mon bras.

— Tu t'en sors bien. Prends une autre inspiration profonde. Voilà. Bravo. Une autre. Et une autre...

Je suis ses douces directives tout en fixant les chiffres sur l'appareil, et lentement, la sensation de suffocation s'estompe et mes signes vitaux se stabilisent. D'autres sombres souvenirs se présentent à moi, mais je ne suis pas prête à leur faire face et je les repousse, claquant aussi fermement que possible une porte mentale.

— Qui est-il ? demandé-je, lorsque je peux à nouveau parler. Que voulez-vous dire par « les autres » ? George a rédigé cet article seul. Pourquoi la mafia en a-t-elle après quelqu'un d'autre ?

L'agent Ryson lance un regard à Karen avant de se tourner vers moi.

— Dr Cobakis, j'ai peur que nous n'ayons pas été totalement honnêtes avec vous. La situation réelle n'a pas été mentionnée pour vous protéger, mais nous avons clairement échoué.

Il prend une inspiration.

— La mafia locale n'en avait pas contre votre mari. C'était un fugitif international, un criminel dangereux que votre mari a croisé lors d'un mandat à l'étranger.

— Quoi ?

Ma tête bat douloureusement et j'ai peine à assimiler les révélations. George avait commencé comme correspondant à l'étranger, mais au cours des cinq dernières années, il avait couvert de plus en plus d'histoires nationales. Je m'étais questionnée à ce sujet, vu sa passion pour les affaires étrangères, mais lorsque je l'avais interrogé, il m'avait dit vouloir passer plus de temps avec moi, et j'avais laissé tomber le sujet.

— Cet homme possède une liste de gens qui lui ont fait du tort, du moins selon lui, dit Ryson. J'ai bien peur que George ait été sur cette liste. Les circonstances exactes à ce sujet et l'identité du fugitif sont classifiées, mais après ces événements, vous méritez de connaître la vérité, du moins tout ce que je peux vous révéler.

Je le fixe du regard.

— Un seul homme ? Un fugitif ?

Un visage s'impose à mon esprit, un visage masculin à la beauté rude. C'est flou, comme un rêve, mais je sais que c'est lui, l'homme qui s'est introduit chez moi et qui m'a fait ses choses terribles.

Ryson acquiesce.

— Oui. Il est bien entraîné et dispose de vastes ressources, ce qui explique pourquoi il a réussi à nous échapper si longtemps. Il a des connexions partout, de l'Europe de l'Est à l'Amérique du Sud, jusqu'au Moyen-Orient. Lorsque nous avons appris que le nom de votre mari était sur cette liste, nous avons déplacé George dans une propriété protégée et nous aurions dû faire de même avec vous. Nous avons cru simplement que…

Il s'interrompt et secoue la tête.

— Je suppose que ça n'a plus d'importance. Nous l'avons sous-estimé, et maintenant quatre hommes sont morts.

Morts. Quatre hommes sont morts. Ça me frappe soudainement, le fait que George n'est plus. Je ne l'avais pas assimilé avant, pas vraiment. Mes yeux me brûlent et ma poitrine semble être dans un étau. Dans un éclair de lucidité, les pièces du casse-tête prennent leur place.

— C'est moi, n'est-ce pas ?

Je m'assieds, en ignorant la vague d'étourdissement et de douleur.

— Je suis responsable. J'ai avoué l'endroit où se trouvait George.

Ryson lance un autre regard à l'infirmière et mon cœur s'arrête. Ils ne répondent pas à ma question, mais leurs expressions en disent long.

Je suis responsable de la mort de George. Des quatre morts.

— Ce n'est pas de votre faute, Dr Cobakis.

Karen effleure à nouveau mon bras, ses yeux marron emplis de sympathie.

— Le produit qu'il vous a injecté aurait fait parler quiconque. Connaissez-vous le thiopental sodique ?

— Le barbiturique anesthésiant ?

Je la regarde sans comprendre.

— Bien sûr. Il était largement utilisé pour induire l'anesthésie avant que le propofol devienne la norme. Qu'est-ce que… oh.

— Oui, dit l'agent Ryson. Je vois que vous connaissez son autre utilisation. Il est rarement utilisé ainsi, du moins en dehors du monde du renseignement, mais il est très efficace comme sérum de vérité. Il abaisse les fonctions cérébrales corticales plus élevées et rend les sujets bavards et coopératifs. Et il s'agissait dans ce cas-ci d'une version de synthèse, du thiopental associé à des composés que nous n'avons jamais vus avant.

— Il m'a droguée pour me faire parler ?

Mon estomac se révolte à cette idée. Cela explique le mal de tête et mon esprit brumeux. L'idée qu'on m'a fait ça, que j'ai été profanée ainsi me donne envie de frotter l'intérieur de mon crâne à la javel. Cet homme ne s'est pas seulement introduit chez moi, il s'est introduit dans mon esprit, en a forcé la porte comme un voleur.

— C'est ce que nous croyons, oui, dit Ryson. Vous aviez une grande quantité de ce produit dans votre système, lorsque les agents vous ont trouvée liée dans votre salon. Il y avait également du sang sur votre cou et vos cuisses et ils ont tout d'abord pensé que…

— Du sang sur mes cuisses ?

Je me prépare à entendre une autre atrocité.

— A-t-il…

— Non, ne vous inquiétez pas, il ne vous a pas mal-menée ainsi, dit Karen, en lançant un regard noir à Ryson. Nous avons réalisé un examen complet à votre arrivée et ce n'était que du sang menstruel. Il n'y avait aucun signe de traumatisme sexuel. À l'exception de quelques ecchymoses et d'entailles superficielles à votre cou, tout va bien, ou du moins tout ira bien, une fois que la drogue se dissipera.

Bien. Un rire hystérique se bouscule dans ma gorge et j'ai besoin de toutes mes forces pour le retenir. Mon mari et trois autres hommes sont morts par ma faute. Ma maison a été envahie ; mon *esprit* a été envahi. Et elle croit que tout ira bien ?

— Pourquoi avoir inventé ce mensonge au sujet de la mafia ? fais-je, en tentant de contenir la masse douloureuse toujours grandissante dans ma poitrine. En quoi étais-je protégée ?

— Parce que par le passé, ce fugitif ne s'en est jamais pris aux innocents, les femmes et enfants des gens sur sa liste qui n'avaient rien à voir avec tout ça, répond Ryson. Mais il a tué la sœur d'un homme, car il lui avait confié les événements et l'avait impliquée dans la dissimulation. Moins vous en saviez, plus vous étiez en sécurité, surtout puisque vous ne vouliez pas déménager et disparaître avec votre mari.

— Ryson, ça suffit, dit sèchement Karen, mais il est trop tard.

Je suis déjà aux prises de ce nouveau coup. Même si je pouvais être absoute de mon babillage drogué, mon refus de partir me revenait entièrement. J'avais fait preuve d'égoïsme, pensant à mes parents et à ma carrière au lieu du danger que je posais pour mon mari. Je croyais que *ma* sécurité était en jeu, pas la sienne, cependant ce n'est pas une excuse.

J'ai la mort de George sur la conscience, tout comme l'accident qui a endommagé son cerveau.

— A-t-il…

Je déglutis avec peine.

— A-t-il souffert ? Je veux dire… que s'est-il passé ?

— Une balle dans la tête, répond Ryson d'un ton modéré. Même chose pour les trois hommes qui le protégeaient. Je crois que tout est arrivé trop vite pour que l'un d'entre eux souffre.

— Oh, mon Dieu.

Mon estomac se soulève violemment et je sens le vomi remonter dans ma gorge.

Karen a dû voir mon visage perdre toute couleur, car elle réagit rapidement, attrapant un plateau de métal sur une table avoisinante et me le fourrant dans les mains. Juste à temps, car le contenu de mon estomac se déverse, l'acidité brûlant mon œsophage alors que je tiens le plateau dans mes mains tremblantes.

— Tout va bien. Tout va bien. Laissez-moi vous nettoyer.

Karen est l'efficacité même, comme une véritable infirmière. Peu importe son rôle au FBI, elle sait comment se débrouiller dans un milieu médical.

— Laissez-moi vous aider à vous rendre aux toilettes. Vous vous sentirez mieux dans un moment.

Elle dépose le plateau sur la table de chevet, puis passe un bras dans mon dos pour m'aider à sortir du lit. Elle me guide vers les toilettes. Mes jambes tremblent tant que j'ai de la peine à marcher ; sans son aide, je n'y serais pas arrivée.

J'ai pourtant besoin d'un moment pour moi seule, alors je demande à Karen :

— Pouvez-vous me laisser un moment ? Ça va pour l'instant.

Je dois être convaincante, car Karen me répond :

— Je serai à côté si vous avez besoin de moi.

Elle ferme ensuite la porte derrière elle.

Je transpire et je tremble, mais je réussis à me rincer la bouche et à me brosser les dents. Puis, je m'occupe d'autres besoins pressants, me lave les mains et m'asperge le visage d'eau froide. Lorsque Karen cogne à la porte, je me sens un petit peu plus humaine.

Je ne pense également à rien. Si je repense à la manière dont George et les autres sont morts, je vomirai à nouveau. J'ai vu plusieurs blessures par balle lorsque j'étais interne au service des urgences, et je me souviens des dégâts dévastateurs causés par une balle.

N'y pense pas. Pas tout de suite.

— Mes parents ont-ils été informés ? Demandé-je, une fois de retour dans le lit avec l'aide de Karen.

Elle a déjà retiré le plateau et l'agent Ryson est assis sur une chaise près du lit, son visage buriné empreint d'une lassitude tendue.

— Non, répond doucement Karen. Pas encore. Nous voulions justement en parler avec vous.

Je la regarde, avant de me tourner vers Ryson.

— Parler de quoi ?

— Dr Cobakis, Sara, nous croyons qu'il serait mieux que les circonstances exactes de la mort de votre mari et aussi de votre attaque restent confidentielles, dit Ryson. Cela vous éviterait une couverture médiatique désagréable, en plus de…

— Cela *vous* éviterait une couverture médiatique désagréable, plutôt.

Un éclat de colère chasse en partie le brouillard qui comprime mon cerveau.

— C'est la raison de ma présence ici, plutôt que dans un hôpital régulier. Vous voulez faire disparaître toute cette histoire, comme si rien ne s'était passé.

— Nous voulons vous garder en sécurité et vous aider à aller de l'avant, dit Karen, son regard marron sincère. Rien de bon ne peut résulter de cette histoire si les médias s'en emparent. Ce qui s'est passé était une horrible tragédie, mais votre mari était déjà sous respirateur artificiel. Vous savez mieux que quiconque que ce n'était qu'une question de temps avant…

— Qu'en est-il des trois autres hommes ? L'interromps-je. Étaient-ils également sous respirateur artificiel ?

— Ils sont morts en service, dit Ryson. Leurs familles ont déjà été informées, alors vous n'avez pas à vous en faire. Pour ce qui est de George, vous étiez sa seule famille, alors…

— Alors, je suis maintenant informée.

Je grimace.

— Votre conscience est apaisée et il est maintenant temps de faire le ménage. Ou devrais-je dire de « couvrir vos arrières » ?

Son visage se durcit.

— C'est encore un sujet hautement classifié, Dr Cobakis. Si vous en parlez aux médias, vous ouvrirez une boîte de Pandore et, croyez-moi, vous ne le souhaitez pas. Votre mari non plus, s'il était toujours de ce monde. Il ne voulait pas que quiconque soit informé de cette situation, pas même vous.

— Quoi ?

Je fixe l'agent.

— George savait ? Mais…

— Il ignorait qu'il était sur la liste, tout comme nous, dit Karen, en posant une main sur le dossier de la chaise de Ryson. Nous l'avons appris après son accident, et nous avons alors fait notre possible pour le protéger.

Ma tête m'élance, mais je repousse la douleur et tente de me concentrer sur leurs paroles.

— Je ne comprends pas. Que s'est-il passé lors de ce mandat à l'étranger ? Comment George s'est-il retrouvé impliqué avec ce fugitif ? Et quand ?

— C'est la partie classifiée, dit Ryson. Je suis désolé, mais c'est mieux pour vous de laisser tomber le sujet. Nous sommes à la recherche du meurtrier de votre mari et nous tentons de protéger les autres cibles sur sa liste. Vu ses ressources, ce n'est pas une tâche aisée. Si les médias commencent à nous talonner, nous serons incapables de faire notre travail efficacement et plus de personnes pourraient en payer le prix. Comprenez-vous ce que je vous dis, D^r

Cobakis ? Pour votre sécurité et celles des autres, vous devez laisser tomber.

Je me crispe, me rappelant ce que l'agent a dit concernant les autres.

— Combien de personnes a-t-il déjà tuées ?

— Trop, j'en ai bien peur, répond sombrement Karen. Nous n'avons découvert la liste que lorsqu'il s'en est pris à plusieurs cibles en Europe, et lorsque nous avons réussi à mettre en place les protections adéquates, il ne restait plus que quelques personnes.

Je prends une inspiration tremblante, la tête me tournant. Je savais ce que George faisait en tant que correspondant à l'étranger, bien sûr, et j'avais lu plusieurs de ses articles et exposés, mais ces récits ne me semblaient pas entièrement vrais. Même lorsque l'agent Ryson m'avait approchée neuf mois plus tôt au sujet de la supposée menace de la mafia contre George, la peur qui m'avait agrippée avait été plus théorique que viscérale. À l'exception de l'accident de George et des années douloureuses ayant mené à celui-ci, j'avais eu une vie de rêve, remplie des préoccupations typiques concernant l'école, le travail et la famille. Les fugitifs internationaux qui torturent et tuent des gens sur une liste mystérieuse sont si loin de ma sphère d'expériences que j'ai l'impression de m'être éveillée dans le corps de quelqu'un d'autre.

— Nous savons que c'est beaucoup à digérer, dit doucement Karen, et je réalise qu'une partie de mon désarroi doit se lire sur mon visage. Vous êtes encore sous le choc de l'attaque et apprendre tout ça…

Elle inspire.

— Si vous avez besoin d'en parler, je connais un bon thérapeute qui a travaillé auprès de soldats atteints du SSPT.

— Non, je…

Je veux refuser, lui répondre que je n'ai pas besoin de personne, mais je suis incapable d'articuler le mensonge. La boule de douleur dans ma poitrine m'étouffe de l'intérieur et, malgré mon mur mental, davantage de souvenirs horribles me frappent, des éclairs de ténèbres et d'impuissance et de terreur.

— Je vais vous laisser sa carte, dit Karen, en s'approchant du lit.

Je la vois lancer un regard inquiet vers l'appareil aux signaux sonores. Je n'ai pas besoin de le regarder pour savoir que mon rythme cardiaque monte en flèche, mon corps entrant dans une réaction d'alarme inutile.

Mon instinct de survie ignore que les souvenirs ne peuvent pas m'atteindre, que le pire est déjà arrivé. À moins que…

— Vais-je devoir disparaître ? Dis-je, la gorge nouée. Croyez-vous qu'il…

— Non, répond Ryson, comprenant immédiatement ma peur. Il ne s'approchera plus de vous. Il a eu ce qu'il voulait ; il n'a aucune raison de revenir. Si vous préférez, nous pouvons toujours vous reloger, mais…

— Ça suffit, Ryson. Ne vois-tu pas qu'elle est en hyperventilation, dit sèchement Karen, en m'agrippant le bras.

— Respirez, Sarah, me dit-elle, d'une voix apaisante. Allez, ma belle, respirez profondément. Et encore. Voilà…

Je suis ses directives jusqu'à ce que mon rythme cardiaque se stabilise à nouveau, et que les pires souvenirs soient

à nouveau bloqués derrière un mur mental. Je tremble toujours, cependant, alors Karen m'enveloppe d'une couverture et s'assied à mes côtés sur le lit, m'étreignant avec force.

— Tout ira bien, Sara, murmure-t-elle, alors que la
douleur déborde et que je me mets à pleurer, les larmes
coulant sur mes joues comme des traînées de lave. C'est
fini. Tout ira bien. Il est parti et il ne vous blessera plus
jamais.

CHAPITRE 5
PETER

—Tu es poussière et tu retourneras à la poussière...

La voix monocorde du prêtre me parvient et je l'ignore comme je balaie la foule en deuil du regard. Il y a plus de deux cents personnes présentes, toutes vêtues de noir, l'expression sombre. Sous la mer de parapluies noirs, j'aperçois bien des yeux rouges et gonflés, et quelques femmes pleurent à chaudes larmes.

George Cobakis était populaire de son vivant.

Cette pensée devrait me mettre en colère, mais ce n'est pas le cas. Je ne ressens rien lorsque je pense à lui, pas même la satisfaction de le savoir mort. La rage qui me consume depuis des années s'est apaisée pour le moment, me laissant étrangement vide.

Je reste à l'arrière de la foule, mon manteau et mon parapluie noirs comme ceux des autres. Une perruque d'un marron clair et une fine moustache camouflent mon apparence, tout comme ma posture avachie et l'oreiller rembourrant mon abdomen.

J'ignore pourquoi je suis ici. Je n'ai jamais assisté aux autres enterrements. Une fois qu'un nom est rayé de ma liste, mon équipe et moi passons au suivant, froidement et méthodiquement. Je suis un homme recherché ; ce n'est pas sensé de m'attarder ici, dans cette petite ville de banlieue, pourtant je ne peux pas m'obliger à partir.

Pas sans l'avoir vue à nouveau.

Mon regard passe d'une personne à l'autre, en cherchant sa silhouette élancée et finalement, je la vois, à l'avant, comme il sied à la femme du défunt. Elle se trouve aux côtés d'un couple plus âgé, tenant un grand parapluie au-dessus d'eux trois et, même dans une foule, elle parvient à paraître distante, comme isolée de tous les autres.

Comme si elle existait sur un autre plan, comme moi.

Je la reconnais à ses boucles marron, visibles sous son petit chapeau noir. Elle a laissé ses cheveux lâches aujourd'hui et, malgré la grisaille du ciel pluvieux, je vois les éclats roux dans la masse marron foncé qui tombe quelques centimètres en bas des épaules. Je ne vois pas grand-chose de plus, il y a trop de gens et de parapluies entre nous, mais je l'observe tout de même, comme je le fais depuis un mois. Seulement mon intérêt est maintenant différent, infiniment plus personnel.

Dommage collatéral. C'est ainsi que je la voyais au début. Elle n'était pas une personne, seulement une extension de son mari. Une extension intelligente et jolie, bien sûr, pourtant cela ne m'importait pas. Je ne voulais pas particulièrement la tuer, mais j'aurais fait ce qu'il fallait pour atteindre mon but.

J'ai *fait* ce qu'il fallait.

Elle s'était figée de terreur lorsque je l'avais empoignée, la réaction d'une personne sans entraînement, l'instinct primitif d'une proie prise au dépourvu. La suite aurait dû être simple, quelques entailles superficielles et le tour était joué. Qu'elle n'ait pas craqué immédiatement sous ma lame était à la fois impressionnant et agaçant ; j'avais vu des assassins aguerris se pisser dessus et se mettre à déblatérer avec moins d'encouragements.

J'aurais pu aller plus loin à ce moment-là, jouer réellement de mon couteau, mais j'avais plutôt opté pour une technique d'interrogatoire moins dommageable.

Je l'avais mise sous le robinet.

Ça avait fonctionné à merveille, et c'est là que j'ai commis une erreur. Elle tremblait et sanglotait si fort après la première séance que je l'ai déposée sur le plancher et l'ai étreinte, à la fois pour l'entraver et la calmer. Je l'ai fait pour lui permettre de parler, mais c'était sans compter sur ma réaction à son égard.

Elle avait semblé petite et fragile, entièrement démunie alors qu'elle toussait et sanglotait dans mes bras et, pour une raison que j'ignore, je me suis souvenu d'avoir étreint mon fils ainsi, le réconfortant lorsqu'il pleurait. Seulement, Sara n'était pas une enfant, et mon corps avait réagi à ses courbes élancées avec une faim déconcertante, un désir aussi primitif qu'irrationnel.

Je désirais la femme que je devais interroger, alors même que je voulais la peau de son mari.

J'avais tenté d'ignorer ma réaction inopportune, de continuer comme auparavant, mais lorsqu'elle s'était retrouvée à nouveau sur le comptoir, j'avais été incapable d'ouvrir l'eau. J'étais trop conscient d'elle ; elle était devenue une personne, une femme en chair et en os à la place d'un simple moyen d'arriver à mes fins.

Ce qui ne me laissait que le cocktail. Je n'avais pas eu l'intention de l'utiliser sur elle, à la fois, pour le temps requis avant de faire effet et parce que c'était notre dernière dose. Le chimiste qui le préparait avait récemment été tué et Anton m'avait prévenu qu'il faudrait un moment pour trouver un autre fournisseur. J'avais mis cette dose de côté pour les urgences, mais je n'avais pas eu le choix.

Moi qui avais torturé et, tué des centaines de personnes, je ne pouvais pas me résoudre à blesser davantage cette femme.

— C'était un homme bon et généreux, un journaliste talentueux. Sa mort est une perte inestimable, à la fois pour sa famille et sa profession…

Je m'arrache à la contemplation de Sara pour me concentrer sur l'oratrice. C'est une femme d'âge mûr, son visage fin est strié de larmes. Je la reconnais comme l'une des collègues de Cobakis au journal. J'ai enquêté sur chacun d'eux pour déterminer leur complicité, mais heureusement pour eux, Cobakis était le seul impliqué.

Elle poursuit son énumération des qualités extraordinaires de Cobakis, mais je l'ignore à nouveau, mon regard attiré par la silhouette élancée sous l'énorme parapluie. La seule chose que j'aperçois de Sara est son dos, mais je peux aisément me représenter son visage pâle en cœur. Ses traits sont gravés dans ma mémoire, de ses grands yeux noisette et son petit nez droit à ses douces lèvres pulpeuses. Il y a quelque chose chez Sara Cobakis qui me fait penser à Audrey Hepburn, une beauté surannée rappelant les vedettes du cinéma des années quarante et cinquante. Cela renforce l'impression qu'elle n'a pas sa place ici, qu'elle est intrinsèquement différente des gens qui l'entourent.

Qu'elle est en quelque sorte au-dessus d'eux.

Je me demande si elle pleure, si elle est affligée par la mort de l'homme qu'elle a admis ne pas réellement avoir connu. Lorsque Sara m'avait dit que son mari et elle étaient séparés, je ne l'avais pas crue, mais certaines des choses qu'elle avait dites sous l'influence de la drogue m'avaient amené à revoir cette conclusion. Quelque chose avait très mal tourné dans son mariage prétendument parfait, quelque chose qui lui avait laissé une trace indélébile.

Elle avait connu la douleur, avait vécu avec elle. Je pouvais le voir dans ses yeux, dans la courbe douce et tremblante de sa bouche. Cela m'avait intrigué, cet aperçu de son esprit m'avait donné envie de plonger davantage dans ses secrets, et lorsqu'elle avait refermé ses lèvres sur mes doigts et s'était mise à les aspirer, la faim que j'avais tenté de réprimer était revenue, mon membre se durcissant de façon incontrôlable.

J'aurais alors pu la prendre, et elle m'aurait laissé faire. Bordel, elle m'aurait accueilli à bras ouverts. La drogue avait levé ses inhibitions, l'avait dépouillée de toutes ses défenses. Elle était ouverte et vulnérable, démunie d'une façon qui m'avait touché au plus profond de moi.

Ne me laisse pas. Je t'en prie, ne me laisse pas.

Encore aujourd'hui, j'entends ses suppliques, ressemblant tant à celles de Pasha la dernière fois que je l'ai vu. Elle ne savait pas ce qu'elle demandait, elle ignorait qui j'étais et ce que je m'apprêtais à faire, mais ses paroles m'avaient ébranlé, me donnant envie de quelque chose d'entièrement impossible. Il m'avait fallu toute ma volonté pour partir et la laisser attachée à la chaise où le FBI la trouverait.

Il m'avait fallu toute ma volonté pour partir et continuer ma mission.

Je reviens à l'instant présent lorsque la collègue de Cobakis se tait et que Sara s'approche de l'estrade. Sa silhouette élancée, vêtue de noir, se déplace avec une grâce inconsciente, et l'anticipation se love dans mes entrailles alors qu'elle se tourne vers la foule.

Une écharpe noire entoure son cou, la protégeant du vent froid d'octobre et cachant le bandage qui doit s'y trouver. Au-dessus de l'écharpe, son visage en cœur est d'une pâleur spectrale, mais ses yeux sont secs, du moins d'après ce que je peux voir à cette distance. J'aimerais m'approcher, mais c'est trop risqué. Je prends déjà un risque en étant ici. Il y a au moins deux agents du FBI parmi les gens présents et quelques autres sont assis discrètement dans des véhicules du gouvernement le long de la rue. Ils ne s'attendent pas à me trouver ici, la sécurité serait beaucoup plus rigoureuse si c'était le cas, mais ça ne veut pas dire que je peux baisser la garde. Anton et les autres pensent déjà que je suis fou de m'être pointé ici.

Nous quittons normalement une ville dans les heures qui suivent une attaque réussie.

— Comme vous le savez tous, George et moi nous sommes rencontrés à l'université, dit Sara dans le micro, et je frissonne sous les notes de sa voix douce et mélodieuse.

Je l'ai observée assez longtemps pour savoir qu'elle peut chanter. Elle chante souvent sur des airs populaires lorsqu'elle est seule dans sa voiture ou lorsqu'elle s'occupe dans la maison.

La plupart du temps, elle chante mieux que le chanteur.

— Nous nous sommes rencontrés dans un laboratoire de chimie, continue-t-elle, parce que, croyez-le ou non, George pensait faire l'école de médecine à cette époque.

J'entends quelques gloussements dans la foule et les lèvres de Sara esquissent un sourire alors qu'elle ajoute :

— Oui. George, qui ne pouvait pas tolérer la vue du sang, envisageait de devenir médecin. Par chance, il a rapidement découvert sa véritable passion, le journalisme, et nous connaissons tous la suite.

Elle continue de parler des habitudes et des excentricités de son mari, dont son amour des sandwichs au fromage et au miel, puis elle passe à ses accomplissements et à ses bonnes actions, parlant de son appui inébranlable pour les vétérans et les sans-abri. Alors qu'elle parle, je remarque que tout ce qu'elle mentionne le concerne, *lui*, et non eux deux. À l'exception de la manière dont ils se sont rencontrés, le discours de Sara pourrait avoir été rédigé par un colocataire ou un ami, n'importe qui connaissant Cobakis, bref. Même sa voix est ferme et calme, sans aucune trace de la douleur que j'ai aperçue dans son regard cette nuit-là.

Ce n'est que lorsqu'elle aborde l'accident que je vois une réelle émotion sur ses traits.

— George était tant de choses merveilleuses, dit-elle, le regard au loin. Mais toutes ces choses ont pris fin il y a dix-huit mois, lorsque sa voiture a percuté la rampe de sécurité et est passée par-dessus celle-ci. Tout ce qu'il était est mort ce jour-là. Ce qui restait n'était pas George. Ce n'était qu'une enveloppe, un corps sans esprit. Lorsque la mort a frappé tôt samedi matin, elle n'a pas emmené mon mari. Elle n'a eu que cette enveloppe. George n'était plus depuis longtemps et rien ne pouvait le faire souffrir.

Son menton se soulève alors qu'elle prononce cette dernière partie et je l'observe avec intensité. Elle ignore que je suis ici, sinon je serais entouré d'agents du FBI, mais j'ai l'impression qu'elle me parle directement, qu'elle m'affirme avoir échoué. Est-elle consciente de ma présence d'une certaine manière ? Sent-elle mon regard ?

Sait-elle que lorsque je me suis retrouvé au chevet de son mari deux nuits plus tôt, pendant un bref moment, j'ai envisagé de ne *pas* appuyer sur la gâchette ?

Elle termine son discours avec les paroles traditionnelles sur le fait que George manquera à tous ses proches, puis elle quitte l'estrade, laissant le prêtre terminer son sermon. Je la regarde se diriger vers le couple âgé, puis lorsque la foule se disperse, je suis silencieusement les autres hors du cimetière.

Les funérailles sont terminées et ma fascination pour Sara doit l'être également.

Il y a d'autres personnes sur ma liste et, heureusement pour elle, Sara n'est pas l'une d'elles.

PARTIE II

CHAPITRE 6
SARA

— *C*hérie, tu ne manges toujours pas ? demande maman avec une expression inquiète.

Bien qu'elle passait l'aspirateur lorsque je suis arrivée, son maquillage est parfait comme toujours, ses courts cheveux blancs joliment bouclés, et ses boucles d'oreilles s'harmonisent à son collier stylisé.

— Tu es si mince, ces derniers temps.

— La plupart des gens en seraient heureux, réponds-je, mais pour l'apaiser, je reprends une pointe de sa tarte aux pommes maison.

— Pas lorsque tu donnes l'impression qu'un chihuahua aurait le dessus, dit maman, en poussant vers moi une autre pointe de tarte. Tu dois prendre soin de toi ; sinon, tu seras incapable d'aider tes patientes.

— Je sais, maman, dis-je entre deux bouchées de tarte. Ne t'inquiète pas, d'accord ? L'hiver a été chargé, mais ça devrait se calmer bientôt.

— Sara, chérie…

Son expression inquiète s'accentue.

— Six mois se sont écoulés depuis que George…

Elle s'interrompt et inspire.

— Ce que je veux dire, c'est que tu ne peux pas continuer à te tuer à la tâche. C'est trop pour toi, ton horaire régulier, en plus de toutes ces heures de bénévolat. Dors-tu ?

— Bien sûr, maman. Je dors sur mes deux oreilles.

Ce n'est pas un mensonge ; je m'endors à l'instant où ma tête touche l'oreiller et je ne m'éveille pas avant que mon alarme ne retentisse. Du moins, lorsque je suis complètement épuisée. Les jours où j'ai un horaire presque normal, je me réveille à la suite de cauchemars, tremblante et en sueur, alors je fais mon possible pour m'épuiser chaque jour.

— Comment va la vente de la maison ? As-tu des offres ? Demande papa, en se traînant dans la salle à manger.

Il utilise à nouveau une marchette, alors son arthrite doit encore faire des siennes, mais je suis heureuse de voir que sa posture est un peu plus droite. Il suit enfin les directives d'un physiothérapeute et nage au centre de conditionnement chaque jour.

— L'agent immobilier organise une visite libre la semaine prochaine, lui réponds-je, en réprimant l'envie de féliciter papa pour ses efforts.

Il n'aime pas qu'on lui rappelle son âge, alors tout ce qui a trait à sa santé ou à celle de maman est un sujet de conversation interdit pendant le dîner. Ça me rend folle, mais je ne peux pas m'empêcher d'admirer sa détermination.

À près de quatre-vingt-sept ans, mon père est plus robuste que jamais.

— Oh, c'est bien, dit maman. J'espère que tu auras quelques offres. N'oublie pas de cuire des biscuits ce matin-là ; ils embaumeront la maison.

— Je vais peut-être demander à l'agent immobilier d'apporter des biscuits et de les mettre au four micro-ondes avant l'arrivée des premiers visiteurs, dis-je en lui souriant. Je ne crois pas que j'aurai le temps de faire de la pâtisserie.

— Évidemment pas, Lorna.

Papa s'installe aux côtés de maman et se prend une pointe de tarte.

En levant les yeux vers moi, il dit d'une voix bourrue :

— Tu ne seras probablement pas là, n'est-ce pas ?

J'acquiesce.

— Je devrais me rendre à la clinique tout de suite après mon quart à l'hôpital ce jour-là.

Il fronce les sourcils.

— Tu fais encore ça ?

— Ces femmes ont besoin de moi, papa.

J'essaie de ne pas laisser paraître mon exaspération.

— Tu n'as aucune idée de la vie dans ce quartier.

— Mais, chérie, c'est exactement ce quartier qui ne nous plaît pas, intervient maman. Ne peux-tu pas faire du bénévolat ailleurs ? Et t'y rendre la nuit, après un autre long quart…

— Maman, je n'ai jamais d'argent ou d'objets de valeur sur moi, et je ne suis jamais là plus de quelques heures, dis-je, ma patience à bout.

Nous avons eu la même discussion au moins cinq fois au cours des trois derniers mois et, chaque fois, mes parents agissent comme si c'était la première fois.

— Je me stationne devant l'immeuble et j'entre directement. C'est aussi sécuritaire que ce puisse l'être.

Maman soupire et secoue la tête, mais n'en dit pas plus. Papa, cependant, me regarde toujours d'un air renfrogné. Pour le distraire, je me lève et demande :

— Quelqu'un aimerait du café ou du thé ?

— Un déca pour ton père, répond maman. Et un thé à la camomille pour moi, merci.

— Un déca et un thé à la camomille, compris.

Je me dirige vers la machine à café de luxe que je leur ai offerte Noël dernier. Après avoir préparé les boissons chaudes et les avoir déposées sur la table, je retourne à la machine et me prépare une vraie tasse de café.

Après ce dîner, je serai de garde et rien de mieux qu'une dose de caféine pour me garder éveillée.

— Devine quoi, chérie ? dit maman lorsque je m'assieds à nouveau à la table. Nous recevons les Levinson samedi soir pour dîner.

Je prends une gorgée de café. Brûlant et fort, comme je l'aime.

— C'est bien.

— Ils nous ont demandé comment tu te portais, dit papa, en ajoutant du sucre dans son déca.

— Oh.

Je garde une expression neutre.

— Dis-leur bonjour de ma part.

— Pourquoi ne te joindrais-tu pas à nous, chérie ? dit maman, comme si l'idée venait de la frapper. Je sais qu'ils seraient ravis de te voir et je ferai ton plat préféré…

— Maman, je n'ai pas envie de fréquenter Joe, ou quiconque, en ce moment, dis-je, tout en adoucissant mon refus d'un sourire. Je suis désolée, mais je n'en suis pas encore là. Je sais que tu adores les parents de Joe, et c'est un excellent avocat et un homme très charmant, mais je ne suis tout simplement pas prête.

— Tu ne sauras pas que tu es prête tant que tu ne l'essaieras pas à nouveau, dit papa, alors que maman soupire et baisse les yeux vers sa tasse. Tu ne peux pas te laisser mourir avec George, Sara. Tu es plus forte que ça.

Je prends une gorgée de café sans répondre. Il a tort. Je ne suis pas forte. J'ai besoin de toute ma force pour rester assise ici et prétendre que tout va bien, que je suis encore entière, en état et avec toute ma raison. Mes parents, comme tout le monde, ignorent ce qui s'est passé ce vendredi soir. Ils croient que George est mort dans son sommeil, résultat tardif de l'accident qui l'avait plongé dans le coma, dix-huit mois plus tôt. J'avais expliqué la raison du cercueil fermé comme une façon d'affronter mon chagrin, et personne n'en avait fait de cas. Si mes parents apprenaient la vérité, ils seraient dévastés et je serais incapable de leur faire une telle chose.

Personne en dehors du FBI et de mon thérapeute ne connaît l'existence du fugitif et mon rôle dans la mort de George.

— Penses-y, dit maman lorsque je garde le silence. Tu n'as pas à t'engager ou à faire quoi que ce soit qui ne te plaît pas. Mais, je t'en prie, pense à venir ce samedi.

Je la fixe du regard et, pour la première fois, je remarque la tension cachée sous le maquillage impeccable et les accessoires stylisés. Ma mère a neuf ans de moins que mon père et elle semble tellement en forme et énergique que j'oublie parfois que l'âge la rattrape également. Toute cette inquiétude à mon sujet n'est pas bonne pour sa santé.

— Je vais y penser, maman, lui promets-je avant de me lever pour débarrasser la table. Si je ne travaille pas samedi, j'essaierai de passer.

CHAPITRE 7

SARA

Mon quart de garde est une frénésie d'urgences, d'une femme enceinte de cinq mois avec des saignements graves à l'une de mes patientes qui commence son travail sept semaines trop tôt. Je dois lui faire une césarienne, mais par chance le bébé, un minuscule petit garçon, parfaitement formé, est capable de respirer et de téter par lui-même. La femme et son mari sanglotent de bonheur et me remercient avec profusion et, lorsque je réussis enfin à rejoindre le vestiaire pour me changer, je suis physiquement et émotionnellement vidée. Pourtant, je suis également profondément satisfaite.

Chaque enfant que j'aide à mettre au monde, chaque corps de femme que je soigne, me fait sentir un peu mieux, soulageant la culpabilité qui m'étouffe comme un tissu mouillé.

Non, n'y pense pas. Arrête. Il est pourtant trop tard et les souvenirs m'envahissent, sombres et toxiques. Haletante, je m'affaisse sur le banc près de mon casier, mes mains agrippant la planche de bois.

Une main contre ma bouche. Un couteau contre ma gorge. Un tissu mouillé sur mon visage. L'eau dans mon nez, mes poumons...

— Sara.

Des mains douces m'agrippent les bras.

— Sara, que se passe-t-il ? Tout va bien ?

J'ai la respiration sifflante, ma gorge se serrant avec force, mais je réussis à hocher la tête. En fermant les yeux, je me concentre pour calmer ma respiration comme me l'a montré mon thérapeute et, après quelques instants, le pire de cette sensation de suffocation s'estompe.

En ouvrant les yeux, je fixe Marsha qui m'observe avec inquiétude.

— Ça va, dis-je d'une voix tremblante.

Je me lève pour ouvrir mon casier. Ma peau est froide et moite et mes genoux semblent sur le point de fléchir, mais je préfère que personne à l'hôpital ne soit au fait de mes crises de panique.

— J'ai encore oublié de manger et ce n'était probablement qu'un peu d'hypoglycémie.

Les yeux bleus de Marsha s'écarquillent.

— Tu n'es pas enceinte, dis-moi ?

— Quoi ?

Malgré mon souffle encore instable, j'éclate d'un rire stupéfait.

— Non, bien sûr que non.

— Oh, d'accord.

Elle me sourit.

— Et moi qui croyais que tu profitais enfin de la vie.

Je lui lance un regard incrédule.

— Même si c'était le cas, je sais quand même comment éviter une grossesse.

— On ne sait jamais. Des accidents, ça arrive.

Elle ouvre son casier et commence à enlever son uniforme.

— Sérieusement, tu devrais nous accompagner, les filles et moi, pour manger un morceau. Nous partons pour chez Patty.

Je hausse les sourcils.

— Un bar, à cinq heures du matin ?

— Oui, et alors ? Nous n'allons pas boire. Ils offrent des petits-déjeuners à toute heure et c'est bien mieux que la cafétéria. Tu devrais essayer.

Je suis sur le point de refuser, lorsque je me souviens que mon réfrigérateur est pratiquement vide. Je n'ai pas menti en disant que je n'avais pas mangé aujourd'hui ; le dîner chez mes parents était il y a plus de dix heures et je suis affamée.

— D'accord, dis-je, surprenant Marsha presque autant que moi. Je vous accompagne.

Et, ignorant les cris excités de mon amie, j'enfile mes vêtements de ville et me dirige vers l'évier pour me rafraîchir.

En arrivant chez Patty, je ne suis pas surprise d'apercevoir de nombreux visages familiers. La majorité du personnel de l'hôpital se rassemble à ce bar après le travail pour se détendre et socialiser. Je ne m'attendais pas à trouver l'endroit aussi bondé à cette heure de la nuit, ou du matin, selon les points de vue, mais s'ils servent des petits-déjeuners, en plus de l'alcool, ça a du sens.

Marsha, deux infirmières de la salle d'urgence et moi nous dirigeons vers une table dans un coin, où une serveuse affairée prend nos commandes. Dès qu'elle repart, Marsha se lance dans le récit de son week-end fou à un club du centre-ville de Chicago, et les deux infirmières, Andy et Tonya, rient et la taquinent sur le gars qu'elle a presque ramassé. Puis, Andy nous raconte l'insistance de son copain à utiliser des préservatifs violets et, lorsque nos plats arrivent enfin, les trois rient si fort que la serveuse nous lance un regard sévère.

Je ris aussi, car l'histoire *est* drôle, mais je ne ressens pas la joie qui accompagne normalement le rire. Je ne l'ai pas ressentie depuis bien longtemps. C'est comme si quelque chose en moi est gelé, ternissant toutes les émotions et les sensations. Mon thérapeute dit que c'est le résultat de mon SSPT, mais j'ignore s'il a raison. Bien avant l'intrusion de l'étranger dans ma maison, avant l'accident, même, je sentais qu'il existait une barrière entre le reste du monde et moi, un mur d'apparences trompeuses et de mensonges.

Pendant des années, j'ai porté un masque et, maintenant, il me semble que je suis devenue ce masque, comme si rien de réel n'existait sous lui.

— Et toi, Sara ? demande Tonya, et je réalise que j'ai perdu le fil, mâchant mes œufs par automatisme. Comment était ton week-end ?

— Bien, merci.

En déposant ma fourchette, je tente de sourire.

— Rien de bien excitant. Je vends ma maison, alors j'ai fait le ménage dans le garage et j'avais une liste de tâches ennuyeuses à accomplir.

J'ai également été de garde pendant dix-huit heures et j'ai fait du bénévolat à la clinique pendant cinq autres heures, mais je ne le dis pas à Tonya. Marsha croit déjà que je suis accro au travail ; si elle apprend que je remplace d'autres médecins à la pratique privée de l'hôpital et que j'apporte mon aide à la clinique en plus de mon horaire habituel, je n'ai pas fini d'en entendre parler.

— Tu devrais nous accompagner vendredi prochain, dit Tonya, en tendant un bras élancé et basané vers la salière.

À vingt-quatre ans, elle est la plus jeune infirmière de l'hôpital et, d'après ce que Marsha m'a dit, elle est encore plus fêtarde que mon amie, rendant les hommes de tous âges fous avec sa fossette et son corps ferme.

— Nous prendrons quelques verres chez Patty, puis irons en ville. Je connais l'un des promoteurs du nouveau club branché au centre-ville, alors nous n'aurons même pas à faire la file.

Je bats des cils devant cette offre inattendue.

— Oh, je ne sais pas… j'ignore si je…

— Tu ne travailles pas vendredi soir, intervient Marsha. Je sais, j'ai vérifié ton horaire.

— Oui, mais tu sais comment c'est.

Je pique ma fourchette dans les œufs.

— Les bébés ne se pointent pas toujours dans les délais.

— Allez, Marsha, laisse-la tranquille, dit Andy, en repoussant une boucle rousse derrière son oreille. Ne vois-tu pas qu'elle est déjà éreintée ? Si elle veut venir, elle le fera. Pas besoin de la traîner de force.

Elle me lance un clin d'œil et je lui souris avec reconnaissance. C'est la première fois que j'interagis avec Andy hors des couloirs de l'hôpital et je me rends compte que je l'apprécie réellement. Comme moi, elle est à la fin de la vingtaine et, selon Marsha, elle est avec son amoureux depuis cinq ans. L'amoureux, celui aux préservatifs violets, est prétendument un connard égocentrique, mais Andy l'aime tout de même.

— Tu viens du Michigan, c'est ça ? Lui demandé-je.

Andy acquiesce, me souriant, puis se lance dans le récit de l'offre de travail dans la région de Larry, son petit ami, qui les a forcés à déménager. En l'écoutant, je décide que Marsha n'a pas tort dans son analyse du copain d'Andy.

Larry me fait l'effet d'être un connard égoïste.

Le reste du repas passe en conversations amicales et désinvoltes et, lorsque nous payons nos factures et sortons du bar, je me sens plus légère que jamais. Mon père n'a peut-être pas tort ; sortir et socialiser pourraient être positifs.

J'irai *peut-être* au dîner avec les Levinson et même au club avec Tonya.

Ma bonne humeur ne me quitte pas alors que je prends congé des trois femmes et que je marche, les deux coins de rue jusqu'au parc de stationnement de l'hôpital afin de prendre ma voiture. *Lady Gaga* chante dans mes écouteurs et le ciel commence à peine à s'éclaircir. J'ai l'impression que l'aube me parle, me promettant qu'un jour, pas si lointain, les ténèbres se dissiperont pour moi aussi.

Il m'encourage, ce petit éclat d'espoir, comme un pas vers l'avant.

Je suis déjà dans le parc de stationnement lorsque ça me reprend.

Ça commence par un léger picotement de la peau... une alarme silencieuse de mes nerfs. L'explosion d'adrénaline suit, accompagnée d'une vague de terreur écrasante. Mon cœur bat la chamade et mon corps se tend, prêt pour une attaque. Haletante, je me retourne, en arrachant mes écouteurs et en cherchant dans mon sac à main mon vaporisateur de poivre, mais il n'y a personne.

Il n'y a que ce sentiment de danger, cette impression d'être observée. À bout de souffle, je tourne sur moi-même, mon vaporisateur en main, mais je ne vois personne.

Je ne vois jamais quelqu'un lorsque mon cerveau a l'une de ses crises.

En tremblant, je me dirige vers ma voiture et m'y installe. J'ai besoin de plusieurs minutes d'exercices de respiration avant d'être suffisamment calme pour conduire et je sais que malgré ma fatigue, je serai incapable de dormir aujourd'hui.

En sortant du parc de stationnement, je tourne à gauche plutôt qu'à droite.

Aussi bien aller à la clinique. Ils ne m'attendent pas avant demain, mais ils sont toujours reconnaissants de mon assistance.

CHAPITRE 8
SARA

— Parle-moi de ce dernier épisode, Sara, me demande Dr Evans, en croisant ses longues jambes. Qu'est-ce qui t'a fait croire que quelqu'un t'observait ?

— Je ne sais pas… C'était…

J'inspire, tentant de trouver les bons mots, puis je secoue la tête.

— Il n'y avait rien de concret. Je ne sais réellement pas.

— OK, revoyons les événements.

Son ton est à la fois chaleureux et professionnel. C'est en partie ce qui en fait un bon thérapeute, sa capacité à projeter de la sollicitude tout en restant détaché.

— Tu m'as dit avoir pris ton petit-déjeuner avec quelques collègues ; puis, tu es retournée vers ta voiture, c'est ça ?

— Oui.

— As-tu entendu quelque chose ? Ou as-tu aperçu quelque chose ? Quelque chose qui aurait pu déclencher cet état ? Une porte de voiture qui claque, des feuilles qui volent au vent… un oiseau, peut-être ?

— Non, je ne me souviens de rien de précis. Je marchais, en écoutant de la musique, puis je l'ai senti. Je ne sais pas comment l'expliquer. C'était comme…

Je déglutis, mon cœur battant la chamade à mes souvenirs.

— Comme cette fois-là, dans ma cuisine, lorsque je l'ai senti une seconde avant qu'il ne m'empoigne. C'était le même genre de sensation.

L'expression sur le visage mince et intelligent du thérapeute se fait inquiète.

— Cela t'arrive à quelle fréquence maintenant ?

— C'était la troisième fois cette semaine, admets-je, la gêne brûlant mes joues alors qu'il inscrit quelque chose sur son calepin.

Je déteste ce sentiment de perte de contrôle, la conviction que mon cerveau me joue des tours.

— La première fois, j'étais au supermarché, puis alors que j'entrais dans la clinique et maintenant dans le stationnement de l'hôpital. Je ne sais pas pourquoi cela m'arrive. Je croyais que je me remettais ; je le croyais vraiment. J'ai eu une seule petite crise de panique au cours des deux dernières semaines et je me sentais réellement optimiste après le petit-déjeuner d'hier. Ça n'a tout simplement pas de sens.

— Il faut du temps pour guérir nos esprits, Sara, tout comme nos corps. Parfois, nous avons une rechute, et parfois la maladie suit un autre cours. Tu le sais autant que moi.

Il inscrit autre chose dans son calepin, puis me regarde.

— As-tu envisagé de parler à nouveau avec le FBI ?

— Non, ils croiront que je suis folle.

J'avais parlé avec l'agent Ryson après le premier épisode de paranoïa il y a un mois et il m'avait répliqué qu'au même moment, Interpol traquait le tueur de mon mari quelque part en Afrique du Sud. Par précaution, il m'avait assigné une protection. Après m'avoir suivie pendant plusieurs jours, ils avaient déterminé qu'il n'y avait aucune menace et l'agent Ryson les avait rappelés en marmonnant des excuses sur les fonds et les effectifs limités. Il ne m'avait pas accusée de paranoïa, mais je savais qu'il l'avait secrètement pensé.

— Parce que l'homme qui te terrorise est au large, dit Dr Evans, et j'acquiesce.

— Oui. Il est parti et il n'a aucune raison de revenir.

— Bien. Rationnellement, tu le sais. Il nous faut maintenant convaincre ton subconscient. Avant tout, il te faut découvrir ce qui déclenche ta paranoïa, afin de pouvoir apprendre à le déceler et à contrôler ta réaction. La prochaine fois, porte attention à ce que tu fais et à ton état d'esprit lorsque tu ressens cette sensation. Es-tu dans un espace public ou seule ? Est-ce bruyant ou silencieux ? Es-tu à l'intérieur ou à l'extérieur ?

— C'est bon, je vais veiller à noter tout ça pendant que je panique en serrant mon vaporisateur de poivre.

Dr Evans sourit.

— J'ai confiance en toi, Sara. Tu as déjà fait un progrès remarquable. Tu peux t'approcher à nouveau de ton évier de cuisine, non ?

— Oui, pourtant je ne peux toujours pas toucher au robinet, dis-je, mes mains se serrant sur mes genoux. C'est plutôt inutile sans ça.

L'évier de la cuisine est l'une des multiples raisons pour lesquelles je vends la maison. Au début, je ne pouvais pas même entrer dans la cuisine, mais après des mois de thérapie intensive, j'en suis à pouvoir m'approcher de l'évier sans faire une crise de panique, mais sans ouvrir l'eau.

— Un pas à la fois dit Dr Evans. Tu ouvriras l'eau aussi un jour. À moins de vendre la maison avant, évidemment. As-tu toujours l'intention de la vendre ?

— Oui, mon agent immobilier organise une visite libre dans quelques jours.

— C'est bien.

Il sourit à nouveau et dépose son calepin.

— Notre séance est terminée pour aujourd'hui, et je serai en vacances pendant une semaine et demie, mais je te verrai plus tard ce mois-ci. Entre-temps, continue ce que tu fais et prends des notes détaillées si tu as un autre épisode de paranoïa. Nous en discuterons la prochaine fois, de même que tes sentiments par rapport à la vente de la maison, d'accord ?

— Ça me va.

Je me lève et lui serre la main.

— À la prochaine et bonnes vacances.

En sortant du bureau, je me dirige vers ma voiture, en m'efforçant de garder ma main à mes côtés et non à l'intérieur de mon sac, enroulée autour du vaporisateur de poivre.

Je dors bien cette nuit-là, et la nuit suivante. Je travaille tant que je tombe d'épuisement. Lorsque je suis à ce point fatiguée, je peux dormir n'importe où, même dans ma grande maison entourée de chênes. Les agents fédéraux n'ont jamais compris comment le fugitif avait réussi à s'introduire dans la maison sans déclencher l'alarme ou sans forcer la serrure, alors même si j'ai changé mon système de sécurité, je ne me sens pas plus en sécurité dans ma maison que si je dormais dans la rue.

Lors de la troisième nuit, les cauchemars me retrouvent. J'ignore si c'est parce que j'ai eu un autre épisode de paranoïa plus tôt ce jour-là, cette fois-ci dans une rue animée, près d'un café, ou parce que j'ai uniquement travaillé douze heures, mais cette nuit-là, je rêve à *lui*.

Comme toujours, son visage est flou dans mon esprit, je ne vois que ses yeux gris et la cicatrice qui traverse son sourcil gauche. Ces yeux me clouent sur place alors qu'il appuie un couteau contre ma gorge, son regard aussi tranchant et cruel que sa lame. Puis, George est là aussi, ses yeux marron vides, comme il s'approche de moi.

— Non, murmuré-je, mais George s'approche sans relâche, et je vois le sang qui coule sur son front. C'est une petite blessure nette, rien à voir avec le trou béant laissé par la vraie balle qu'il a reçue, et une partie de moi sait que je rêve, mais je continue de sangloter et de trembler alors que l'homme au regard gris me soulève et m'entraîne vers l'évier.

— Non, je vous en prie, supplié-je, mais il est implacable, me tenant la tête au-dessus de l'évier, alors que George continue d'avancer lentement vers moi, son visage mort figé en une grimace de haine.

— Pour ce que tu m'as fait, dit mon mari, en ouvrant l'eau. Pour tout ce que tu as fait.

Je me réveille en criant, la respiration sifflante, mes draps trempés de sueur. Lorsque je me calme un peu, je descends l'escalier et me prépare une tasse de thé décaféiné, utilisant l'eau du réfrigérateur. En buvant mon thé, je regarde l'horloge du four, les chiffres verts m'informant qu'il n'est pas encore trois heures du matin, bien trop tôt pour me lever si je veux avoir une chance de passer au travers de mon quart très long. J'ai une chirurgie prévue en après-midi et je dois être bien réveillée ; sinon, je mets la vie de ma patiente en jeu.

Après quelques moments de débat interne, j'ouvre l'armoire à pharmacie et prends un Ambien. Je coupe un comprimé en deux, l'avale avec le reste de mon thé et remonte dans ma chambre.

Bien que je déteste prendre des médicaments, je n'ai pas d'autres choix. J'espère seulement ne pas rêver à nouveau du fugitif. Pas parce que j'ai peur du cauchemar de quasi-noyade, il ne me frappe jamais deux fois dans la même nuit, mais parce que dans mes rêves, il ne me torture pas toujours.

Parfois, il me baise et je l'accueille à bras ouverts.

CHAPITRE 9

Je suis à son chevet, l'observant dans son sommeil. Je prends un risque en étant ici, au lieu de l'observer par les caméras que mes hommes ont installées à travers sa maison, mais l'Ambien devrait l'empêcher de se réveiller. Je suis tout de même attentif à ne pas faire un bruit. Sara est sensible à ma présence, étrangement en symbiose avec moi. C'est pourquoi elle traîne maintenant ce vaporisateur de poivre et qu'elle ressemble à une biche traquée chaque fois que je m'approche.

Dans son subconscient, elle sait que je suis de retour. Elle sent que je suis là pour elle.

J'ignore encore pourquoi je suis ici, mais j'ai abandonné toute tentative d'analyser ma folie. J'ai tout fait pour rester éloigné, pour me concentrer sur ma mission, mais alors même que je traquais et éliminais tous les noms sur ma liste, sauf un, je ne pouvais m'empêcher de penser à

Sara, de me la remémorer lors des funérailles et de me rappeler la douleur dans ses doux yeux noisette.

Me rappeler comment elle a pris mes doigts dans sa bouche et m'a supplié de rester.

Il n'y a rien de normal dans mon engouement pour elle. Je suis assez lucide pour l'admettre. Elle est la femme d'un homme que j'ai tué, une femme que j'ai torturée comme je torturais avant des terroristes présumés. Je ne devrais rien ressentir pour elle, comme je n'ai jamais rien ressenti pour mes autres victimes, mais je ne peux pas me la sortir de l'esprit.

Je la veux. C'est totalement irrationnel, et mal sur tant de plans, mais je la veux. Je veux goûter à ses lèvres douces et sentir la finesse de sa peau pâle, enfouir mes doigts dans son épaisse chevelure marron et inhaler son odeur. Je veux l'entendre me supplier de la prendre, puis je veux la maintenir sous moi et faire exactement ça, encore et encore.

Je veux guérir les blessures que je lui ai infligées et qu'elle me désire autant que je la désire.

Elle continue de dormir alors que je l'observe et mes doigts veulent tant la toucher, caresser sa peau, juste une seconde. Mais si je me laisse aller, elle pourrait se réveiller, et je ne suis pas prêt pour ça.

La prochaine fois que Sara me verra, je veux que les choses soient différentes.

Je veux qu'elle me connaisse comme autre chose que son agresseur.

CHAPITRE 10

Au cours des jours suivants, ma paranoïa s'intensifie. Je me sens constamment observée. Même lorsque je suis seule chez moi, les rideaux fermés et les portes verrouillées, je sens des yeux invisibles sur moi. J'en suis venue à dormir avec le vaporisateur de poivre sous mon oreiller, et je l'amène même avec moi dans la salle de bain, mais ce n'est pas suffisant.

Je ne me sens pas en sécurité où que ce soit.

Mardi, je craque finalement et appelle l'agent Ryson.

— Dr Cobakis.

Il semble à la fois circonspect et surpris.

— Que puis-je pour vous ?

— J'aimerais vous parler, dis-je. En personne, si possible.

— Oh ? À quel sujet ?

— Je préfère ne pas en parler au téléphone.

— Je vois.

Il garde le silence quelques secondes.

— Bon. Je suppose que je peux vous rencontrer pour un café rapide cet après-midi. Ça vous va ?

Je jette un coup d'œil à mon horaire sur mon portable.

— Oui. Pouvons-nous nous rencontrer au Snacktime Café près de l'hôpital ? Vers quinze heures ?

— J'y serai.

Je suis retenue plus longtemps par une patiente et il est quinze heures dix lorsque j'arrive au café.

— J'étais sur le point de partir, dit Ryson, en se levant de sa chaise à une petite table dans un coin.

— Je suis vraiment désolée.

Le souffle court, je m'installe sur la chaise devant lui.

— Je promets que ce sera bref.

Ryson s'assied à nouveau. Le serveur s'approche et prend nos commandes : un expresso pour lui et un déca pour moi. Mes nerfs n'ont pas besoin de plus de caféine aujourd'hui.

— Bon, dit-il lorsque le serveur nous laisse. Allez-y.

— Je dois en savoir plus au sujet de ce fugitif, dis-je, sans préambule. Qui est-il ? Pourquoi en avait-il contre George ?

Ryson fronce ses sourcils broussailleux.

— Vous savez que c'est classifié.

— Oui, cependant je sais également que cet homme m'a torturée, m'a droguée et a tué mon mari, dis-je d'une voix égale. Et que vous saviez qu'il s'approchait et que vous ne vous êtes pas donné la peine de m'en informer. Ce sont les choses que je sais, les seules vraiment. Si j'en savais plus, disons son nom et sa motivation, cela m'aiderait peut-être à comprendre et à surmonter les événements. Sinon, c'est comme une plaie ouverte, ou peut-être une cloque qui n'a pas été percée. Elle ne fait que s'envenimer, voyez-vous, et c'est une préoccupation constante. Un jour, je ne serai peut-être plus capable de la retenir et la cloque pourrait tout aussi bien éclater d'elle-même. Vous voyez mon dilemme ?

Ryson serre la mâchoire.

— Ne nous menacez pas, Sara. Vous n'aimerez pas les résultats.

— C'est Dʳ Cobakis pour vous, agent Ryson.

Je soutiens son regard dur.

— Et je n'aime déjà pas les résultats. Les collègues de George au journal ne les aimeraient pas davantage, s'ils en entendaient parler. C'est pour cette raison que vous m'avez parlé du fugitif, non ? Afin que je me la ferme et que j'accepte cette connerie de « il est mort tranquillement dans son sommeil » ? Vous saviez que les collègues de George se pencheraient tous sur le supposé coup de la mafia et vous ne le vouliez pas. C'est toujours le cas, non ?

Il me fixe du regard et je peux voir son débat interne. Communiquer des renseignements classifiés et peut-être s'attirer des ennuis ou ne rien dire et s'attirer indubitablement des ennuis ? Son instinct de conservation semble l'emporter, parce qu'il dit sombrement :

— D'accord. Que voulez-vous savoir ?

— Commençons par son nom et sa nationalité.

Ryson jette un œil autour, puis se penche vers moi.

— Il a plusieurs noms d'emprunt, mais nous croyons que son vrai nom est Peter Sokolov.

Il baisse davantage encore la voix, bien que les tables qui nous entourent soient vides.

— Selon nos dossiers, il vient d'une petite ville près de Moscou, en Russie.

Ce qui explique son accent.

— Quelle est son histoire ? Pourquoi est-il un fugitif ?

Ryson se recule.

— Je n'ai pas la réponse de cette dernière question. Je n'ai pas la cote de sécurité nécessaire.

Il s'interrompt lorsque le serveur s'approche avec nos boissons. Une fois ce dernier repartit, il ajoute :

— Ce que je peux vous révéler, c'est qu'avant d'être un fugitif, il faisait partie de la Spetsnaz, une branche des forces spéciales russes. Sa mission était de traquer et d'interroger toute personne considérée comme une menace pour la sécurité russe, comme des terroristes, des insurgés des anciennes républiques de l'Union soviétique, des espions, et j'en passe. Il était apparemment excellent. Puis, il y a environ cinq ans, il a changé de camp et a commencé à travailler pour les pires spécimens de la pègre, des dictateurs coupables de crimes de guerre, des cartels mexicains, des trafiquants d'armes illégales… Il a alors rédigé une liste de noms, des gens qui, selon lui, lui ont causé du tort. Depuis, il s'est mis à la tâche de les éliminer méthodiquement.

Ma main tremble comme je soulève ma tasse de café.

— Et George se trouvait sur cette liste ?

Ryson acquiesce avant d'avaler son expresso d'un trait. En déposant la tasse, il dit :

— Je suis désolé, Dr Cobakis. C'est tout ce que je peux vous dire, parce que c'est tout ce que je sais. Je n'ai aucune idée de la raison pour laquelle votre mari et bien d'autres se sont retrouvés sur cette liste. Je sais que vous aimeriez plus de réponses, et croyez-moi, c'est également notre cas, mais la majorité du dossier de Sokolov est censuré.

Il s'interrompt pour laisser le serveur passer près de nous, puis ajoute à voix basse :

— Vous devez oublier cet homme, Dr Cobakis, pour votre sécurité autant que pour la nôtre. Vous ne souhaitez pas attirer à nouveau son attention, croyez-moi.

J'acquiesce, une boule dans l'estomac. J'ignore pourquoi je croyais que de connaître quelques détails sur l'homme qui hante mes rêves serait mieux que de rester dans l'ignorance. En fait, je suis encore plus anxieuse maintenant, mes mains et mes pieds glacés par l'anxiété.

— Êtes-vous sûr qu'il est parti ? Demandé-je, alors que l'agent se lève. Êtes-vous convaincu qu'il n'est pas près d'ici ?

— Personne n'est sûr de rien lorsqu'il est question de ce psychopathe, mais si ça peut vous rassurer, il y a un peu plus de six semaines, il a tué une autre personne sur sa liste, celle-ci en Afrique du Sud, dit sombrement Ryson. Et avant ça, il a éliminé deux autres cibles au Canada, malgré tous nos efforts pour les protéger. Alors oui, d'après nous, il est loin des États-Unis.

Je le fixe du regard, muette d'horreur. Trois autres victimes en six mois. Trois autres vies éteintes alors que j'essayais de vaincre mes cauchemars et mon état de paranoïa.

— Bonne chance, Dr Cobakis, dit Ryson, sans méchanceté, avant de déposer quelques billets sur la table. Le temps guérit réellement tout et, un jour, vous pourrez surmonter cela aussi. J'en suis convaincu.

— Merci, dis-je d'une voix étranglée, mais il s'éloigne déjà, son corps trapu disparaissant à travers les portes vitrées du café.

Cette nuit-là, je rêve à nouveau à l'attaque de Peter Sokolov et le cauchemar prend la tournure que je redoute le plus. Au lieu de me retenir sous le robinet, il me maintient sous lui dans un lit, ses doigts d'acier entourant mes poignets. Je le sens bouger en moi, son sexe long et gros alors qu'il envahit mon corps, et un feu couve sous ma peau, mes mamelons durs et sensibles alors qu'ils frottent contre son torse musclé.

— Je t'en prie, supplié-je, en entourant ses hanches de mes jambes comme ses yeux à l'éclat métallique plongent dans les miens. Plus fort, je t'en prie. J'ai besoin de toi.

Je suis moite de ce désir ; il me brûle, ardent et sombre, et il le sait. Il le sent. Je peux le voir dans la froideur de son regard d'argent, dans la courbe cruelle de sa bouche sensuelle. Ses doigts se resserrent autour de mes poignets, entaillant ma peau comme des attaches de plastique, et son membre devient une lame, m'ouvrant et me faisant saigner.

— Plus fort, supplié-je, mes hanches se soulevant pour accueillir ses poussées violentes. Ne me laisse pas. Prends-moi plus fort.

C'est exactement ce qu'il fait, chaque poussée me déchirant, et je crie sous l'effet de la douleur et d'un plaisir tordu, de soulagement et de douce souffrance.

Je crie comme je meurs dans ses bras, et c'est la meilleure mort que je puisse imaginer.

***

Je m'éveille, mon sexe moite et palpitant, et mon estomac nauséeux. De tous les tours que mon esprit peut me jouer, ces rêves pervers sont les pires. Je peux comprendre les crises de panique et la paranoïa, ils sont un résultat naturel de ce que j'ai vécu, mais il n'y a rien de naturel dans la tournure sexuelle de ces cauchemars. Y penser me rend physiquement malade de honte.

En me levant, j'enfile un peignoir sur mon pyjama et descends à la cuisine. Mon souffle est instable et mon cœur bat la chamade, mais cette fois-ci, ce n'est pas de peur. J'ai chaud et je suis agitée, mon corps souffrant de frustration.

J'étais si près de l'orgasme dans ce rêve. Quelques secondes de plus, et j'étais partie, comme ça a été le cas deux fois pendant ces rêves.

Le dégoût de moi-même pèse lourd dans mes entrailles et je me prépare un thé décaféiné. Quel genre de personne tordu rêve de sexe avec le tueur de son mari ? À quel point cette personne doit-elle être cinglée pour aimer mourir dans les bras de ce tueur ?

J'ai envisagé d'en parler avec Dr Evans, mais chaque fois que je tente d'aborder le sujet, je fige. Je suis incapable de former les mots. Verbaliser les rêves leur donnerait une substance, les transformerait d'un produit nébuleux de mon subconscient endormi à quelque chose que j'aborde lorsque je suis éveillée, et j'en suis incapable.

Et puis, je sais ce que le thérapeute me dirait. Il me dirait que je suis une jeune femme en bonne santé qui n'a pas eu de relations sexuelles depuis longtemps et que c'est normal d'avoir de telles pulsions. Que c'est ma culpabilité et mon dégoût de moi-même qui transforment mes fantasmes sexuels en quelque chose de sombre et de tordu, et que les rêves ne signifient pas que je suis réellement attirée par l'homme qui m'a torturée et qui a tué George.

Dr Evans tenterait d'apaiser ma culpabilité et ma honte, et je ne le mérite pas.

Lorsque le thé est prêt, je me dirige vers la table de cuisine et je m'assieds. Au moment de prendre une gorgée, j'ai à nouveau l'impression d'être observée. Rationnellement, je sais que je suis seule, mais mon cœur s'emballe et mes paumes deviennent moites de sueur.

Mon vaporisateur de poivre est à l'étage, alors je me lève et, aussi calmement que possible, je me dirige vers le bloc à couteaux sur le comptoir. Je choisis le plus gros et le plus tranchant couteau et le dépose sur la table à mes côtés. Je sais qu'il est inutile contre quelqu'un comme Peter Sokolov, mais c'est mieux que rien. Après quelques profondes inspirations, je me calme suffisamment pour boire mon thé, mais la sensation désagréable d'yeux invisibles persiste.

Si la maison ne se vend pas rapidement, je déménagerai, décidé-je, en me remettant au lit.

Je peux me permettre une deuxième demeure et même
un petit studio minable serait préférable à cette situation.

CHAPITRE 11

— Et puis, ta visite libre d'hier ? Crie Marsha par-dessus la musique pendant que nous attendons notre quatrième tournée au bar.

— Selon mon agent, ça s'est bien passé, crié-je, à mon tour, en veillant à ne pas bredouiller.

Je n'ai pas fait une telle chose depuis une éternité et l'alcool me brouille un peu l'esprit.

— Ne reste plus qu'à voir si je reçois des offres.

— Je ne peux pas croire que tu possèdes une maison et que tu la vends, dit Tonya, alors que la chanson change et que le volume passe d'assourdissant à tout simplement bruyant. J'adorerais acheter une maison un jour, mais ça va me prendre des années à économiser.

— Évidemment, si tu dépenses la moitié de ta paie sur des vêtements et des chaussures, dit Andy avec un sourire, ses boucles rousses oscillant alors qu'elle balance les

94

hanches au son de la musique. Et puis, Sara est médecin. Elle gagne beaucoup plus, même si elle n'est pas aussi snob que les autres.

Tonya glousse, ses longs pendants d'oreilles tressaillants.

— Oh oui, c'est vrai. Tu as l'air si jeune, Sara, que j'oublie que tu es une véritable médecin.

— Elle *est* jeune, dit Marsha, avant que je ne puisse répondre. Nous avons notre propre Doogie Howser.

— Oh, la ferme.

Je donne un coup de coude à Marsha, mes joues s'enflammant de gêne, alors que le barman tatoué me sourit. Il prépare nos Lemon Drop avec des gestes sûrs, son regard marron braqué sur moi avec un intérêt manifeste.

— Voilà, mesdemoiselles, dit-il en glissant vers nous nos verres, et Andy me lance un clin d'œil en me tendant l'un des verres.

— Cul sec, dit-elle, et nous vidons nos verres avant de retourner sur la piste de danse, où une autre chanson commence déjà à tonner par les haut-parleurs.

Je n'avais pas l'intention de sortir ce vendredi, pas après ma semaine merdique, pourtant au dernier moment, j'avais décidé que sortir et me saouler était préférable à tomber d'épuisement tôt et à risquer un autre rêve sexuel tordu. Par chance, je garde une paire de jolies petites chaussures plates argentées dans mon casier et Tonya m'a prêté une courte robe noire qui me va étonnamment bien.

— H & M, ma belle, avait-elle dit avec fierté lorsque je lui avais demandé où elle l'avait trouvée.

Je m'étais alors fait la remarque de m'arrêter à la boutique branchée pour acheter quelque chose de semblable, dans le cas où j'aurais envie de répéter cette folie.

Nous avons commencé par quelques verres chez Patty, puis avons pris un taxi jusqu'au club dont avait parlé Tonya. Le promoteur, comme Tonya nous l'avait promis, a pu nous laisser entrer sans avoir à faire la queue, et nous dansons sans arrêt depuis deux heures. Je transpire, j'ai mal aux pieds et j'aurai probablement la pire gueule de bois qui soit demain, mais je n'ai pas eu autant de plaisir depuis… des années, vraiment.

Peut-être même plus de cinq ans.

La foule au club va de jeunes universitaires aux quadragénaires séduisants, comme Marsha, mais la majorité semble être dans la fin de la vingtaine, comme moi. Le DJ est excellent, mixant les derniers succès avec les classiques de hip-hop, et je chante en cœur alors que nous dansons, chantant à tue-tête mes chansons préférées avec abandon. J'ai toujours aimé la musique et la danse, j'ai fait du ballet tout au long de ma jeunesse, et j'ai suivi des cours de salsa à l'université. Sous l'effet de l'alcool dans mes veines, je me sens séduisante et insouciante, pour une fois comme n'importe quelle autre jeune femme du club. Ce soir, je ne suis pas l'étudiante sérieuse, la médecin surmenée, la fille respectueuse ou la femme parfaite. Je ne suis pas même la veuve paranoïaque aux rêves tordus.

Ce soir, je suis simplement moi-même.

Nous dansons toutes les quatre seules pendant un moment, puis quelques hommes nous rejoignent, s'approchant de Tonya et de Marsha. Andy m'entraîne vers les toilettes puis, lorsque nous revenons, Tonya et Marsha flirtent ouvertement avec les deux hommes.

— Tu veux un autre verre ? crie Andy pour enterrer la musique.

Je hoche la tête, la suivant jusqu'au bar. La pièce tournoie autour de moi, alors je pense plutôt me prendre un verre d'eau.

Le club est plus bondé depuis la dernière heure, la piste de danse s'étalant jusqu'au bar et au lounge, et lorsqu'un groupe de femmes qui rigole passe devant moi, je perds de vue Andy. Je ne suis pas particulièrement inquiète, je peux la rejoindre au bar, alors je contourne le groupe pour éviter le plus gros de la foule.

Je ne suis qu'à quelques pas du bar, lorsque des doigts forts s'enroulent autour de mon bras, et une voix masculine profonde murmure à mon oreille :

— Danse avec moi, Sara.

Je me fige, mon sang se glaçant dans mes veines.

Je connais cette voix, cet accent russe subtil.

Lentement, je tourne la tête et croise le regard métallique qui domine mes rêves.

Peter Sokolov se tient devant moi, ses lèvres sculptées esquissant un léger sourire.

CHAPITRE 12
PETER

Elle vacille, son visage d'un blanc crayeux, et j'agrippe son autre bras pour la stabiliser. Elle sait manifestement qui je suis ; elle m'a reconnu.

— Ne crie pas, dis-je. Je ne veux pas te blesser.

Ses yeux noisette sont fous et je sais qu'elle ne comprend pas vraiment ce que je dis. Tout ce qu'elle voit est une menace mortelle, et elle réagit en conséquence. Dans quelques secondes, elle perdra soit connaissance, ou bien elle deviendra hystérique, et aucune des options n'est une bonne chose.

— Sara.

Je parle d'une voix dure.

— Je ne suis pas ici pour blesser qui que ce soit, mais je le ferai si c'est nécessaire. Tu me comprends ? Si tu fais quoi que ce soit pour attirer l'attention, il y aura des victimes.

La panique aveugle dans son regard s'atténue quelque peu, remplacée par une peur un peu plus rationnelle, sans en être moins intense. Elle me comprend.

Le fait que je ne bluffe pas aide.

— Q-que voulez-vous ?

Même avec leur couche de baume, ses lèvres tremblantes sont pâles.

— Pourquoi êtes-vous ici ?

— Je voulais te voir, dis-je, l'entraînant à travers la foule en évitant les caméras postées autour du bar. Les bras nus de Sara sont tendus dans ma poigne, sa peau glacée, mais comme je m'y attends, elle ne crie pas.

De tout ce que je sais d'elle, la petite médecin préférerait mourir que de mettre en danger une foule d'étrangers.

— Danse avec moi, dis-je à nouveau lorsque je me retrouve où je le veux, près d'un mur, à un coin peu éclairé de la piste de danse, où la foule forme un mur humain autour de nous. Pour l'amener à obtempérer, je lâche ses bras et étreins sa taille, attentif à maintenir une poigne légère.

Son corps est aussi rigide qu'un bloc de glace alors que je la retiens près de moi, mais pour la foule qui nous entoure, nous ressemblons à un autre couple se balançant au rythme de la musique. L'illusion n'en est que plus réelle lorsqu'elle lève les mains et les dépose sur mon torse. Elle tente de me repousser, mais elle est trop bouleversée et son mouvement manque de force. Pas que cela changerait quelque chose si elle poussait de *toutes* ses forces.

Je peux neutraliser la plupart des hommes avec peu d'efforts, alors, ne parlons pas d'une femme aussi mince qu'elle.

— N'aie pas peur, murmuré-je, gardant son regard prisonnier.

Même sur une piste de danse bondée, je peux percevoir son parfum, quelque chose de délicat et fleuri, et mon corps réagit à sa proximité, mon sexe se durcissant sous la sensation de sa taille mince entre mes paumes. Je veux l'attirer contre moi, sentir son corps contre le mien, mais je me force à maintenir une petite distance. Je ne veux pas l'effrayer sous l'intensité de mon désir. Le regard de Sara est déjà celui d'un petit gibier pris au piège, aveuglé par la peur et le désespoir. Ça me donne envie de la soulever dans mes bras et de l'étreindre contre mon torse, mais ça ne ferait que la terrifier davantage. En ce moment, tout geste de ma part la terrifierait ; je pourrais l'inviter à chanter au karaoké et elle aurait une crise de panique.

— Que veux-tu de moi ?

Son souffle est rapide et court alors qu'elle me fixe du regard.

— Je ne sais rien…

— Je sais.

Je garde un ton doux.

— Ne t'inquiète pas, Sara. Cette partie est terminée.

La confusion remplace quelque peu la terreur dans ses yeux.

— Mais alors, pourquoi…

— Pourquoi suis-je ici ?

Elle acquiesce prudemment.

— Je ne sais pas vraiment, dis-je, et c'est la pure vérité.

Au cours des cinq dernières années et demie, la vengeance a dominé ma vie. J'ai tout fait pour atteindre ce but, mais maintenant que je suis presque à la fin de ma liste, l'avenir s'annonce morne et vide devant moi, le chemin qui m'attend est enveloppé d'un brouillard morose. Une fois que j'aurai tué la dernière personne responsable de la mort de ma famille, je n'aurai plus aucun but. Ma raison d'exister sera bel et bien perdue.

Enfin, c'était ce que je pensais avant de la rencontrer et d'apercevoir la douleur dans ses yeux de biche. Maintenant, elle dévore mes rêves et hante mes journées. Lorsque je pense à Sara, je ne vois pas le corps déchiré de mon fils ni le visage ensanglanté de Tamila.

Je ne vois qu'elle.

— Allez-vous me tuer ?

Elle essaie, sans succès, de garder une voix calme. J'admire tout de même sa tentative de sang-froid. Je l'ai approchée en public pour qu'elle se sente davantage en sécurité, mais elle est trop sage pour se laisser duper. S'ils ont abordé mes antécédents, elle doit savoir que je peux lui briser la nuque plus vite qu'elle ne peut crier à l'aide.

— Non, réponds-je, en m'inclinant davantage alors qu'une chanson plus bruyante commence. Je ne vais pas te tuer.

— Alors, que voulez-vous de moi ?

Elle tremble entre mes mains, et je suis à la fois intrigué et perturbé par ce fait. Je ne veux pas qu'elle me craigne, mais parallèlement, j'aime l'avoir à ma merci. Sa peur alimente le côté prédateur en moi, transformant mon désir en quelque chose de plus sombre.

Elle est une proie conquise, douce, tendre et mienne à dévorer.

En penchant la tête, j'enfouis mon nez dans sa chevelure parfumée et murmure à son oreille :

— Retrouve-moi au Starbucks près de chez toi demain, à midi, et nous parlerons. Je te dirai tout ce que tu veux savoir.

Je recule et elle me fixe, les yeux énormes dans son visage en forme de cœur. Je sais ce qu'elle pense, alors je me penche à nouveau, ma bouche près de son oreille.

— Si tu contactes le FBI, ils tenteront de te cacher. Comme ils ont essayé de le faire pour ton mari et les autres sur ma liste. Ils te déracineront, ils t'éloigneront de tes parents et de ta carrière, et ça ne servira à rien. Je te retrouverai, peu importe où tu es Sara… peu importe ce qu'ils font pour t'éloigner de moi.

Mes lèvres effleurent l'arête de son oreille, et je sens son souffle trembler.

— Ils pourront aussi t'utiliser pour me tendre un piège. Si c'est le cas, je le saurai, et notre prochaine rencontre ne sera pas autour d'un café.

Elle frissonne, et j'inspire profondément, m'emplissant de son parfum délicat une dernière fois avant de la relâcher.

En reculant, je me fonds dans la foule et envoie un message à Anton pour qu'il mette l'équipe en place.

Je dois veiller à ce qu'elle arrive chez elle en un seul morceau, dérangée par nul autre que moi.

CHAPITRE 13
SARA

J'ignore comment j'arrive chez moi, mais je me retrouve soudain dans la douche, nue et tremblante sous le jet chaud. Je n'ai qu'un vague souvenir de m'être excusée maladroitement à Andy et d'avoir quitté le club pour prendre un taxi. Le reste du trajet est flou, un mélange d'engourdissement choqué et de brouillard alcoolisé.

Peter Sokolov m'a parlé. Il m'a étreinte.

Le meurtrier de mon mari, l'homme qui m'a torturée et a détruit ma vie, a dansé avec moi.

Mes genoux flanchent sous moi et je m'écroule sur le plancher, haletante. Une vague d'étourdissement fait tournoyer la cabine de douche autour de moi et tous les verres que j'ai bus menacent de ressortir.

Peter Sokolov était dans le club avec moi. Ce n'était pas une hallucination ; il était réellement là.

Je déglutis convulsivement alors que ma nausée s'intensifie. L'eau me tombe dessus, le jet pratiquement brûlant, mais je ne peux éviter de frissonner.

Le monstre de mes cauchemars est réel.

Il en a après moi.

Mes étourdissements s'amplifient, et je m'étends, me recroquevillant comme un fœtus sur le sol de céramique. Ma chevelure recouvre mon visage, mouillée et épaisse, et ma gorge se serre alors que les souvenirs de cette nuit m'envahissent. Au cours des premiers jours qui avaient suivi l'attaque, j'avais évité de me laver les cheveux, car je ne pouvais endurer la sensation de l'eau coulant sur ma tête, mais le besoin d'être propre l'avait éventuellement emporté sur ma phobie.

Une inspiration. Une expiration. Lentement et régulièrement.

Lentement, la sensation de suffocation s'apaise, me laissant uniquement avec une détresse. Je me sens ivre et malade, et j'ai besoin de toutes mes forces pour me remettre sur pieds et fermer l'eau.

Pourquoi est-il ici ? Pourquoi est-il revenu ? Que me veut-il ?

Les questions se pressent en moi pendant que je m'essuie, mais je n'ai pas plus de réponses que lorsque j'étais au club. Mon esprit semble engorgé, mes pensées léthargiques.

En enveloppant mes cheveux mouillés dans une serviette, je vacille jusqu'à la chambre et m'écroule sur le lit imposant. Le plafond se balance devant moi, comme si j'étais sur un bateau, et je sais que j'aurai une gueule de bois pénible demain. Je n'ai pas été ivre à ce point depuis l'université et mon corps ignore comment le gérer.

En prenant de petites inspirations, je me roule en boule, étreignant la couverture contre ma poitrine. L'alcool me donne envie de dormir, mais pour une fois, je résiste à l'appel du sommeil. Je dois réfléchir, comprendre ce qui s'est passé et décider que faire.

Le tueur qui m'a torturée veut me rencontrer pour un café demain.

Ce serait hilarant si ce n'était pas aussi terrifiant. Je ne comprends pas ce qu'il veut. Pourquoi m'avoir approchée dans le club ? Pourquoi m'avoir invitée à le rencontrer à nouveau en public ? Il est recherché par toutes les forces de l'ordre, il le sait sûrement. Pourquoi prendre un tel risque ?

À moins... à moins que ce ne soit pas un risque pour lui.

Il est peut-être assez arrogant pour croire qu'il peut échapper à la justice pour toujours.

La colère m'embrase, effaçant une partie du brouillard. Je m'assieds, combattant une vague de nausée, et tends la main pour attraper le téléphone conventionnel sur ma table de chevet. C'est un dinosaure, massif et inutile à l'ère des téléphones portables, mais George avait insisté pour avoir une ligne fixe à la maison.

— On ne sait jamais, avait-il dit devant mes objections. Les portables ne sont pas toujours fiables. S'il n'y a plus de courant pendant une tempête de neige, que feras-tu ?

Mes yeux me brûlent à ce souvenir et j'attrape le téléphone d'une main tremblante. J'ai un talent pour me souvenir des numéros, alors je compose celui de l'agent Ryson, appuyant sur un bouton après l'autre.

J'ai presque terminé d'entrer le numéro, lorsqu'une pensée soudaine me glace.

Peter aurait-il pu mettre ma ligne sur écoute ? Est-ce ce qu'il insinuait lorsqu'il a dit qu'il saurait s'ils tentaient de le piéger ?

Mon imagination saute sur une autre possibilité.

Pourrait-il être en train de m'observer en ce moment même ?

Mon souffle s'accélère, ma peau picotant sous l'effet de l'adrénaline. Avant la scène du club, j'aurais rejeté l'idée comme une manifestation de ma paranoïa, mais ce n'est pas de la paranoïa si c'est réel.

Je ne suis pas folle si cela arrive réellement.

Peter a des ressources, a dit Ryson. Pourrait-il avoir accès à un équipement d'espionnage de haut niveau ?

Y a-t-il des caméras et des appareils d'écoute à l'intérieur de la maison ?

Le cœur battant, je laisse tomber le téléphone sur son socle et j'attrape la couverture, la remontant pour cacher mes seins nus. Je m'encombre rarement d'un peignoir dans ma chambre ; même l'hiver, je dors nue, couverte uniquement d'un drap. Je n'ai jamais été embarrassée de mon corps ; George adorait que je me promène nue, mais la pensée que son tueur a pu me voir nue me donne l'impression d'avoir été bafouée et d'être cruellement vulnérable.

Ça me rappelle aussi mes rêves tordus.

Non. Non, non, non. Haletante, je m'enveloppe dans le drap et vacille jusqu'au placard pour attraper un tee-shirt et un sous-vêtement. Je ne peux pas penser à ces rêves. Je refuse. Je suis ivre ; c'est la seule raison pour laquelle mon esprit a fait le lien avec ce monstre.

Sauf qu'il ne ressemble pas à un monstre. Même avec la cicatrice qui lui barre le sourcil, il est incroyablement séduisant, le genre d'hommes qui fait saliver les femmes. Si je l'avais rencontré au club sans connaître son identité, j'aurais dansé avec lui. J'aurais invité ses bras forts autour de moi, son corps solide écrasé contre le mien.

Mes mains tremblent alors que j'enfile le sous-vêtement, et je sens une moiteur là où mon sexe touche au tissu de coton.

Non. Ce n'est pas possible. Je ne suis pas excitée.

En enfilant le premier tee-shirt qui me tombe sous la main, je retourne vers le lit et je m'y affale, m'enveloppant de la couverture. La pièce tourne sans cesse devant mes yeux et mon estomac se révulse. Haletante, je combats la nausée et réalise que mes paupières sont lourdes et que mes pensées s'éparpillent.

En serrant les dents, je me force à ouvrir les yeux. Je ne peux pas m'endormir avant d'avoir décidé de mon plan d'action.

En fixant le plafond qui tournoie, je repasse mentalement mes options.

La chose sensée serait d'en parler à Ryson et d'espérer qu'il puisse me protéger. Sauf que si j'ai raison et que Peter Sokolov m'observe réellement, il saura que j'ai contacté le FBI et je pourrais ne pas survivre assez longtemps afin que les agents m'atteignent.

Bien sûr, s'il décide de me tuer, je pourrais ne pas survivre, même avec la protection du FBI. Les gens sur sa liste n'ont pas survécu et il m'a dit qu'il viendrait pour moi.

Il a promis qu'il me trouverait, peu importe où j'irais.

Le risque en vaut probablement la peine, car l'autre option est d'accepter le jeu cruel que Peter semble jouer. J'ignore ce qu'il veut de moi, mais peu importe ce que c'est, ça ne peut pas être bon. Il détestait peut-être suffisamment George pour vouloir tourmenter sa veuve ou peut-être que, malgré ses paroles, il croit que je sais quelque chose, comme la sœur de l'homme qu'il a tué.

En ce moment même, il élabore peut-être une nouvelle torture exotique, quelque chose de spectaculairement horrible qui nécessite du café.

Mes paupières se referment à nouveau et je frotte les mains contre mon visage, pour tenter de garder les yeux ouverts. Je sais que je n'ai pas les idées claires, mais je ne peux pas m'endormir sans prendre une décision.

Est-ce que j'appelle le FBI ou non ? Et sinon, est-ce que je me rends vraiment au Starbucks ?

Un violent frisson me parcourt alors que je tente d'imaginer ma rencontre avec le meurtrier de mon mari pour un café. Je ne pense pas y arriver. À cette seule pensée, mes entrailles se contractent. Mais que faire d'autre ? Rester au lit toute la journée, puis me rendre chez mes parents pour dîner avec les Levinson comme promis ? Prétendre que le monstre qui a détruit ma vie n'en a pas après moi ?

C'est la pensée de mes parents qui me décide. S'il n'y avait que moi, j'opterais peut-être pour la protection douteuse du FBI, mais je ne peux pas mettre en danger mes parents de cette façon. Je ne peux pas les forcer à quitter leur demeure et tous ceux qu'ils connaissent dans l'éventualité improbable que Ryson et ses collègues soient en mesure de nous protéger mieux que les autres. Et laisser mes parents est hors de question ; même si leur âge n'était pas un problème, je ne peux pas risquer que Peter les interroge comme il m'a interrogée au sujet de George.

Il ne me reste qu'une solution.

Je dois rencontrer mon tortionnaire demain et espérer que ce qu'il a en tête ne s'étende pas au reste de ma famille.

Lorsque je ferme enfin les yeux et m'endors, je rêve de nouveau à lui. Seulement, cette fois, il ne me torture pas plus qu'il ne me baise.

Il est assis sur mon lit et m'observe, son regard chaleureux et étrangement possessif.

CHAPITRE 14
SARA

Lorsque je m'arrête devant le Starbucks à midi, la douleur poignante de mon crâne s'est apaisée jusqu'à devenir une douleur sourde, et mon estomac ne menace plus de se révolter à tout moment. Toutefois, mes paumes sont moites d'anxiété et mes mains tremblent tant que je passe près de laisser tomber mes clés en sortant de la voiture.

Je traverse le parc de stationnement, avec l'impression de marcher vers ma mort. La peur palpite en moi, accompagnant chacun des battements rapides de mon cœur. Il peut me tuer dans la seconde, me descendre avec un fusil de précision. Il est possible que ce soit la raison de cette rencontre : me tuer dans un endroit public et y laisser mon corps pour terroriser tout le monde.

Mais aucune balle ne me transperce et, lorsque j'entre dans le café, je l'aperçois aussitôt. Il est assis à l'une des tables vides dans un coin, sa grande main enroulée autour d'un verre en carton.

Je croise son regard et tout en moi tressaille, comme si l'on m'avait secouée avec un défibrillateur. Pour la première fois, je le vois à la lumière du jour sans alcool ou drogue dans mon système.

Pour la première fois, je comprends pleinement à quel point il est dangereux.

Il est adossé à sa chaise, ses longues jambes revêtues d'un jean étendues et croisées aux chevilles sous la petite table ronde. C'est une posture décontractée, mais il n'y a rien de décontracté dans la puissance sombre qu'il dégage par vagues. Il n'est pas seulement dangereux, il est fatal. Je le vois dans l'éclat métallique de son regard et dans la volonté bridée de son corps imposant, dans l'angle arrogant de sa mâchoire et dans la courbe cruelle de ses lèvres.

C'est un homme qui vit et respire la violence, un prédateur ultime pour qui les règles de la société n'existent pas.

Un monstre qui a torturé et tué d'innombrables victimes.

La vague de colère et de haine qui me submerge à cette pensée repousse ma peur et je fais un pas, puis un autre, et un autre, jusqu'à marcher vers lui sur des jambes presque fermes. S'il voulait me tuer, il aurait pu le faire d'un million de façons différentes, alors ce qu'il veut aujourd'hui doit être d'une autre nature.

Quelque chose d'encore plus cruel.

— Bonjour, Sara, dit-il, en se levant à mon approche. C'est bon de te voir à nouveau.

Sa voix profonde m'enveloppe, son léger accent russe caressant mes oreilles. Elle devrait être laide, cette voix qui hante mes cauchemars, mais comme tout le reste en lui, elle est faussement attrayante.

— Que voulez-vous ?

Je suis brusque, mais je n'en ai cure. Nous sommes bien loin de la politesse et des bonnes manières. Il ne sert à rien de prétendre qu'il s'agit d'une rencontre normale.

La seule raison de ma présence ici est que je ne veux pas risquer le bien-être de mes parents.

— Assieds-toi.

Il pointe la chaise en face de lui et s'assied.

— Je me suis permis de te commander un café. Noir, sans sucre… et déca, puisque tu ne travailles pas aujourd'hui.

Je fixe la deuxième tasse, exactement comme je l'aurais commandée, puis croise à nouveau son regard. Mon cœur bat la chamade, mais ma voix est ferme lorsque je dis :

— Vous m'avez observée.

— Évidemment. Mais tu t'en es rendu compte hier, non ?

Je sursaute. Je ne peux m'en empêcher. S'il m'a vue composer le numéro, alors il m'a vue entrer d'un pas ivre dans la salle de bain et en ressortir nue.

S'il m'observe depuis un moment, il m'a vue dans toute sorte de moments intimes.

— Assieds-toi, Sara.

Il pointe à nouveau la chaise et, cette fois-ci, j'obtempère, ne serait-ce que pour me donner une chance de me calmer. La rage et la peur en moi sont un écheveau de câbles sous tension et je me sens à une inspiration profonde d'exploser.

Je n'ai jamais été une personne violente, mais si j'avais une arme, j'appuierais sur la gâchette. Je lui ferais éclater la cervelle sur le mur branché du Starbucks.

— Tu me hais.

Il le dit calmement, comme un fait plus qu'une question, et je le fixe, prise au dépourvu.

Peut-il lire dans les pensées ou suis-je à ce point transparente ?

— C'est bon, dit-il, et j'aperçois une lueur d'amusement dans son regard. Tu peux l'admettre. Je promets de ne pas te faire de mal aujourd'hui.

Aujourd'hui ? Qu'en est-il du lendemain et du surlendemain ? Je serre les poings sous la table, mes ongles s'enfonçant dans ma peau.

— Évidemment, je te déteste, dis-je d'une voix aussi ferme que possible. Est-ce surprenant ?

— Non, bien sûr que non.

Il sourit, et mes poumons se contractent, me coupant le souffle. Son sourire n'est pas parfait ; ses dents sont blanches, mais l'une du bas est légèrement tordue, et sa lèvre inférieure a une petite cicatrice qui n'était pas visible avant maintenant, mais il est tout de même magnétique.

C'est un sourire qui a été conçu à une seule fin : attirer les femmes imprudentes et leur faire oublier le monstre qui couve.

Mes ongles s'enfoncent davantage dans mes paumes, la douleur mordante me recentrant alors qu'il ajoute :

— Tu as tous les droits de me haïr pour ce que j'ai fait.

Je le regarde, bouche bée.

— Essaies-tu de *t'excuser* ? crois-tu sérieusement que...

— Tu as mal compris.

Le sourire disparaît, et ses yeux argentés étincellent soudainement de fureur.

— Ton mari le méritait. S'il n'avait pas été mort cérébralement, je l'aurais fait souffrir davantage.

Je me recule instinctivement, repoussant ma chaise, mais avant de pouvoir me relever, sa main attrape mon poignet, le retenant sur la table.

— Je n'ai pas dit que tu pouvais partir, Sara.

Sa voix est glaciale.

— Nous n'en avons pas terminé.

Ses doigts sont comme du fer en fusion autour de mon poignet, sa poigne brûlante et inébranlable. Je reste assise et jette instinctivement un œil alentour. Les clients les plus proches sont à un bon quatre mètres plus loin, et personne ne nous prête attention. La panique me brûle la poitrine, mais je me rappelle qu'aucune attention n'est une bonne chose. Je n'ai pas oublié la façon dont il a menacé les autres au club.

En repoussant ma peur, je me concentre sur ma respiration et tente de la calmer.

— Que me veux-tu ?

— J'hésite encore, dit-il, ses traits se détendant.

En relâchant mon poignet, il attrape son café et prend une gorgée.

— Tu vois, Sara, je ne *te* déteste pas.

Je bats des cils, prise au dépourvu une nouvelle fois.

— Non ?

— Non.

Il dépose la tasse et me fixe de son regard gris froid.

— Ça peut te paraître ainsi, après ce que je t'ai fait, mais je ne te veux aucun mal. Bien au contraire.

Mon cœur s'arrête avant de se remettre à battre la chamade.

— Que veux-tu dire ?

Avec un petit sourire en coin, il répond :

— Que crois-tu que ça veut dire, Sara ? Tu m'intrigues. Tu me fascines, en fait.

Il se penche vers l'avant, son regard me clouant sur place.

— Tu ne te souviens pas de tes paroles lorsque tu étais sous l'effet de la drogue, n'est-ce pas ?

Je sens monter une rougeur brûlante. Je ne me souviens pas de tout, mais je m'en souviens suffisamment. Des bribes de ma confession droguée me reviennent à certains moments lorsque je suis réveillée et se glissent dans mes rêves.

Dans mes rêves *les plus tordus*, ceux que j'essaie d'oublier.

— Je vois que tu t'en souviens.

Sa voix se fait basse et rauque, ses paupières s'abaissant alors que sa grande main chaude recouvre ma paume tremblante.

— Je me suis demandé ce qui serait arrivé si j'étais resté cette nuit-là... si j'avais accepté ton offre.

Son contact me transperce avant que je n'arrache ma main de sous la sienne, serrant le poing sous la table.

— Il n'y avait pas d'offre.

Mon cœur résonne à mes oreilles, ma voix pleine de mortification.

— J'étais sous l'effet de la drogue. Je ne savais pas ce que je disais.

— Je sais. Les drogues qui lèvent les inhibitions ont souvent cet effet.

Il s'adosse à nouveau, me libérant de l'effet puissant de sa proximité, et mes poumons s'ouvrent pleinement pour la première fois en deux minutes.

— Tu ignorais qui j'étais ou ce que je faisais. Tu aurais réagi de la même façon avec tout autre homme raisonnablement attirant dans cette situation.

— C'est... c'est exact.

Mon visage est toujours brûlant, mais l'explication rationnelle me calme quelque peu.

— Tu aurais pu être n'importe qui. Ce n'était pas dirigé vers toi.

— Oui. Mais vois-tu, Sara...

Il se penche à nouveau vers moi, son regard empli d'une intensité sombre.

— Ma réaction *était* dirigée vers toi. *Je* n'étais pas sous l'effet d'une drogue et lorsque tu m'as fait des avances, je te désirais. Je te désire *encore*.

L'horreur fige mon sang, alors même que mon sexe se contracte en réponse à ses paroles. Il ne peut pas insinuer ce que je pense qu'il insinue.

— Tu... tu es cinglé.

J'ai l'impression d'avoir été jeté d'un avion, sans parachute.

— Je ne... C'est tout simplement dément.

Je n'ai qu'une envie : me lever et fuir, pourtant je continue, repoussant la panique. Je dois lui faire comprendre, mettre un terme à cette démence, une fois pour toutes.

— Je me fiche de ce que tu veux, ou de ta réaction. Je ne coucherai pas avec toi après que tu aies tué mon mari et Dieu sait combien d'autres personnes. Après m'avoir *torturée* et…

— Je sais, Sara.

Sa main trouve mon genou sous la table et s'y dépose.

— J'aimerais pouvoir remonter le temps, car j'aurais trouvé un autre moyen.

Surprise, je pousse ma chaise de côté, m'éloignant de lui.

— Tu n'aurais pas tué George ?

— Je ne t'aurais pas torturée, clarifie-t-il, en replaçant sa main sur la table. J'aurais pu trouver ce *sookin syn* autrement. Cela m'aurait pris plus de temps, mais je l'aurais fait pour ne pas te blesser.

Ma chute libre de l'avion reprend, l'air sifflant à mes oreilles. De quelle planète vient-il ?

— Tu crois que me torturer est un problème, mais que *tuer mon mari* aurait été acceptable ?

— Le mari qui t'a menti ? Celui que, selon tes propres paroles, tu ne connaissais pas vraiment ?

La rage embrase à nouveau son regard.

— Tu peux bien te dire ce que tu veux, Sara, mais je t'ai rendu service. J'ai rendu service au monde entier en me débarrassant de lui.

— Un service ?

Une fureur égale à la sienne m'embrase, consumant toute prudence.

— C'était un homme bon, espèce de… de *psychopathe* ! J'ignore ce que tu crois qu'il a fait, mais…

— Il a massacré ma femme et mon fils.

Le choc paralyse mes cordes vocales.

— *Quoi ?* soufflé-je, lorsque je retrouve enfin la voix.

Un muscle se crispe sur la mâchoire de Peter.

— Sais-tu ce que ton mari faisait dans la vie, Sara ? Ce qu'il faisait *vraiment* ?

Une sensation répugnante se répand en moi.

— C'était un… un correspondant à l'étranger.

— C'était sa couverture, oui.

La lèvre supérieure du Russe se courbe alors qu'il se redresse sur sa chaise.

— Je me disais bien que tu l'ignorais. Les conjoints le savent rarement, même lorsqu'ils détectent les mensonges.

Mon monde bascule.

— Que veux-tu dire, sa couverture ? Il *était* un journaliste. Il rédigeait des histoires pour…

— Oui, c'est vrai. Et pour obtenir ces histoires, il recueillait des renseignements pour la CIA et effectuait des missions secrètes.

— Quoi ? Non.

Je secoue frénétiquement la tête.

— Tu te trompes. Tu as fait une erreur. Tu n'avais pas la bonne personne. Je *savais* qu'il y avait une erreur. George n'était pas un espion. C'est impossible. Il ne savait même pas comment changer une crevaison. Il…

— Il a été recruté à l'université, dit sèchement Peter. À l'université de Chicago que vous avez tous deux fréquentée. Ils le font souvent, se rendre dans les campus pour rassembler les plus talentueux. Ils recherchent certains points : peu d'attaches familiales, une disposition patriotique, une personne intelligente et ambitieuse, mais manquant de vision… Ça sonne comme ton mari ?

Je le fixe du regard, ma poitrine se comprimant toujours un peu plus. La mère de George était décédée dans un accident de voiture lors de sa dernière année de lycée, et son père, un marine, avait été tué en Afghanistan, alors que George n'était qu'un bébé. Son vieil oncle l'avait aidé à financer ses études, mais il était mort quelques années plus tôt, ne laissant que des cousins éloignés pour assister aux funérailles de George, six mois auparavant.

Non. Ce n'était pas possible. Je l'aurais su.

— Uniquement s'il t'en avait parlé, dit Peter, et je réalise que j'ai parlé à voix haute. Ils leur apprennent à dissimuler leur vraie carrière à tout le monde, même à leur famille. N'as-tu pas trouvé étrange que Cobakis découvre sa passion pour le journalisme du jour au lendemain ? Qu'il soit passé de ses études en biologie à des stages pour des revues à l'étranger ?

— Non, je…

Ma poitrine est tellement comprimée que j'ai peine à respirer.

— C'est l'université. Nous sommes censés nous découvrir, trouver notre passion.

— Et il l'a trouvée : travailler pour ton gouvernement.

Il n'y a aucune compassion dans le regard argenté du Russe.

— Ils l'ont entraîné, lui ont donné la vision qui lui manquait. Ils lui ont appris à mentir, à toi et aux autres. Lorsqu'il a obtenu son diplôme, ils lui ont trouvé un poste au journal et il avait une excuse pour se rendre dans toutes les zones à risque.

Je me lève, incapable d'en entendre davantage.

— Tu as tort. Tu ne sais pas de quoi tu parles.

Il se lève à son tour, sa carrure imposante me surplombant.

— Non ? Réfléchis, Sara. Pense à l'homme que tu as épousé, à la vie que vous avez *vraiment* menée. Pas la vie parfaite que vous montriez au monde, mais celle qui était la vôtre en privé. Qui était-il, ce mari ? Le connaissais-tu réellement ?

Mes entrailles sont de plomb comme je recule, en secouant la tête en un déni continu.

— Tu as tort, répété-je d'une voix étranglée et, en me retournant, je sors au pas de course du café, me dirigeant aveuglément vers ma voiture.

Ce n'est que lorsque je m'arrête à un feu rouge près de chez moi que je réalise que Peter Sokolov n'a rien fait pour me retenir.

Il est resté immobile et m'a regardée partir.

CHAPITRE 15
PETER

J'observe par mes jumelles Sara entrer chez ses parents ; puis, j'ouvre mon portable et active la caméra qui se trouve dans le vestibule.

Les parents de Sara habitent une petite maison ordonnée qui aurait besoin de quelques rénovations, mais qui est autrement chaleureuse et douillette. Même moi, je sais que c'est un foyer, et pas seulement un endroit où vivre. Étrangement, elle me rappelle la maison de Tamila de Daryevo, bien que cette maison de banlieue américaine n'ait rien à voir avec une hutte de village en montagne.

Sara embrasse ses parents dans le vestibule, puis les suit jusqu'à la salle à manger. Je passe à la caméra qui s'y trouve, zoomant sur son visage alors qu'elle salue les autres invités, un couple âgé et un grand homme svelte dans la mi-trentaine.

Ce sont les Levinson et leur fils, Joe, l'avocat que les parents de Sara aimeraient qu'elle fréquente.

Quelque chose de sombre s'agite en moi lorsque Sara serre la main de l'avocat avec un sourire poli. Je ne veux pas la voir avec lui ; cette seule idée me donne l'envie de plonger ma lame entre les côtes de cet homme. Hier, lorsque le barman lui a souri, j'avais envie d'écraser mon poing contre sa gueule souriante, et l'envie violente est encore plus forte aujourd'hui.

Je ne l'ai peut-être pas encore prise, mais elle est mienne.

Sara aide ses parents à apporter les hors-d'œuvre, puis s'installe aux côtés de l'avocat. Je lève le son et les écoute parler de tout et de rien. Pour quelqu'un qui vient de découvrir la vie secrète de son mari, la petite médecin est remarquablement sereine, son masque souriant fermement en place. Personne ne pourrait croire qu'avant de se présenter au dîner, elle est restée dans son placard pendant des heures et n'en est sortie que quarante minutes plus tôt, les yeux rougis et gonflés.

Personne ne soupçonnerait qu'elle est terrifiée parce que je la désire.

J'ai eu toutes les peines du monde à la laisser dans ce placard, à pleurer seule. Elle s'y est installée pour échapper à mes caméras, et je lui ai laissé ce moment de solitude. Elle aurait été encore plus bouleversée si j'étais entré pour l'étreindre, si j'avais tenté de la réconforter comme je le voulais.

Je dois lui laisser plus de temps pour s'habituer à l'idée de nous deux, et pour savoir que je ne la blesserai pas.

Le dîner dure quelques heures, puis Sara aide sa mère à débarrasser la table avant de donner son congé. L'avocat lui demande son numéro et elle le lui donne, mais je peux voir que c'est surtout par politesse. Ses joues sont pâles, sans aucune trace de la couleur qui embrase son visage en ma présence, et son langage corporel ne laisse paraître que de l'indifférence. Joe Levinson ne l'excite pas, et c'est une bonne chose.

Il pourra rentrer chez lui en un morceau.

Je suis de loin Sara alors qu'elle se dirige vers la clinique, puis j'attends dans ma voiture jusqu'à ce qu'elle en ressorte, me divertissant en l'observant par les caméras que j'ai installées dans la clinique. Je sais que mon comportement est celui d'un harceleur, mais je ne peux m'en empêcher.

Je dois savoir où elle est et ce qu'elle fait.

Je dois m'assurer qu'elle est en sécurité.

Je pourrais laisser la tâche de sa sécurité physique à Anton et aux autres – ils s'en chargent déjà lorsque je ne peux pas –, mais je veux être là en personne. Je veux la voir de mes propres yeux. Avec chaque jour qui passe, mon besoin d'elle s'intensifie et, maintenant que j'ai eu une véritable conversation avec elle, ma fascination se transforme rapidement en une obsession.

Je dois la posséder. Prochainement.

Elle sort de la clinique trois heures plus tard et je la suis alors qu'elle se dirige vers un hôtel. Elle croit probablement qu'elle y sera plus en sécurité que dans sa maison pleine de caméras, mais elle a tort.

J'attends jusqu'à ce qu'elle s'enregistre à l'hôtel et monte dans sa chambre, puis je sors de la voiture et la suis.

CHAPITRE 16
SARA

*M*on quart à la clinique est particulièrement ardu aujourd'hui. Je rencontre une patiente de quatorze ans qui me demande une pilule du lendemain parce que son frère l'a violée et une autre patiente à peine sortie de son adolescence qui en est à sa troisième fausse couche. J'ai fait ce que j'ai pu, mais je sais que c'est insuffisant.

Rien de ce que je fais pour ces filles ne sera jamais suffisant.

Je suis tellement vidée émotionnellement que j'ai besoin de toutes mes forces pour prendre une douche et me brosser les dents avec la petite brosse à dents que la réceptionniste m'a donnée. Venir ici pour la nuit était une décision impulsive, alors je n'ai même pas un sous-vêtement de rechange. Je devrai m'arrêter chez moi demain matin avant le travail, mais c'est mieux que d'être chez moi et de savoir que mon harceleur implacable peut être en train de m'observer au même moment.

M'observer et me désirer. Peut-être même en train de se masturber en observant mon corps nu.

C'est tordu, mais une chaleur moite se répand entre mes jambes à cette pensée.

En sortant de la douche, je fixe une serviette autour de ma poitrine et m'observe dans le miroir. Des gouttes ont réussi à enlever assez bien la rougeur de mes yeux, mais mes paupières sont encore gonflées de ma crise de larmes et mon visage est rougi après ma douche chaude. J'ai également un mal de tête de tension qui me rend peu encline à réfléchir, ce qui me convient très bien.

J'ai déjà trop réfléchi plus tôt.

George, un espion. George menant une vie secrète. Ça semble impossible, pourtant ça expliquerait tant de choses. La protection des agents du FBI, qui est arrivée de nulle part. Ses longues absences alors qu'il était sur les traces d'une supposée histoire, revenant souvent bredouille. Les humeurs qui ont commencé peu de temps après notre mariage, six ans plus tôt. Quelque chose aurait-il mal tourné lors de l'une de ses missions secrètes ?

Son travail réel pourrait-il être la raison des changements qui l'ont frappé dans les années précédant son accident ?

Mon mal de tête s'intensifie et je me rends compte que j'ai recommencé. Je pense à George, obsédée par le passé que je ne peux pas changer au lieu de me concentrer sur l'avenir que je peux encore prendre en charge. Je devrais essayer de penser à mes options au sujet du tueur qui me traque, mais mon esprit refuse tout simplement d'y penser.

Je réfléchirai plus tard, lorsque j'aurai dormi un peu et que mon cerveau ne sera pas aussi épuisé.

En enroulant ma chevelure dans une autre serviette, j'ouvre la porte de la salle de bain, fais un pas, puis sursaute en poussant un cri effrayé.

Peter Sokolov est assis sur le lit, son regard voilé fixé sur mon visage.

CHAPITRE 17
SARA

— Ne crie pas, Sara.

Il se lève d'un mouvement fluide.

— Pas besoin d'impliquer les autres clients.

J'ai le souffle court et des épines d'adrénaline transpercent ma peau alors qu'il s'avance vers moi, son corps imposant se déplaçant avec une aisance prédatrice.

— Tu… tu m'as suivie ici.

Mes genoux s'entrechoquent comme je recule instinctivement, en enserrant avec force la légère serviette qui cache mon corps.

— Oui.

Il s'arrête à une courte distance de moi, ses yeux gris brillants.

— Tu n'aurais pas dû venir ici. Le système d'alarme de ta maison présente au moins un petit obstacle. Ici, je peux simplement entrer.

— Pourquoi es-tu ici ?

Mon cœur semble sur le point de me sortir par la gorge.

— Que veux-tu ?

Ses lèvres se soulèvent avec un amusement sinistre.

— Tu es une médecin qui s'occupe des effets de cette activité. Tu peux deviner ce que je veux.

Oh mon Dieu. Ma peau me semble à la fois brûlante et glacée, et mon rythme cardiaque redouble d'ardeur.

— Sors. Je… je vais hurler, je le jure.

Il penche la tête d'un air interrogateur.

— Vraiment ? Pourquoi ne l'as-tu pas encore fait ?

Je recule d'un autre pas et lance un regard d'une fraction de seconde vers la porte de la chambre. *Pourrais-je l'atteindre avant qu'il me rejoigne ?*

— Ne t'y risque pas, Sara. Si tu fuis, je te pourchasserai.

Je continue de reculer.

— Je te l'ai dit, je ne coucherai pas avec toi.

— Non ? Nous verrons bien.

Il avance vers moi et je recule davantage, les entrailles tordues. Je sais l'effet qu'a une agression sexuelle sur une femme ; j'ai vu les contrecoups, les débris physiques et émotionnels laissés derrière, et j'ignore si je pourrais survivre à ça, en plus de tout le reste.

Je ne sais pas si je pourrais survivre à une agression sexuelle de *sa* part.

Ma main tremblante touche la porte, mais avant que je puisse tourner la poignée, ses paumes se pressent sur la porte de chaque côté de mon corps et je suis prise entre ses bras puissants.

— Tu ne peux pas m'échapper, ptichka, dit-il douce-ment, le regard baissé vers moi. Ni maintenant ni jamais. Autant t'y faire.

Il ne me touche pas, mais il est si près que je peux sentir la chaleur que dégage son grand corps et j'aperçois d'au-tres cicatrices minuscules sur son visage symétrique. Les imperfections ajoutent une touche implacable à son mag-nétisme, intensifiant son impact sur mes sens. Le batte-ment paniqué de mon cœur cogne à mes oreilles, pourtant mon corps se tend d'une façon qui n'a rien à voir avec la peur. Je devrais hurler à pleins poumons, ou du moins es-sayer de le repousser, mais je suis incapable de bouger. Je ne peux rien faire d'autre que de fixer le tueur à la beauté mortelle qui me retient captive.

— Viens, Sara.

Sa main descend jusqu'à s'enrouler autour de mon poi-gnet en une entrave d'acier familière.

— Je ne te ferai pas de mal.

Je prends une inspiration tremblante.

— Non ?

Peut-être sera-t-il doux. *Je vous en prie, faites qu'il soit doux.* J'ai connu la violence par ses mains et elle me terrifie davantage que la menace d'un viol.

— Non. Maintenant, viens.

Il se recule, mais plutôt que de me mener vers le lit, il se dirige vers la chaise devant le miroir.

— Assieds-toi.

Il appuie sur mes épaules, et je me laisse tomber sur la chaise, en tentant de calmer mon souffle rauque. Que fait-il ? Pourquoi ne se contente-t-il pas de m'attaquer ?

Dans le miroir, mes traits sont d'une pâleur extrême, mes yeux sont immenses alors qu'il passe derrière moi et sort quelque chose de la pochette intérieure de son blouson.

Il s'agit d'une petite brosse à cheveux en plastique, l'une de celles qu'on retrouve parfois dans les hôtels et les vols prestigieux.

— Je n'ai rien trouvé d'autre dans la boutique de souvenirs au rez-de-chaussée, dit-il en retirant l'emballage de plastique, avant de croiser mon regard dans la glace. Je me suis dit que c'était mieux que rien.

Mieux que rien, pourquoi ? Un genre de jeu pervers ? Ma gorge se serre, mais avant que la panique m'envahisse, il détache la serviette sur ma tête et la laisse tomber sur le sol. Ses mains puissantes et bronzées semblent gigantesques près de mon crâne alors qu'il rassemble ma chevelure en une queue de cheval humide et se met à les démêler avec la brosse.

La surprise me coupe le souffle. Le meurtrier de mon mari, l'homme qui me harcèle, *me brosse les cheveux*.

Son mouvement est doux, mais sûr, sans aucune trace d'hésitation. Comme s'il avait fait le même geste des dizaines de fois. Il passe la brosse sur les pointes, les démêlant complètement, puis il remonte systématiquement jusqu'à ce que la petite brosse puisse parcourir la pleine longueur de ma chevelure sans accroc. Et pendant tout ce temps, il n'y a aucune douleur, au contraire. Les brins en plastique massent mon crâne à chaque mouvement, et des aiguillons de plaisir traversent ma colonne chaque fois que ses doigts chauds caressent la peau réceptive de ma nuque.

Avec ou sans peur, c'est l'expérience la plus sensuelle de ma vie.

Un étrange sentiment d'irréalité s'empare de moi pendant que je suis assise là, l'observant me brosser les cheveux dans la glace. Lors de nos rencontres précédentes, j'étais tellement concentrée sur le danger qu'il pose que je n'avais pas porté attention à des choses moins importantes, comme ses vêtements. Pour la première fois, je remarque donc qu'il porte un blouson en cuir vieilli gris par-dessus un maillot thermique noir et un jean foncé avec des bottes noires. C'est une tenue décontractée, quelque chose que tout homme pourrait porter au début du printemps en Illinois, mais il serait impossible de prendre mon bourreau pour un homme ordinaire dans la rue.

Peter Sokolov n'est rien moins qu'une force de la nature, impitoyable et totalement invincible.

Il me brosse les cheveux pendant de longues minutes pendant que je reste aussi immobile que possible, n'osant pas même bouger un muscle de peur qu'il s'arrête. Chaque mouvement de la brosse me fait l'effet d'une caresse, chaque contact de ses mains rugueuses étant à la fois calmant et excitant. Plus important encore, pendant qu'il joue de la brosse, il ne me fait pas autre chose, des choses que je redoute.

Trop vite, cependant, il dépose la brosse sur la coiffeuse et ses yeux rencontrent les miens dans le miroir.

— Debout, m'ordonne-t-il, ses mains entourant mes épaules nues et me relevant.

Déglutissant avec peine, je me tourne vers lui lorsqu'il me relâche, mais il s'est déjà éloigné pour retirer son blouson.

Le cœur lourd, je l'observe déposer le blouson sur le dossier de la chaise et attraper le bas de son maillot thermique à manches longues. En un mouvement fluide, il retire le maillot, et mon souffle se coince dans ma gorge comme il le dépose par-dessus le blouson.

Ses épaules sont larges, ses bras enserrés par des couches de muscles bien définis. Plus de muscles couvrent son torse mince en V et son abdomen plat n'a pas un gramme de graisse. Comme ses mains, son torse et ses épaules sont basanés, comme s'il passait beaucoup de temps au soleil, et son bras gauche est pratiquement entièrement couvert de tatouages qui s'étendent du dessus de son épaule à son poignet. À travers une fine couche de poils foncés sur son torse, j'aperçois plusieurs autres cicatrices estompées, et je me surprends à suivre du regard la traînée sexy de poils qui part de son nombril et disparaît sous la ceinture de son jean bas.

Il passe ensuite au jean, descendant la fermeture éclair, et je me force à détourner le regard. Malgré sa beauté mâle primale, une couche de sueur froide recouvre mon corps et mon cœur bat la chamade. Il est peut-être une bête magnifique, mais c'est tout ce qu'il est : une bête, un monstre au cœur d'acier. Ça n'a pas d'importance que, dans d'autres circonstances, j'aurais été follement attirée par lui. Je ne veux pas ce qui va suivre. Cela me détruira.

Du coin de l'œil, je le vois enlever ses bottes et descendre son jean, révélant un slip bleu marine tendu contre un long et imposant renflement, et des jambes puissantes parsemées de fins poils noirs. Il se penche pour enlever complètement le jean, et ma terreur atteint un nouveau sommet.

Oubliant ses mises en garde, je cours vers la porte.

Cette fois, je n'arrive pas même près de mon but. Il m'attrape à un peu moins d'un mètre de la porte, un bras puissant s'enroulant autour de ma cage thoracique et me soulevant et l'autre main s'abattant sur ma bouche pour étouffer mon cri instinctif.

Je griffe ses avant-bras, mes pieds frappant ses tibias alors qu'il me porte jusqu'au lit, mais en vain. Tout ce que j'arrive à faire est à détacher la serviette dans mon dos. Son bras l'empêche de tomber, mais mon dos, mes fesses et le côté droit de mon corps sont complètement exposés. Je peux sentir le contact de son torse nu contre mon dos, l'odeur musquée propre de sa peau, et cette intimité non désirée intensifie ma panique, m'amenant à me débattre avec plus d'énergie.

— Bordel, grogne-t-il lorsque mon talon cogne contre son genou, et j'ai une petite flambée de triomphe.

Ça ne dure pas. Une seconde plus tard, il se laisse tomber à la renverse sur le lit, m'entraînant avec lui et avant que je puisse réagir, il roule sur lui-même, m'immobilisant sous lui. Je me retrouve le visage contre la couverture, mes mains griffant inutilement la surface douce et mes jambes retenues par ses mollets musclés. Avec sa paume contre ma bouche, je ne peux que laisser échapper des bruits étouffés. Des larmes de panique me brûlent les yeux alors que je sens la force de son érection contre la courbe de mes fesses.

Seul son slip nous sépare maintenant et je lutte encore plus, malgré la futilité de mes efforts.

Quelques minutes sont nécessaires pour m'épuiser… et pour réaliser qu'il ne bouge pas.

Il me retient, mais il ne cherche pas à me prendre.

— Tu as fini ? murmure-t-il lorsque je me calme, mes muscles tremblants de fatigue et mes poumons en manque d'oxygène. Ou veux-tu continuer ainsi ? Je suis bon pour toute la nuit.

Je le crois. Il est tellement plus imposant que moi qu'il n'a qu'à rester par-dessus moi ainsi et je ne peux ni le blesser ni me libérer. L'effort requis de sa part est minime, alors que je m'épuise à la tâche, sans succès.

— Tu te tiendras bien si je retire ma main ?

Ses lèvres sont juste au-dessus de mon oreille, son souffle réchauffant ma peau.

Mes épaules se tassent pour protéger mon cou de ces lèvres trop proches, et il laisse échapper un soupir.

— Bon, je suppose que je vais te bâillonner et te ligoter.

Je lâche un bruit étouffé sous sa main et il ricane.

— Non ? Tu vas bien te tenir alors ?

Je hoche la tête avec difficulté. La défaite laisse un goût amer dans ma gorge, mais je ne veux pas me retrouver bâil-lonnée et ligotée.

— C'est bien.

Il bascule à mes côtés et retire sa main, me permettant de ramener de l'oxygène dans mes poumons.

— Maintenant que tu en as fini avec cette idée, que dirais-tu d'aller dormir ? Je sais que tu as une longue journée demain, et moi aussi.

— Quoi ?

Je suis si surprise que je me retourne, oubliant ma nudité.

Un lent sourire diabolique se peint sur son visage alors que son regard parcourt mon corps avant de croiser à nouveau mon regard.

— Dors, ptichka. Nous en avons tous les deux besoin.

Je m'assieds et attrape un oreiller, que je presse contre ma poitrine tout en reculant jusqu'à la tête de lit, aussi loin que possible de lui. Ce qu'il dit n'a aucun sens. Il me veut de toute évidence ; son érection impressionnante étant sur le point de percer son slip.

— Tu... tu veux *dormir* avec moi ? *Simplement* dormir ?

Son sourire s'efface et ses yeux brûlent d'un feu sombre.

— Visiblement, je veux plus, mais ce soir je me contenterai de dormir. Je te l'ai dit, Sara, je ne te ferai plus de mal. J'attendrai jusqu'à ce que tu sois prête... jusqu'à ce que tu me désires autant que moi.

Le désirer ? Je veux lui crier qu'il est cinglé, que je ne coucherai jamais volontairement avec lui, mais je ravale ma répartie. Je suis trop vulnérable en ce moment, et il est trop imprévisible. Et puis, lorsqu'il sera endormi, j'aurai une chance de m'enfuir, peut-être même de l'assommer et d'appeler la police.

— D'accord.

J'essaie d'avoir l'air encore plus démunie que je le suis réellement.

— Si tu promets de ne pas me faire de mal...

Ses lèvres esquissent un sourire.

— Promis.

En sortant du lit, il tire d'un coup sur la couverture coincée sous moi et la rabat avant de secouer les autres oreillers. En tapotant les draps à découvert, il dit :

— Viens ici.

Je m'approche de quelques centimètres, serrant l'oreiller contre moi.

— Plus près.

Je répète l'opération, mon cœur cognant avec anxiété. Je ne lui fais pas du tout confiance. Il pourrait jouer avec moi, cacher ses intentions pour je ne sais quelle raison.

— Glisse-toi sous la couverture, dit-il, et j'obtempère, heureuse d'avoir autre chose qu'un oreiller pour me couvrir.

Malheureusement, mon soulagement est de courte durée. Dès que je suis étendue, il éteint le plafonnier et se glisse sous la couverture à mes côtés, son long corps musclé s'étirant près de moi, comme s'il y était à sa place.

— Tourne-toi vers la droite, dit-il, avant de se coucher ainsi après avoir éteint la lampe près du lit, notre dernière source de lumière.

Ma poitrine se serre comme je comprends son intention.

Le meurtrier de mon mari veut dormir en cuillère avec moi.

En ignorant l'obscurité désorientante et la sensation d'étouffer, je me tourne sur le côté et tente de garder une respiration régulière alors qu'un bras musclé s'étire sous mon oreiller et que l'autre s'enroule avec possessivité autour de ma cage thoracique, m'attirant contre son grand corps. Il m'est toutefois impossible de respirer régulièrement.

Mes fesses nues se nichent contre son sexe rigide, son souffle chaud et mentholé caresse ma tempe et ses jambes épousent les miennes. Je suis cernée, totalement dépassée par sa taille et sa force. Et sa chaleur. Mon Dieu, son corps dégage tellement de chaleur. Partout où sa peau nue se presse contre la mienne, j'ai l'impression d'être brûlée, comme s'il était plus chaud qu'un être humain normal. Ce n'est pourtant pas lui, mais moi. Je suis tellement gelée que j'en frissonne, la sueur froide évaporée.

Je ne sais pas combien de temps nous restons ainsi, mais enfin, sa chaleur me consume et se transforme en une tout autre forme de chaleur, en ce brasier insidieux qui envahit mes rêves et me fait brûler de honte. Maintenant que je ne suis plus aussi terrifiée, je vois son corps puissant comme autre chose qu'une menace… son membre érigé comme autre chose qu'un instrument de violence. Son odeur de mâle m'entoure et mes seins sont lourds et sensibles au-dessus de son bras musclé. Mes mamelons sont durs et mon sexe est moite et palpitant. Depuis combien de temps n'ai-je pas été étreinte ainsi ? Deux ans ? Trois ? Je ne me souviens pas de la dernière fois où George et moi avons fait l'amour, alors encore moins de la dernière fois où nous nous sommes étreints comme des amants. Malgré l'inconvenance de la situation, la partie animale en moi aime être serrée ainsi, sentir la chaleur d'un corps viril et la pulsation du désir dans mes veines.

C'est une bonne chose que je n'aie pas l'intention de dormir, parce qu'il me serait impossible de m'endormir ainsi, pas avec mon cœur qui court un kilomètre la minute et mon imagination qui le dépasse dans un enchevêtrement de pensées. Peur et colère, désir et honte… tout se mélange, accélérant mon pouls et acidifiant mon estomac. Que veut réellement Peter ? Qu'est-ce qu'il retire de cette étrange étreinte ? Cette érection imposante doit être inconfortable, pour ne pas dire douloureuse, pourtant il semble satisfait de rester là, se contentant de m'étreindre. Pourquoi ? Qu'est-ce qui lui prend ? Pourquoi s'être accroché à moi ?

Et aurait-il dit la vérité à propos de George ? Mon mari aurait-il pu s'en prendre à sa famille ?

C'est la pire idée qui soit, mais je ne peux m'en empêcher. Ma langue semble fonctionner indépendamment de mon cerveau comme je murmure :

— Euh, Peter… peux-tu me parler de toi ?

Je peux sentir sa surprise dans la contraction de ses muscles et l'altération de sa respiration. Je ne l'ai jamais appelé par son nom avant, mais toute autre chose sonnerait étrange alors que je suis étendue nue contre lui. Et puis, une petite intimité émotionnelle pourrait le rendre plus enclin à me répondre, et moins à me punir d'avoir posé une question.

— Que veux-tu savoir ? murmure-t-il après une seconde, en bougeant pour m'installer plus confortablement contre lui.

Pourquoi crois-tu que mon mari a massacré ta famille ? C'est ce que je brûle de savoir, mais je ne suis pas assez stupide pour commencer par ça. Je me rappelle sa rage la dernière fois que nous avons abordé le sujet. Je dis plutôt, d'une voix douce :

— Ils m'ont dit que tu étais né en Russie. C'est vrai ?

— Oui.

Sa voix profonde se fait amusée.

— Mon accent ne me trahit pas ?

— Il est très léger, alors non. Tu pourrais être de n'importe quel coin en Europe ou au Moyen-Orient. En général, tu maîtrises très bien la langue.

Je parle trop vite, par nervosité, alors je me force à inspirer et à ralentir.

— L'as-tu apprise à l'école ?

— Non, au travail.

Le travail où il traquait et interrogeait des menaces supposées pour la Russie ? Je réprime un frisson et j'essaie de ne pas penser à ces méthodes d'interrogation. *Garde un ton léger*, me dis-je. *Avant de passer aux sujets plus épineux.* D'un ton enjoué, je dis :

— Tu étais adulte ? C'est impressionnant. Généralement, il faut apprendre une langue dans sa jeunesse pour pouvoir la parler aussi bien.

Voilà, bien joué. Un peu de flatterie, un peu d'admiration sincère. C'est la méthode à suivre lorsqu'on se retrouve dans une posture vulnérable : établir une relation avec son attaquant, lui permettre de sympathiser avec sa victime. Évidemment, cette stratégie se fonde sur la capacité de l'attaquant à sympathiser… quelque chose qui, je crains, manque cruellement au psychopathe qui m'étreint.

— Eh bien, j'ai appris quelques mots et phrases lorsque j'étais petit, dit-il. Je suppose que ça m'a aidé.

— Oh ? Où as-tu appris ? À l'école ou auprès de tes parents ?

Il ricane, son torse musclé bougeant contre mon dos.

— Ni l'un ni l'autre. Avec vos films américains. Ils sont votre principale source d'exportation, tu sais… ça et les hamburgers.

— Ah.

J'inspire, en essayant d'ignorer le bras lourd qui pèse sur ma cage thoracique et la preuve de son désir qui palpite contre mes fesses. Ça me trouble d'une façon que je n'ai pas envie d'analyser.

— Alors, qu'est-ce qui t'a décidé à te lancer dans… euh, ta profession ?

Il enfouit son nez dans ma chevelure et inspire profondément, comme s'il voulait me respirer toute entière.

— Que t'a dit Ryson exactement ?

Je me contracte devant la mention décontractée du nom de l'agent, puis me force à me détendre. Évidemment, il sait qui est Ryson ; il nous a certainement aperçus au café ensemble.

— Il m'a dit que tu étais dans les forces spéciales russes. C'est vrai ?

— Oui.

Sa voix semble enrouée alors qu'il bouge derrière moi à nouveau, son sexe comme une tige d'acier pressée contre moi.

— Je dirigeais une petite unité secrète se spécialisant dans la lutte contre le terrorisme et l'insurrection.

— C'est… inhabituel.

Lui parler et le garder éveillé dans un tel état d'excitation n'est probablement pas une si bonne idée, mais je ne peux pas me taire.

— Comment peut-on se retrouver dans un tel poste ? Tu as rejoint l'armée avant d'y être recruté ?

— Non.

Il continue de frotter son visage contre ma chevelure.

— Ils m'ont trouvé dans ce que tu appellerais une maison de redressement.

— Pour les jeunes délinquants ?

— Ça ressemblait plus à un camp de travail, mais oui.

— Que…

Je déglutis, me concentrant avec difficulté sur ses paroles plutôt que sur l'effet de son désir évident sur mon propre corps.

— Qu'as-tu fait pour te retrouver là ?

Ça n'a rien à voir avec George, mais je ne peux réprimer ma curiosité. Je crains que ce que j'apprendrai ne fasse que me terroriser davantage, mais je veux savoir ce qui le fait craquer.

Je veux connaître ses faiblesses, pour pouvoir les utiliser contre lui.

— J'ai tué le directeur de l'orphelinat où j'ai été élevé.

Il n'y a aucune trace de regret ou d'excuse derrière les paroles de Peter, aucune émotion autre que le désir dans sa voix. Il aurait tout aussi bien pu m'énumérer son dîner.

— Disons que j'ai commencé ma carrière très jeune.

— Je vois.

J'en ai la chair de poule, mais je fais mon possible pour parler d'une voix calme.

— Quel âge avais-tu ?

— Onze ans, presque douze.

— Que t'a-t-il fait ?

Il soupire et recule légèrement.

— À quoi bon, ptichka ? Ton idée de moi est faite, et aucune histoire sordide de mon passé ne la changera. Pour l'instant, tu me hais trop pour ressentir autre chose que de la joie devant tout malheur que j'aurais pu vivre.

Autant pour cette relation émotionnelle.

— Eh bien, à quoi t'attendais-tu ? Lui demandé-je, amèrement, laissant tomber tout faux-semblant d'écoute bienveillante. Que tu pouvais me torturer et tuer mon mari, et que nous soyons amis ?

— Non, ptichka. Malgré ce que tu pourrais croire, je ne suis pas irréaliste. Tes sentiments négatifs à mon égard sont rationnels et attendus. J'ai juste espoir de les changer au fil du temps.

Il *est* irréaliste s'il croit que je ressentirai un jour autre chose que de la haine à son égard, mais je ne prends pas la peine de discuter.

— Quel est ce mot que tu ne cesses de me dire ? Pti-quelque chose ?

— Ptichka.

Il se remet à caresser mes cheveux, ou à les humer, ou peu importe ce qu'il fait.

— Ça signifie, *petit oiseau* en russe.

Je serre les poings dans la couverture devant moi.

— Un oiseau ?

— Mmm. Un petit oiseau chanteur, joli et gracieux comme toi.

Il s'interrompt, puis ajoute doucement :

— Et aussi en cage, comme toi.

Le salaud. Je serre les dents et tente de m'éloigner de lui autant que le permet son bras autour de ma taille.

— C'est une situation temporaire.

— Oh, je ne veux pas dire par ma faute.

Je peux entendre le sourire dans sa voix alors qu'il resserre sa prise sur moi, m'empêchant de m'éloigner.

— Je te retiens peut-être en ce moment, mais tu étais enfermée bien avant que j'entre dans ta vie.

Je me fige, surprise.

— Quoi ?

— Oh, oui. Ne prétends pas ignorer ce dont il est question, Sara. Je sais que tu l'as ressenti : toutes les attentes de la société, de tes parents, de ton mari et de tes amis… la pression de réussir parce que tu es née intelligente et belle, le désir d'être parfaite, le besoin d'être tout pour tout le monde, en tout temps…

Sa voix est douce et ténébreuse, m'enveloppant dans sa toile séductrice et soyeuse.

— Je l'ai vu au club hier : ton envie de liberté, ton désir de vivre sans les contraintes qu'on t'a imposées. Pendant quelques moments, sur la piste de danse, tu as laissé tomber les menottes et j'ai vu le joli petit oiseau quitter sa cage dorée et voler librement. Je *t'*ai vue, Sara, et c'était magnifique.

Pendant quelques secondes, je ne peux que rester étendue, immobile, la poitrine douloureuse et les yeux brûlants dans l'obscurité. Je veux rire et nier ses paroles, mais j'ai peur que, si j'essaie de parler, je vais m'écrouler et hurler. Comment cet homme, cet inconnu violent, peut-il connaître quelque chose d'aussi intime, quelque chose que je ne fais que commencer à entrevoir moi-même ?

Comment peut-il savoir que ma belle vie douillette ne me rend plus heureuse… qu'elle ne m'a peut-être jamais rendue heureuse ?

En comprimant la boule qui enfle dans ma gorge, je renifle avec dérision et dis :

— Alors, tu vas… quoi ? Me libérer de ma vie contraignante ? Me libérer et me laisser m'envoler ?

— Non, ptichka.

Sa voix est gentiment moqueuse.

— Rien d'aussi noble.

— Alors, quoi ?

— Je vais te mettre dans ma propre cage et te faire chanter.

CHAPITRE 18
PETER

Elle frissonne dans mes bras, et je sens la peur qui la parcourt. Une partie de moi regrette ma franchise brutale, mais je ne peux me résoudre à lui mentir. Mon désir pour elle n'a rien à voir avec ma douce affection pour Tamila ou la simple passion que j'ai vécue avec d'autres femmes.

Mon désir pour Sara est plus sombre, corrompu par ce qui s'est passé entre nous et par le fait qu'elle appartenait à mon ennemi. Je ne veux pas la blesser, pourtant je ne peux nier que sa souffrance m'attire d'une certaine façon perverse. La tourmenter apaise ma rage brûlante, satisfait mon besoin de punir et de vengeance, même si je me répète que je veux la soulager, réparer la douleur que j'ai causée.

Lorsqu'il est question de Sara, je suis un enchevêtrement de contradictions, et la seule chose dont je suis sûr, c'est qu'une simple baise ne sera pas suffisante.

J'en veux plus.

Je veux la faire mienne.

Il est tentant de rompre ma promesse et de la prendre maintenant, de la posséder et d'apaiser la faim qui me consume. Elle est totalement nue dans mes bras, sa peau effleurant la mienne chaque fois qu'elle inspire. Je peux sentir le shampoing floral dans sa chevelure humide, sentir la douceur de ses seins appuyés contre mon bras, et mon membre palpite contre la courbe de ses fesses, mon corps souffrant du besoin d'entrer en elle. Elle lutterait tout d'abord, mais elle en viendrait à aimer ça.

Elle n'est pas indifférente. Je le sais. Je le sens.

Avant de me laisser emporter par mon besoin sombre, j'inspire et expire lentement. Même si posséder Sara était extatique, je veux sa confiance autant que son corps.

Je veux qu'elle chante pour moi de son propre chef.

— Dors, ptichka, murmuré-je, lorsqu'elle reste silencieuse, toutes ses questions oubliées pour l'instant. Tu seras en sécurité ce soir.

Et, ignorant la faim qui ravage mon corps, je ferme les yeux et plonge dans un sommeil léger, mais réparateur.

———————————

Je me réveille trois fois pendant la nuit, deux fois alors que Sara tente de se dégager de mon étreinte, sans aucun doute pour s'échapper et m'infliger quelque chose d'atroce, une fois lorsqu'elle s'éveille d'un cauchemar. Dans chaque cas, je la serre plus fort et elle finit par s'endormir à nouveau. Après un moment, je m'endors aussi, même si le désir qui me consume ne fait que s'intensifier tout au long de la nuit. Au matin, je suis sur le point d'exploser et il me faut à peine vingt secondes pour jouir lorsque je me lève pour utiliser la salle de bain.

Elle dort encore lorsque j'en sors, et je songe à retourner sous les draps près d'elle. Il est toutefois presque sept heures, et je dois m'entretenir avec Anton avant qu'il ne se couche. Je ne suis pas plus sûr de mon contrôle ; me masturber a à peine tempéré mon besoin violent.

Si je me glisse dans le lit près de Sara, je risque de rompre ma promesse.

Décidant de ne pas tenter le sort, je m'habille silencieusement et sors de la chambre.

Je verrai bientôt Sara. D'ici là, j'ai du travail qui m'attend.

CHAPITRE 19
SARA

J'ai une césarienne programmée ce matin et une autre non prévue dans l'après-midi. Entre les deux, je rencontre une femme qui a des crampes menstruelles douloureuses et qui ne tolère pas la solution habituelle des contraceptifs hormonaux, quelque chose que je comprends très bien, et une autre qui tente depuis deux ans de tomber enceinte, sans succès. Je planifie une échographie pour la première afin de vérifier la présence d'endométriomes et je dirige la deuxième vers un spécialiste en fertilité. Dès que j'ai terminé, je suis appelée dans la salle d'urgence pour examiner une femme enceinte de six mois qui sort d'un grave accident de voiture. Par chance, je peux la rassurer, car le bébé est en pleine forme, la meilleure nouvelle qui soit dans une collision frontale de cette ampleur.

Je suis surprise de pouvoir me concentrer ainsi sur mon travail après la nuit dernière, mais pour la première fois depuis des mois, les souvenirs sombres n'envahissent pas mon esprit à tout moment, et la paranoïa du mois dernier n'est plus. Paradoxalement, maintenant que je *sais* qu'on m'observe, l'idée ne m'emplit plus autant d'anxiété que lorsque je n'avais qu'une sensation dérangeante. Je me sens aussi reposée et alerte, avec très peu de caféine, et je crois que j'ai eu neuf bonnes heures de sommeil, malgré le corps puissant enroulé autour de moi toute la nuit.

Ou, *peut-être*, grâce à celui-ci. Peu importe à quel point j'ai essayé de rester éveillée la nuit dernière, la chaleur animale dégagée par la peau de Peter et sa respiration profonde m'entraînait vers le sommeil. Je me suis réveillée plusieurs fois pendant la nuit pour tenter de m'extirper de son étreinte, cependant, rien à faire. Il me retenait avec l'intensité d'un enfant se cramponnant à son ours en peluche préféré, et après un moment, j'ai capitulé et me suis contentée de dormir, mon subconscient ignorant agréablement que la source de mes cauchemars se trouvait contre moi.

Peu importe la raison, je reste calme et concentrée tout au long de mon quart. Le fait que je réussisse à réprimer toute pensée de Peter et de ses intentions, à les repousser pour me concentrer sur mes patients aide. Si je m'attardais sur sa déclaration, je sortirais de l'hôpital en hurlant, et qui sait ce que mon harceleur ferait alors ? Lorsque je me suis réveillée vivante et indemne ce matin, j'ai décidé que la meilleure option était de vivre un jour à la fois et d'éviter de le provoquer autant que possible.

Peut-être allait-il bien se comporter encore un moment, me donnant ainsi le temps de parvenir à une solution.

Lorsque mon quart se termine, je me dirige vers le vestiaire et croise Andy dans le couloir. Elle doit commencer son quart, car son uniforme semble parfaitement repassé et sa chevelure bouclée est rassemblée en un chignon impeccable, sans aucune mèche déplacée.

À la fin d'un long quart, la plupart des infirmières et des médecins, moi comprise, ont un aspect beaucoup plus en désordre.

— Hé, dit-elle, en s'arrêtant devant moi. Tout va bien ?

Je bats des cils.

— Euh, oui.

Elle ne peut pas être au courant pour Peter, n'est-ce pas ?

— Pourquoi ?

— Tu as dit ne pas bien aller l'autre soir, dit Andy, en fronçant légèrement les sourcils. Lorsque tu es partie en hâte du club.

— Oh, oui, désolée.

J'esquisse un sourire embarrassé.

— J'avais trop bu et ça m'est rentré dedans. Je crois que j'ai vomi en arrivant à la maison, mais c'est complètement flou maintenant.

— Oh, je vois.

Un sourire soulagé remplace l'inquiétude sur ses traits.

— Tu semblais bouleversée par quelque chose. Tu avais l'air de quelqu'un qui venait de voir son poney préféré se faire tuer.

Je ris et secoue la tête, bien qu'elle ne soit pas si loin de la vérité.

— J'ai bien peur que la seule victime n'ait été mon foie.

Andy rit, puis me demande :

— Que fais-tu samedi prochain ? Tonya et Marsha avaient envie d'une autre soirée entre filles, mais je pensais plus à un dîner et à un film avec Larry, les deux à une heure raisonnable, car je travaille tôt dimanche. Tu veux nous accompagner ?

— Ton copain et toi ?

Je lui lance un regard étonné.

— Je ne serais pas la cinquième roue du carrosse ?

— Eh bien…

Un sourire malicieux éclaire son visage couvert de taches de rousseur.

— Il se trouve que Larry a un ami très séduisant, et très riche, qui rêve de rencontrer une fille bien. C'est un magnat de l'immobilier et il a une liste impossible d'exigences, mais – elle lève un doigt, lorsque j'essaie de l'interrompre – tu réponds à toutes ses exigences. Si ça te tente, Larry l'invitera et nous pourrions passer une soirée ensemble.

Je grimace.

— Oh, je ne sais pas si…

— Il est séduisant. Regarde.

Elle sort son portable de sa poche, glisse son doigt plusieurs fois sur l'écran, puis me montre la photo d'un Tom Cruise blond.

— Tu vois ? Tu pourrais croiser bien pire.

Je glousse.

— Sans aucun doute, mais…

— Pas de mais.

Elle lève la main pour m'empêcher de discuter.

— Allez, viens, nous aurons du plaisir. Il n'y a pas de pression. Si tu aimes l'ami de Larry, tant mieux. Sinon, toi et moi rejoindrons les filles et Larry pourra avoir une soirée entre hommes, il en rêve depuis des lustres.

J'hésite, puis secoue la tête avec regret.

— Merci, mais je ne peux pas.

Je ne sais pas si Peter est une menace pour Andy ou son copain, mais je ne veux rien risquer. Avec le tueur russe qui observe tous mes gestes, chaque personne qui m'entoure pourrait devenir une cible.

Jusqu'à ce que mon harceleur disparaisse, il vaut mieux que je reste seule.

Le visage d'Andy s'assombrit.

— Oh, d'accord. Bon, si tu changes d'avis, fais-moi signe. Marsha a mon numéro.

— D'accord, merci, dis-je, mais Andy est déjà repartie, marchant aussi vite que ses chaussures blanches le lui permettent.

Sur le chemin du retour, j'écoute la chanson « Stronger » de Kelly Clarkson et résiste à l'envie de conduire jusqu'à me retrouver dans un autre État. Ou même un autre pays. Le Canada et le Mexique semblent tous deux accueillants, tout comme l'Antarctique et Tombouctou. Plutôt que de retourner à ma maison infestée de caméras, je pourrais me rendre directement à l'aéroport et partir quelque part, n'importe où.

J'irais au pôle Nord si j'avais l'assurance que Peter ne me suivrait pas.

Malheureusement, je n'ai pas cette assurance. Bien au contraire. Si je m'enfuis, il me traquera. J'en suis convaincue. C'est un chasseur, un pisteur, et il n'arrêtera pas tant qu'il ne m'aura pas retrouvée, comme il a retrouvé toutes les personnes sur sa liste. Je pourrais aller dans un autre hôtel ou sur un autre continent, que ça ne changerait rien.

Il ne me laissera pas tranquille tant qu'il n'obtiendra pas ce qu'il veut, peu importe ce que c'est.

Mes paumes glissent sur le volant et je réalise que je respire rapidement, mon calme se dissipant alors que des images de la nuit passée me reviennent. Je ne sais toujours pas ce qu'il veut, mais ça semble être autre chose qu'uniquement du sexe.

Quelque chose de plus sombre et de bien plus tordu.

En réalisant que je suis au bord d'une autre crise de panique, je passe de Kelly Clarkson à de la musique classique et je me mets à mes exercices de respiration. C'est peut-être une erreur de ne pas approcher le FBI. Il y a au moins une chance qu'ils puissent me protéger, alors que par moi-même je n'en ai aucune. Je ne peux qu'espérer qu'il se lasse de moi et qu'il passe à sa prochaine victime, me laissant vivante et avec ma raison en grande partie intacte.

Je suis sur le point d'attraper mon téléphone lorsque je me souviens pourquoi je n'ai pas appelé Ryson en premier lieu : mes parents. Je ne peux pas disparaître et les quitter, et ce serait égoïste de les déraciner en sachant qu'il existe une chance minime que le FBI pourra nous protéger. Pour expliquer le besoin de partir, je devrais tout raconter à mes parents et je ne crois pas que le cœur de mon père pourrait supporter un tel stress. Il a subi un triple pontage plusieurs années plus tôt et les médecins lui ont conseillé d'éviter autant que possible les activités stressantes. Découvrir qu'un harceleur meurtrier m'a torturée et a tué George pourrait littéralement faire mourir mon père, et pourrait même poser un risque à ma mère.

Non, je ne peux pas leur faire ça. Reprenant le contrôle de ma respiration, je remets Kelly Clarkson. Mes parents ont une vie heureuse et normale et je ferai tout afin que cela ne change pas. Si ça signifie que je dois gérer Peter par moi-même, soit.

Avec un peu de chance, je suis assez forte pour survivre à tout ce qu'il mijote.

CHAPITRE 20
SARA

Ce qu'il mijote : des plats. Des tas de plats au parfum délicieux.

Stupéfaite, je regarde, bouche bée, la table remplie de la salle à manger. Il y a un poulet rôti entier, un bol de purée de pommes de terre et une grosse salade, le tout joliment agencé entre des bougies allumées et une bouteille de vin blanc.

Je m'attendais à être piégée chez moi ce soir, mais pas à ça.

— Tu as faim ? Me demande une voix profonde à l'accent léger derrière moi, et je me retourne d'un coup.

Mon cœur bondit alors que Peter Sokolov sort du couloir. Le devant de ses cheveux est humide, comme s'il venait tout juste de se laver le visage et, bien qu'il soit vêtu d'une chemise bleue boutonnée et d'un jean foncé, il ne porte pas de chaussures, seulement des chaussettes.

Il est séduisant, et plus dangereux que jamais.

— Que…

Ma voix est trop aiguë, alors je prends une inspiration et me reprends :

— Qu'est-ce que c'est ?

— Le dîner, dit-il, d'un air amusé. À quoi ça ressemble ?

— Je…

L'air se raréfie dans la pièce alors qu'il s'arrête à une courte distance de moi, la lueur intime dans son regard me rappelant que j'ai dormi nue dans ses bras.

— Je n'ai pas faim.

— Non ?

Il hausse ses sourcils foncés.

— Bon d'accord. Allons au lit.

Il fait mine de m'attraper et je recule d'un bond.

— Non, attends ! Je mangerais bien un morceau.

Un sourire retrousse ses lèvres.

— Je me disais aussi. Après toi.

Il me fait signe, son bras décrivant un demi-cercle élégant, et je me dirige vers la table, luttant pour ralentir les battements de mon cœur alors qu'il éteint le plafonnier, ne laissant que le feu des bougies pour nous éclairer, et il me suit jusqu'à la table.

Il me tire une chaise et je m'y assieds. Puis, il se dirige vers la chaise qui me fait face et s'assied. Je remarque que la table est mise avec deux assiettes et mes couverts en argent, ceux que George gardait pour les fêtes et les soirées.

En silence, j'observe le tueur de George couper d'une main experte le poulet et déposer un pilon, mon morceau préféré, dans mon assiette, en plus d'une portion généreuse de purée et de salade.

— Où as-tu trouvé tous ces plats ? Demandé-je, pendant qu'il remplit sa propre assiette.

— Je les ai préparés.

Il lève les yeux de son assiette.

— Tu aimes le poulet, n'est-ce pas ?

C'est le cas, mais il n'est pas question que je le lui dise.

— Tu cuisines ?

— Je me débrouille.

Il attrape son couteau et sa fourchette.

— Vas-y, goûte.

Je repousse ma chaise et me lève.

— Je dois me laver les mains.

J'arrive du garage et le médecin obsessionnel compulsif en moi ne peut pas toucher à de la nourriture avant de s'être débarrassé de tous les microbes de l'hôpital.

— D'accord, dit-il, en déposant ses couverts, et je réalise qu'il a l'intention de m'attendre.

Mon harceleur a d'excellentes manières à table.

Je me dirige vers la salle de bain la plus proche et lave mes mains, frottant entre chaque doigt et autour de mes poignets comme je le fais toujours. Lorsque je reviens enfin à la table, il nous a déjà versé un verre de vin, et le parfum vif du Pinot Grigio se marie avec les arômes délicieux du repas, ajoutant à l'étrangeté de la situation.

Si je ne savais pas, je croirais que c'est un rendez-vous galant.

— Comment as-tu su que je viendrais ici plutôt que de me rendre dans un hôtel ? Lui fais-je une fois assise.

Il hausse les épaules.

— C'était une déduction logique. Tu es intelligente, alors il est peu probable que tu répètes la même erreur.

— Ah.

Je prends ma fourchette et goûte à la purée. Le goût riche et onctueux est un délice et m'ouvre l'appétit malgré l'anxiété qui pèse sur mon estomac.

— C'est beaucoup de préparation pour une telle déduction.

— Oui, eh bien, qui ne risque rien n'a rien, n'est-ce pas ? Et puis, je sais comment tu penses et raisonnes, Sara. Tu ne fais pas de choses stupides ou futiles, et te rendre dans un autre hôtel aurait été exactement ça.

Mes doigts se serrent autour de la fourchette.

— Oh ? Tu crois que tu me connais parce que tu me surveilles depuis quelques semaines ?

— Non.

Ses yeux brillent dans l'éclat des bougies.

— Je ne te connais pas, ptichka, du moins, pas autant que je le voudrais.

En ignorant cette provocation, je tourne mon attention sur mon assiette. Maintenant que j'y ai goûté, j'ai l'eau à la bouche. Malgré ce que j'ai dit à Peter plus tôt, je suis affamée, et je dévore avec joie le délicieux repas devant moi. Le poulet est parfaitement assaisonné, la purée est onctueuse à souhait, et la salade a une note acidulée rafraîchissante laissée par une sauce citronnée inhabituelle. Je suis si absorbée par mon repas que j'ai terminé la moitié de mon assiette lorsqu'une pensée terrifiante me frappe.

En déposant ma fourchette, je lève les yeux vers mon bourreau.

— Tu n'as pas drogué le repas ou quelque chose du genre, n'est-ce pas ?

— Si c'était le cas, ce serait trop tard, souligne-t-il avec amusement. Mais non. Tu peux te détendre. Si je voulais utiliser une drogue ou un poison, j'utiliserais une seringue. Il n'y a pas de raison de gâcher un bon repas.

Je m'efforce de rester calme, mais ma main tremble lorsque je prends mon verre de vin.

— Génial. C'est bon à savoir.

Il me sourit et je sens une sensation chaleureuse et moite entre mes jambes. Pour cacher mon désarroi, je prends plusieurs gorgées de vin et dépose le verre avant de me pencher à nouveau sur mon assiette.

Je ne suis *pas* attirée par lui. Je refuse de l'être.

Nous mangeons en silence jusqu'à vider nos assiettes, puis Peter dépose sa fourchette et soulève son verre de vin.

— Dis-moi, Sara, commence-t-il. Tu as maintenant vingt-huit ans, et tu es médecin à part entière depuis deux ans et demi. Comment as-tu fait ? Étais-tu l'un de ses petits génies avec un QI du tonnerre ?

Je repousse mon assiette vide.

— Tes recherches ne te l'ont pas appris ?

— Je n'ai pas fouillé à fond dans ton passé.

Il prend une gorgée de vin et dépose son verre.

— Si tu préfères, je peux faire des recherches ou tu peux simplement me parler et nous pourrons apprendre à nous connaître d'une manière plus traditionnelle.

J'hésite, puis décide que ça ne ferait pas de tort de lui parler. Plus longtemps nous restons à table, plus longtemps je peux retarder le moment du coucher et tout ce que ça implique.

— Je ne suis pas un génie, dis-je, en sirotant mon vin. Je veux dire, je ne suis pas stupide, mais mon QI est dans la plage normale.

— Alors, comment es-tu devenue médecin à vingt-six ans alors que ça prend normalement au moins huit ans après l'université ?

— J'étais un accident, dis-je.

Lorsqu'il continue de me fixer, j'explique :

— Je suis née trois ans avant la ménopause de ma mère. Elle avait près de cinquante ans lorsqu'elle est tombée enceinte et mon père en avait cinquante-huit. Ils étaient tous deux professeurs, ils se sont en fait rencontrés alors qu'il était son conseiller au doctorat, même s'ils ne se sont fréquentés que bien plus tard. Ni l'un ni l'autre ne voulait d'enfants. Ils avaient leurs carrières, un excellent cercle d'amis et leur couple. Ils pensaient à leur retraite cette année-là, mais au lieu de quoi, je me suis pointée.

— Comment ?

Je hausse les épaules.

— Quelques verres combinés à la conviction qu'ils étaient trop vieux pour s'inquiéter d'un préservatif déchiré.

— Alors, ils ne te voulaient pas ?

Ses yeux gris s'assombrissent, l'éclat de ses yeux se faisant d'acier, et ses lèvres se serrent.

Si je ne savais pas mieux, je croirais qu'il est furieux pour moi.

Je repousse cette pensée ridicule et réponds :

— Non, ils me voulaient. Du moins, une fois qu'ils se sont remis du choc d'apprendre que ma mère était enceinte. Ce n'est pas ce qu'ils voulaient ou attendaient, mais une fois que je suis arrivée, en bonne santé contre toute attente, ils m'ont tout donné. Je suis devenue le centre de leur monde, leur petit miracle personnel. Ils avaient une maison, des économies et ils ont accueilli leur nouveau rôle de parents avec la même dévotion qu'ils avaient pour leurs carrières. J'ai été comblée d'attention, j'ai appris à lire et à compter jusqu'à cent avant même de pouvoir marcher. Lorsque j'ai commencé la maternelle, je pouvais déjà lire comme une enfant de septième et je connaissais l'algèbre de base.

La ligne dure de ses lèvres s'adoucit.

— Je vois. Tu avais donc un énorme avantage sur la compétition.

— Oui. J'ai sauté deux années au cycle élémentaire et j'aurais pu en sauter plus, mais mes parents ne croyaient pas que c'était une bonne idée pour mon développement social d'être beaucoup plus jeune que mes compagnons de classe. De fait, j'ai eu beaucoup de difficultés à me faire des amis, mais c'est une autre histoire.

Je m'interromps pour prendre une autre gorgée de vin.

— J'ai aussi terminé le lycée en trois ans parce que les cours étaient simples pour moi et je voulais commencer l'université, puis j'ai terminé en trois ans parce que j'avais accumulé beaucoup de crédits en suivant des cours avancés au lycée.

— Ce qui explique les quatre ans.

J'acquiesce.

— Oui, voilà les quatre années.

Il m'étudie et je gigote sur ma chaise, mal à l'aise sous la chaleur de son regard. Mon verre de vin est presque vide maintenant, et je commence à ressentir les effets légers de l'alcool, ceux-ci chassant la plus grande partie de mon anxiété et me faisant remarquer des choses hors de propos, comme la manière dont sa chevelure foncée semble épaisse et soyeuse et dont ses lèvres semblent être à la fois douces et dures. Il me regarde avec admiration… et avec autre chose, quelque chose qui me donne l'impression que ma peau est brûlante, comme si j'étais fiévreuse.

Comme s'il le sentait, Peter se penche vers l'avant, ses paupières s'abaissant.

— Sara…

Sa voix est basse et profonde, dangereusement séduisante. Je peux sentir mon souffle se faire rapide alors qu'il couvre ma main de sa grande paume et murmure :

— Ptichka, tu…

— Pourquoi crois-tu que George s'en est pris à ta famille ?

Je retire ma main d'un coup, prête à tout pour éteindre mon excitation croissante.

— Qu'est-ce qui s'est passé ?

Ma question est comme une bombe qui explose dans l'atmosphère sexuellement chargée. Son regard se fait sec et dur, la chaleur disparaissant d'un coup sous l'effet d'une rage glaciale.

— Ma famille ?

Son poing se referme sur la table.

— Tu veux savoir ce qui lui est arrivé ?

Je hoche la tête avec méfiance, luttant contre mon instinct de me lever et de reculer. J'ai l'impression terrifiante d'avoir provoqué un prédateur blessé, un prédateur qui pourrait me mettre en pièces sans aucun effort.

— D'accord.

Sa chaise racle contre le plancher alors qu'il se lève.

— Viens ici, et je te montrerai.

CHAPITRE 21
PETER

Elle reste assise, figée sur place. Une biche prise dans la mire d'un chasseur. Je sais que je l'effraie, mais je suis incapable de m'en soucier, pas avec la douleur et la rage qui me ravagent.

Même après cinq ans et demi, le simple fait de penser à la mort de Pasha et Tamila a encore le pouvoir de me détruire.

— Viens ici, répété-je, en contournant la table.

En agrippant le bras de Sara, je la soulève, ignorant sa posture rigide.

— Tu veux savoir ? Tu veux voir ce que ton mari et ses acolytes ont fait ?

Son bras mince est tendu entre mes doigts alors que je fouille dans ma poche avec ma main libre et en sors mon vieux smartphone. En glissant mon pouce sur l'écran, je sélectionne les dernières images.

— Tiens.

Je lui fourre le téléphone dans sa main libre.

— Regarde.

La main de Sara tremble alors qu'elle soulève le téléphone et je sais le moment exact où ses yeux se posent sur la première photo. Son visage devient blanc et elle déglutit convulsivement, avant de passer au reste des photos.

Je ne regarde pas le téléphone, ce n'est pas nécessaire. Les images sont gravées dans ma mémoire, ancrées dans mon cerveau comme un tatouage sordide.

J'ai pris ces images le jour après avoir échappé aux soldats qui m'avaient traîné loin de la scène. Ils avaient déjà localisé les autres villageois, mais l'enquête ne faisait que commencer et ils n'avaient pas encore ramassé les corps. Lorsque j'étais arrivé sur place, les cadavres étaient encore étendus là, couverts de mouches et d'insectes rampants. J'avais tout photographié : les bâtiments brûlés, les taches de sang sur l'herbe, les corps en décomposition et les membres mutilés, la petite main de Pasha entourant sa petite voiture... Il y avait des choses que je ne pouvais pas immortaliser, comme la puanteur de la chair en putréfaction qui saturait l'air et le vide désolant d'un village abandonné, mais ce que j'ai saisi est suffisant.

Sara baisse le téléphone et je le reprends de ses doigts sans force, le replaçant à l'intérieur de ma poche.

— C'était Daryevo.

Je relâche son bras, chaque mot raclant contre ma gorge comme un abrasif.

— Un petit village du Daguestan où se trouvaient ma femme et mon fils.

Sara recule d'un pas.

— Que…

Elle déglutit.

— Que s'est-il passé ? Pourquoi ont-ils été tués ?

J'inspire pour contrôler la colère violente qui me taraude.

— À cause de l'arrogance et de l'ambition aveugle de certaines personnes.

Sara me lance un regard plein d'incompréhension.

— C'était une opération d'infiltration pour capturer une petite cellule terroriste hautement efficace basée dans les monts du Caucase, dis-je brutalement. Un groupe de soldats de l'OTAN ont agi selon l'information fournie par un regroupement de services de renseignements de l'Occident. Tout a été fait discrètement afin qu'ils n'aient pas besoin de partager la gloire avec les groupes locaux de lutte contre le terrorisme, comme celui que je dirigeais pour la Russie.

Sara couvre ses lèvres tremblantes de sa main et je vois qu'elle commence à comprendre.

— C'est exact, ptichka.

M'approchant d'elle, j'attrape son mince poignet et éloigne sa main de son visage.

— Tu peux deviner qui avait pour tâche de fournir cette information erronée aux soldats.

Ses yeux s'emplissent d'horreur.

— La cellule terroriste n'était pas là ?

— Non.

Ma poigne sur son poignet est trop dure, mais je ne peux pas détendre mes doigts. Avec les souvenirs à nouveau frais dans ma mémoire, je ne peux m'empêcher de la voir comme la femme de mon ennemi mort.

— Il n'y avait rien d'autre qu'un village paisible et si ton mari et les autres membres de son équipe avaient communiqué avec *mon* unité, ils l'auraient su.

Ma voix se fait plus rude, mes mots plus mordants.

— S'ils n'avaient pas été si foutrement arrogants, si avides de gloire, ils auraient demandé notre assistance plutôt que de croire qu'ils savaient tout, et ils auraient alors appris que leur source venait des terroristes eux-mêmes, et ma femme et mon fils seraient toujours de ce monde.

Je peux sentir le battement rapide du pouls de Sara alors qu'elle me fixe, et je sais qu'elle ne me croit pas, pas totalement, du moins. Elle me pense fou, ou au mieux mal informé. Son incrédulité m'enrage davantage et je me force à relâcher son poignet avant de broyer ses os fragiles.

Elle recule immédiatement, et je sais qu'elle sent la violence qui couve sous ma peau. Lorsque j'ai d'abord découvert la vérité, je ne pouvais pas punir les soldats de l'OTAN ou les agents impliqués ; la dissimulation avait été remarquablement rapide et rigoureuse, alors j'avais passé ma fureur sur la cellule terroriste qui avait fourni l'information erronée, suivie par toute personne assez stupide pour se dresser sur mon chemin.

La mort de mon fils avait déchaîné le monstre en moi et ce dernier est encore libre.

Lorsqu'il y a un bon mètre entre nous, Sara s'immobilise et me regarde avec méfiance.

— Est-ce...

Elle se mord la lèvre.

— Est-ce la raison pour laquelle tu es devenu un fugitif ? Ce qui s'est passé là-bas ?

Je serre les poings et me détourne, me dirigeant vers la table. Je suis incapable d'en discuter une seconde de plus. Chaque phrase est comme un jet d'acide sur mon cœur. J'en suis au point où il peut se passer plusieurs heures sans que je pense à la mort violente de ma famille, mais parler de ce qui s'est passé ravive la dévastation de ce jour, et la rage qui me consumait.

Si nous ne changeons pas de sujet, je pourrais perdre le contrôle et m'en prendre à Sara.

Un geste à la fois. Une tâche à la fois. Je vide mon esprit comme lorsque je suis en mission, et me concentre sur ce qui doit être fait. Dans ce cas-ci, il faut débarrasser la table, ranger les surplus dans le réfrigérateur et déposer la vaisselle dans le lave-vaisselle. Je me concentre sur ses tâches banales et, graduellement, ma fureur bouillante s'apaise, tout comme mon besoin de violence.

Lorsque je mets le lave-vaisselle en marche et me tourne vers Sara, je vois qu'elle m'observe avec méfiance. Elle semble sur le point de s'enfuir et le fait qu'elle n'a pas encore bougé signifie qu'elle comprend sa situation.

Si elle fuit en ce moment, je ne serai pas doux lorsque je la rattraperai.

— Montons, dis-je en marchant vers elle. Il est temps de se mettre au lit.

Sa main est glaciale dans la mienne alors que je la précède dans l'escalier, son beau visage pâle. Si je ne me sentais pas si à vif, je la rassurerais, je lui dirais que je ne lui ferai pas plus mal ce soir, mais je ne veux pas faire de promesse que je serai peut-être incapable de tenir.

Le monstre est trop près de la surface, trop incontrôlable.

— Retire tes vêtements, ordonné-je, relâchant sa main lorsque nous entrons dans sa chambre.

Elle porte un jean moulant et un pull ivoire ample et, même si elle est phénoménale dans cette tenue simple, je n'en veux plus.

Je ne veux aucun obstacle entre nous.

Au lieu d'obtempérer, Sara recule.

— Je t'en prie…

Elle s'immobilise à mi-chemin entre le lit et moi.

— Je t'en prie, ne fais pas ça. Je suis désolée de ce qui est arrivé à ta famille et si George en était responsable…

— Il l'était.

Mon ton est tranchant.

— Ça m'a pris des années, mais j'ai déniché les noms de tous les soldats et les agents de renseignements impliqués dans le massacre. Il n'y a aucune erreur, Sara ; ma liste provient directement de ta chère CIA.

Elle semble abasourdie.

— Tu l'as eue de la CIA ? Mais… comment ? Je croyais que tu avais dit qu'ils étaient impliqués, que George était l'un d'entre eux.

— Il existe de nombreuses divisions et factions au sein de l'organisation. Une main ne sait pas toujours où se fout de ce que l'autre fait. Je connais un trafiquant d'armes qui y a un contact et, il ou plutôt sa femme, m'a fourni la liste. Mais ça n'a pas d'importance.

Je croise les bras devant moi.

— Déshabille-toi.

Ses yeux passent du lit à la porte derrière moi.

— Non. Tu ne veux pas me chercher ce soir, crois-moi.

Son regard revient vers moi et je peux sentir son désespoir.

— Je t'en prie, Peter. Ne fais pas ça. Ce qui est arrivé à ta famille est atroce, mais ça ne les ramènera pas. Je suis désolée pour eux, vraiment, mais je n'ai rien à voir avec…

— Ça n'a rien à voir avec ça.

Je décroise les bras.

— Ce que je veux de toi n'a rien à voir avec ce qui s'est passé.

Pourtant, alors même que je prononce ces mots, je sais que c'est un mensonge. Mes actions ne sont pas celles d'un homme qui courtise une femme ; elles sont celles d'un prédateur qui traque sa proie. Si elle n'était pas qui elle est, si elle n'était qu'une autre femme, je ne m'imposerais pas ainsi dans sa vie.

Mon désir pour elle aurait été doux et réfréné au lieu de dangereusement obsessif.

Sara me lance un regard incrédule et je réalise qu'elle le comprend aussi. Je ne trompe personne. Ce qui se passe entre nous à tout à voir avec le passé sombre que nous partageons.

Soit.

Je m'approche d'elle.

— Déshabille-toi, Sara. Je ne le répéterai pas.

Elle recule encore, puis s'immobilise lorsqu'elle réalise qu'elle s'approche du lit. Même avec le gros pull qui cache ses courbes, je vois sa douce poitrine se soulever alors que ses poings se contractent convulsivement à ses côtés.

— Bon, si c'est ce que tu veux...

Je fais mine d'avancer, mais elle lève les bras, les paumes tournées vers moi.

— Attends !

Ses mains tremblent alors qu'elle attrape son pull.

— Je vais le faire.

Je m'arrête et la regarde passer le pull par-dessus sa tête. Sous celui-ci, elle porte un débardeur bleu moulant qui dénude ses épaules délicates et souligne la douce courbe de ses seins. Ce ne sont pas les plus gros qui soient, mais ils conviennent à son corps de ballerine, et mon sexe se durcit au souvenir de ces jolis seins appuyés contre mon bras, la nuit dernière.

Bientôt, j'aurai leur poids dans mes mains... et leur goût sur ma langue.

— Vas-y, dis-je, lorsque Sara hésite à nouveau, son regard rivé sur la porte. Le débardeur, puis le jean.

Ses mains tremblent alors qu'elle obéit, retirant son débardeur avant de passer à la fermeture éclair de son jean. Sous le débardeur, elle porte un soutien-gorge blanc pragmatique, et je dois me contraindre à rester immobile alors qu'elle descend son jean le long de ses jambes, révélant ainsi son sous-vêtement bleu pâle. Même si j'ai senti sa peau nue contre la mienne hier, et que je l'ai vue se dévêtir plusieurs fois sur les caméras, c'est la première fois que je la vois nue d'aussi près et mon cœur s'emballe alors que j'admire chaque courbe gracieuse de son corps.

Elle est seulement de taille moyenne, mais ses jambes sont longues, avec les muscles galbés et minces d'une danseuse. Son ventre est plat et tonifié, sa taille étroite ondoyant en des hanches délicatement féminines et sa peau est lisse et pâle, sans aucune trace de bronzage en vue.

Elle est magnifique, ma nouvelle obsession. Magnifique et effrayée.

— Le reste maintenant, dis-je sèchement lorsqu'elle lance le jean et reste plantée là, tremblante et vêtue seulement de ses sous-vêtements.

Je sais que je suis cruel, mais la blessure douloureuse et à vif qu'elle a mise à découvert me retire le peu de décence et de compassion que je possède, ne laissant derrière que le désir et le besoin irrationnel de punir.

Je ne veux peut-être pas la blesser, mais en ce moment, j'ai besoin de la voir souffrir.

Elle agrippe l'agrafe de son soutien-gorge dans son dos, l'ouvrant avec des gestes saccadés et je laisse échapper mon souffle, la douleur dans ma poitrine engloutie par une vague encore plus intense de désir. J'ai vu ses seins hier, alors je sais qu'ils sont superbes, mais la vue de ses mamelons roses tendus et de la douce chair blanche m'atteint tout de même comme un coup de poing. Mon cœur bat à un rythme rapide et j'ai peine à rester sur place et à ne pas l'attraper alors qu'elle retire son sous-vêtement. Son sexe est lisse et sans poil, elle le fait soit à la cire régulièrement ou elle a eu recours au laser à un moment, et j'en ai l'eau à la bouche en m'imaginant passer la langue dans ces replis délicats.

Je suis impatient de la goûter et de lui donner un orgasme.

Alors que je m'imagine cela, Sara se redresse et lève son menton avec défi.

— Heureux ?

Bien que ses joues soient d'un rouge éclatant, elle ne cherche pas à couvrir son corps, ses petits poings serrés à ses côtés.

De façon perverse, son petit acte de bravoure apaise le désir sombre qui pulse dans mes veines, et je souris avec amusement.

— Pas encore, mais cela viendra bientôt, dis-je, en enlevant mes propres vêtements.

Mes gestes sont rapides et économes, destinés à accomplir la tâche aussi vite que possible, mais son visage rougit encore davantage, sa poitrine se soulevant et s'abaissant alors qu'elle me fixe.

— Viens, dis-je, en marchant vers elle une fois que je suis totalement nu. Je sais que tu aimes prendre ta douche avant de te mettre au lit.

Elle bat des cils, ses yeux remontant vers mon visage et je réalise qu'elle fixait mon sexe, tendu au point de remonter vers mon nombril.

— Tu pourras y toucher dans la douche si tu veux, dis-je, mon sourire s'élargissant devant sa gêne évidente. Viens, ptichka. Ça te plaira.

Attrapant son poignet, je la guide vers la salle de bain.

CHAPITRE 22

J'essaie de conserver mon calme, ou du moins l'illusion d'être calme, alors que Peter me traîne jusqu'à la salle de bain, ses longs doigts enroulés fermement autour de mon poignet. Ce n'est certes pas ainsi que j'imaginais cette nuit lorsque je montais l'escalier. Malgré une noirceur persistante dans le regard, mon bourreau semble maintenant d'une humeur légère, presque joueuse, un contraste frappant avec la rage terrifiante que j'ai aperçu sur ses traits plus tôt.

C'est comme si mon effeuillage forcé avait calmé les démons que ces images horribles ont déchaînés.

La nausée me prend à nouveau alors que je me remémore les images, la mort et la dévastation illustrée d'une façon si sordide. Je ne les ai pas regardées plus de quelques secondes, mais je sais que je ne serai jamais capable de les oublier. Je ne peux m'imaginer là-bas, prenant ces photos, et encore moins en sachant que ma famille est étendue là, que les cadavres en décomposition étaient des personnes que j'aimais. Cette seule pensée m'emplit d'une telle agonie que pour un moment déchirant, je comprends ce qui motive mon attaquant.

Je ne l'excuse pas, mais je le comprends, et la pitié lutte contre la terreur dans ma poitrine.

Si Peter croit que mon mari était responsable de ces morts, il n'avait d'autre choix que de s'en prendre à lui. C'est évident pour moi. Même avant que le Russe se rebelle, sa profession lui avait montré les pires aspects de l'humanité, lui avait montré à choisir la violence comme solution, sans mentionner ce qui avait fait de lui un tueur avant l'âge de douze ans. Un tel homme ne tendrait pas l'autre joue ; œil pour œil serait davantage son genre. Il ne s'arrêterait pas à penser aux innocents qu'ils malmèneraient dans sa quête de vengeance, et il ne sourcillerait certainement pas à l'idée de torturer la femme d'un ennemi pour le retrouver.

Si George était impliqué d'une quelconque façon, je suis chanceuse d'être vivante.

S'arrêtant devant la cabine de douche vitrée, mon ravisseur relâche mon poignet, entre dans la cabine et ouvre l'eau. Pendant qu'il joue avec le robinet pour trouver la bonne température, je jette un œil sur la porte de la salle de bain. Il est mouillé et distrait, alors je suis pratiquement certaine de pouvoir descendre l'escalier et prendre ma voiture avant qu'il ne m'attrape. Mais ensuite ? Est-ce que je me rends nue à un hôtel en espérant qu'il ne me trouve pas ce soir ? Ou je me rends directement au FBI et les supplie de me cacher ?

Avant de pouvoir reprendre mon débat interne, Peter sort de la douche, des gouttelettes brillant sur son torse puissant.

— Viens, dit-il, en attrapant mon bras, et je trébuche presque alors qu'il m'attire dans la cabine.

— Attention, murmure-t-il en me redressant.

Je lève les yeux et remarque son regard où se mélangent la faim et un sombre amusement.

— C'est glissant ici.

Devant le sous-entendu, la rougeur qui ne m'avait pas vraiment quittée revient en force. J'ai horreur de savoir qu'il connaît la réaction de mon corps, que quelques minutes plus tôt, il m'a vue fixer son érection comme une adolescente devant son premier porno. Bon, il pourrait jouer dans un porno avec un membre comme ça, mais là n'est pas la question. Ça ne devrait pas m'atteindre qu'il soit un animal magnifique ; son corps puissant devrait susciter ma peur, pas mon désir.

C'est un meurtrier dangereux et peut-être fou, et je devrais le voir ainsi.

Et c'est le cas, rationnellement du moins. Toutefois, alors qu'il dirige le jet vers moi, laissant l'eau chaude couler dans mon dos, je réalise que je ne suis pas aussi terrifiée que je l'étais la nuit dernière, même si je devrais l'être après avoir vu ces images. Si Peter croit ce qu'il m'a révélé, alors il a toutes les raisons du monde de me haïr, et l'attirance qu'il ressent envers moi ne peut être que toxique. Je ne sais pas pourquoi il ne m'a pas prise de force la nuit dernière, mais je suis assez convaincue qu'il le fera ce soir. Cette pensée devrait me remplir d'effroi, et c'est le cas, et pourtant je suis dépourvue de la panique viscérale que j'ai sentie dans cette chambre d'hôtel. C'est comme si le fait d'avoir dormi dans ses bras m'avait désensibilisée à l'immoralité pure de ce qu'il me fait subir, à la profanation que représente sa présence dans ma maison et ma douche.

Pour la deuxième fois en deux jours, nous sommes nus ensemble et je ne suis pas aussi troublée que je le devrais.

— Ferme les yeux, dit Peter, en prenant le shampoing, et j'obtempère, le laissant verser le liquide savonneux dans ma chevelure. Malgré son humeur explosive précédente, ses doigts puissants sont tendres contre mon crâne alors qu'il fait mousser le shampoing et je réalise qu'il est à nouveau aux petits soins avec moi, me désarmant davantage avec sa sollicitude insolite. J'ai l'envie déplacée d'arquer ma tête vers l'arrière, de me frotter contre ses mains comme un chat réclamant une caresse, mais je reste immobile, ne voulant pas lui montrer que j'apprécie ce qu'il me fait.

Peu importe le jeu de mon bourreau, je refuse de participer.

Ma détermination tient bon jusqu'à ce qu'il commence à me masser le cou, s'attardant avec dextérité aux contractures à la base de mon crâne. Je n'avais pas réalisé à quel point j'étais tendue à cet endroit avant qu'il ne libère mes tensions, la chaleur de l'eau se combinant à son contact pour me laisser détendue comme je ne l'ai pas été depuis bien longtemps.

J'essaie de me rappeler si George a déjà lavé ma chevelure ainsi, mais sans succès. Je ne me souviens même pas de l'avoir vu avec moi dans la douche, à l'exception de quelques fois au début de notre relation, lorsque nous étions encore un peu aventureux au lit. Après un an de fréquentation, notre vie sexuelle était routinière, et George me touchait rarement autrement que pour me faire jouir rapidement. Et, vers la fin, il me touchait rarement, point final.

Au cours des derniers jours, j'ai partagé une plus grande intimité physique avec le meurtrier de mon mari qu'avec mon mari pendant la majorité de notre mariage.

Lorsque mes cheveux sont propres, Peter guide ma tête sous le jet, rince mes cheveux, puis applique le revitalisant sur mes boucles. Dans le même mouvement, il s'approche plus près, son torse effleurant le mien durant un court instant et mes mamelons se durcissent sous le jet chaud, mon sexe devenant moite lorsque je sens la tête lisse de son sexe érigé contre mon ventre.

Il se recule un moment plus tard, mais il est trop tard. La sensation détendue passe si rapidement à une excitation que je n'ai aucun moyen de me prémunir contre celle-ci. Même s'il m'a à peine touchée, j'ai le souffle court et je tremble, avide de lui. C'est une réaction purement physique, je sais, pourtant elle m'emplit de honte. Je ne devrais pas le désirer, pas plus que cette intimité forcée, rien de tout cela ne devrait m'attirer d'une quelconque façon.

Mordant l'intérieur de ma joue pour laisser la douleur me distraire, j'ouvre les yeux et le vois verser du gel de douche dans sa paume.

— Laisse-moi faire, dis-je fermement, faisant mine d'attraper la bouteille, mais il secoue la tête, un sourire sensuel aux lèvres alors qu'il éloigne le gel de douche de ma portée.

— Pas tout de suite, ptichka. Tu dois attendre ton tour.

En passant derrière moi, il commence à laver mon dos et, même avec la chaleur de l'eau, son contact me brûle, chaque caresse de ses mains rugueuses intensifiant les flammes de mon excitation. Je tente de me concentrer sur autre chose, n'importe quoi, mais mon cœur bat trop vite, mon corps brûlant en parts égales de honte et de désir.

Et de peur. Bien que la sensation soit assourdie pour le moment, sa présence insidieuse me trouble. Je n'ai pas oublié ce que l'homme qui me caresse a fait ou ce qu'il est capable de faire. Une autre femme dans ma situation se serait peut-être débattue plutôt que de le laisser faire, mais je ne veux pas qu'il s'en prenne réellement à moi. Hier, il m'a maîtrisée avec une aisance pathétique et je sais que l'issue serait identique aujourd'hui. Sauf qu'il ne s'arrêterait peut-être pas lorsqu'il m'aurait sous lui.

Il céderait peut-être aux ténèbres que j'ai aperçues dans son regard ce soir et ce jeu, peu importe de quoi il s'agit, se terminerait sur une note horrible.

Alors je reste immobile, le regard fixé devant moi, observant les gouttelettes qui glissent sur le mur vitré embué par la vapeur, alors que ses mains savonneuses glissent sur mon dos, mes épaules, mes bras… mes côtes. C'est une torture d'un tout autre genre et, lorsque ses mains se déplacent vers l'avant, étendant du savon sur mon ventre frémissant avant de remonter le long de ma cage thoracique, j'atteins ma limite.

— Arrête, murmuré-je, haletante, mes ongles s'enfonçant dans mes cuisses alors que ses doigts effleurent le dessous de mes seins. Je t'en prie, Peter, arrête.

Étonnamment, il m'écoute, ses mains se déposant sur mes hanches.

— Pourquoi ? Murmure-t-il, m'attirant contre lui.

Son torse épouse mon dos et son érection se presse contre mes fesses.

— Parce que tu détestes ?

Il penche la tête, sa barbe naissante frottant contre ma tempe comme il trace le contour de mon oreille de la langue.

— Ou parce que tu aimes ?

Ni l'un ni l'autre. Les deux. Je ne peux pas penser assez clairement pour me faire une idée. Mes yeux se ferment et je suis parcourue de frissons alors que sa langue plonge dans le creux derrière mon oreille, liquéfiant du même coup mes entrailles. Je veux le repousser, mais je n'ose pas bouger de peur de faire quelque chose de stupide, comme de pencher la tête vers la chaleur captivante de cette bouche diabolique.

— Qu'est-ce qui t'effraie, ptichka ? Continue-t-il d'une voix douce et profonde. La douleur ?

Il mordille mon lobe d'oreille.

— Ou le plaisir ?

Sa main droite descend en diagonal le long de mon ventre, se déplaçant vers le point douloureux entre mes jambes à une lenteur traître. Il me donne toutes les occasions de l'arrêter, mais j'en suis incapable, pas même lorsque je réalise où il se dirige. Je ne peux que prendre des inspirations courtes et rapides alors que ses doigts calleux atteignent mon sexe et écarte tranquillement mes plis, dévoilant ainsi ma chair sensible.

— Pas de réponse ?

Son souffle est chaud contre ma tempe.

— Je suppose que je devrai le découvrir par moi-même.

Le bout de son doigt effleure mon clitoris et j'en perds le souffle, l'esprit étrangement vide. C'est comme si chaque terminaison de mon corps s'éveillait d'un coup. Je suis hypersensible à la présence de ce grand corps dur se pressant contre mon dos et de sa barbe naissante frottant contre mon oreille, de sa grande main reposant bas sur mon ventre et de l'eau chaude jaillissant sur nos deux corps. Et ce doigt, ce doigt rugueux et pourtant tendre. Il me touche à peine, pourtant mon corps entier semble sous tension, chaque muscle raide d'anticipation.

Vaguement, je perçois un son étrange, et je réalise que j'en suis la source. C'est un grognement, combiné à un geignement haletant. Il me remplit de honte, mais la gêne ne fait qu'accroître mon excitation, tous mes sens se concentrant sur la palpitation douloureuse du faisceau de nerfs qu'il taquine si cruellement. Je peux sentir la moiteur entre mes cuisses et alors que son doigt appuie plus fortement sur la chair merveilleusement sensible, la sensation se transforme en une tension insoutenable, une tension qui croît et s'intensifie chaque seconde. C'est à la fois un plaisir et une agonie et, sous cette intensité, je vibre, des vagues de chaleur parcourant ma peau. Je tente de la retenir, d'empêcher la tension de monter, mais c'est aussi impossible que de retenir la marée.

Avec une exclamation étouffée, j'atteins l'orgasme, mon corps entier se crispant sous cette libération si intense qu'un éclair blanc traverse mes paupières fermement closes. L'orgasme perdure, le plaisir rayonnant de mon corps en des vagues palpitantes qui me laissent étourdie et tremblante, à peine capable de rester debout. Je tente de repousser mon bourreau, de mettre fin au plaisir terrifiant, mais il resserre son étreinte, et je n'ai d'autre choix que de suivre le courant, de ressentir chaque vague honteuse qu'il arrache à mon corps.

— C'est ça, ptichka, souffle-t-il lorsque je m'affaisse enfin contre lui, haletante et vidée. C'était magnifique.

Sa main se retire de mon sexe et j'ouvre les yeux, la léthargie suivant l'orgasme se dissipant devant l'horreur de ce qui vient d'arriver.

J'ai joui. Dans les bras de l'homme qui a mis fin à la vie de mon mari.

Il fait mine de me retourner vers lui, et je trouve enfin la force d'agir. Avec un grognement meurtri, je me tords jusqu'à lui échapper et je recule, m'écrasant pratiquement contre le mur vitré derrière moi.

— Non !

Ma voix est aiguë et faible, frisant l'hystérie.

— Ne me touche pas !

À mon grand étonnement, Peter s'immobilise, malgré son érection et sa faim apparente. En penchant la tête de côté, il me fixe en silence quelques instants, puis attrape le robinet et ferme l'eau.

— Sortons, dit-il gentiment, en ouvrant la porte de la douche. Je crois que nous sommes suffisamment propres.

CHAPITRE 23
PETER

Je m'essuie avec une serviette moelleuse blanche, puis j'en attrape une autre pour envelopper Sara lorsqu'elle sort de la douche. Elle semble sur le point de se fracasser, ses yeux noisette étincelant d'une lueur douloureuse. Malgré la faim qui me consume, je ressens une certaine pitié.

Elle doit se détester en ce moment. Presque autant qu'elle me déteste.

Je frotte la serviette sur son corps, l'essuyant, puis j'enroule la serviette dans sa chevelure mouillée. Je sais que je la traite comme une enfant plutôt que comme la femme qu'elle est, mais m'occuper d'elle me calme, m'aide à contrôler mes pulsions plus sombres.

M'aide à me rappeler que je ne veux pas vraiment la faire souffrir.

En me courbant, je la prends dans mes bras et elle laisse échapper un cri de surprise.

— Que fais-tu ?

Elle pousse sur mon torse.

— Dépose-moi !

— Dans une seconde.

En ignorant ses efforts pour se libérer, je sors de la salle de bain. Elle est légère, facile à porter. Comme si ses os étaient vides, comme ceux d'un oiseau. Elle est fragile, ma Sara, mais résistante aussi.

Si je m'y prends bien, elle pliera pour moi au lieu de se briser.

En atteignant le lit, je la dépose et elle attrape la couverture, la tirant sur elle pour couvrir sa nudité. Son regard est empli de désespoir alors qu'elle recule en hâte sur le lit, loin de moi.

— Pourquoi me fais-tu ça ? Pourquoi ne peux-tu trouver une autre femme à torturer ?

— Tu sais pourquoi, ptichka.

En m'installant sur le lit, je lui arrache la couverture.

— Personne d'autre ne m'intéresse.

Elle saute au bas du lit, oubliant manifestement la futilité de vouloir me fuir, et je bondis à sa suite, la rattrapant avant qu'elle n'atteigne la porte. Mon cœur bat sauvagement, le monstre en moi se réveillant alors qu'elle lutte dans mes bras et j'ai besoin de tout mon sang-froid pour ne pas l'écraser contre un mur et la prendre comme un forcené.

Si ce n'était pas que je veux autre chose pour notre première fois, je serais déjà en elle.

— Arrête de lutter, grincé-je lorsqu'elle continue de se démener, voulant m'échapper.

Je sens mon contrôle s'effriter, mon membre réagissant à ses mouvements de contorsion, comme sous l'effet d'une danse érotique.

— Je te préviens, Sara…

Elle se fige en réalisant le danger.

J'inspire lentement, puis la relâche et recule pour minimiser la tentation.

— Retourne au lit, dis-je rudement lorsqu'elle reste là, haletante. Nous allons dormir, c'est compris ?

Ses yeux s'écarquillent.

— Tu ne vas pas… ?

— Non, dis-je sombrement.

En m'avançant, j'attrape son bras pour la conduire vers le lit.

— Pas ce soir.

Bien que ça me soit pénible, je vais lui laisser le temps de s'habituer à moi. C'est le moins que je puisse faire pour réparer nos débuts violents.

Elle sera bientôt mienne, mais pas tout de suite.

Pas avant d'être sûr de ne pas la détruire.

— *Dors-tu, papa ? Viens jouer avec moi.*

Une petite main tire sur mon poignet.

— *Allez, papa, viens jouer.*

— *Laisse ton papa dormir, le réprimande Tamila, en se soulevant sur un coude de l'autre côté du lit. Il est arrivé tard la nuit dernière.*

Je roule sur le dos et m'assieds, en bâillant.

— *Ça va, Tamilochka. Je suis éveillé.*

En me penchant, j'attrape mon fils et me lève, le soulevant dans le même mouvement. Pasha pousse un cri excité, ses petites jambes battant l'air alors que je le lève au-dessus de ma tête.

— Tu es beaucoup trop indulgent avec lui, marmonne Tamila, puis elle se lève aussi, enfilant un peignoir par-dessus son pyjama. Je vais préparer le petit-déjeuner.

Elle disparaît dans la salle de bain et je souris à Pasha.

— Tu veux jouer, pupsik ?

Je le lance dans les airs et le rattrape, déclenchant une cascade de rires.

— Comme ça ?

Je le lance à nouveau.

— Oui !

Il rit si fort qu'il en glousse presque.

— Encore ! Plus haut !

Je ris, puis le lance dans les airs encore quelques fois, en ignorant la douleur de mes côtes meurtries. J'ai passé la semaine dernière à traquer un groupe d'insurgés et nous les avons enfin trouvés hier. Dans la fusillade qui a suivi, je me suis pris quelques balles dans le gilet. Rien de grave, mais j'aurais bien besoin de quelques jours de repos. Pourtant, je ne manquerais pour rien au monde ce temps de jeu.

Mon fils grandit déjà trop vite.

Je me réveille, une douleur douce-amère gonflant ma poitrine. Je n'ai pas besoin d'ouvrir les yeux pour savoir où je suis ou pour réaliser que je rêvais. La douleur, d'avoir perdu Pasha est trop vive, trop profondément ancrée pour que je prenne ce souvenir pour autre chose qu'un rêve, bien que ce soit la première fois que je visualise un rêve agréable aussi nettement.

Généralement, les rêves à propos de ma famille sont doux et flous… du moins jusqu'à ce qu'ils se transforment en cauchemars sordides.

Je reste immobile quelques instants, écoutant la respiration profonde de Sara et absorbant la sensation de son corps mince entre mes bras. Elle est enfin endormie, son esprit hyperactif au repos. Elle ne m'a pas parlé ce soir, elle s'est contentée de rester immobile et rigide pendant près d'une heure, et je sais qu'elle se flagellait pour ce qui s'est passé dans la douche. J'ai bien pensé lui parler, pour la distraire de ses pensées, mais avec les souvenirs frais dans ma mémoire et mon corps dur et affamé, je ne voulais pas risquer que la conversation nous entraîne sur un terrain douloureux.

Si elle avait commencé à défendre son mari, j'aurais pu perdre le contrôle et la prendre, la blessant dans le processus.

En inspirant, je hume la douce odeur de sa chevelure et je sens la vague familière de désir chasser la tension persistante dans ma poitrine. Ça n'a pas vraiment de sens, mais je suis convaincu que Sara est la raison pour laquelle, pour la première fois en cinq ans et demi, j'ai rêvé à mon fils sans également rêver à sa mort. Même si étreindre son corps nu sans la posséder est une forme de torture en soi, la présence de Sara dans mon lit a le même effet sur mes rêves que sa proximité lorsque je suis éveillé.

Lorsque je suis avec elle, l'agonie de ce que j'ai perdu est moins intense, presque supportable.

En fermant les yeux, je fais le vide dans mon esprit et me laisse sombrer à nouveau dans le sommeil.

Avec un peu de chance, je croiserai encore une fois Pasha dans mes rêves.

CHAPITRE 24
SARA

$\mathcal{C}$omme hier, Peter est parti lorsque je m'éveille. J'en suis heureuse, car j'ignore comment j'aurais pu l'affronter ce matin. Chaque fois que je pense à ce qui s'est passé dans la douche, je meurs un peu plus.

J'ai trahi George, j'ai trahi son souvenir de la pire façon qui soit. J'ai rencontré mon mari lorsque j'avais à peine dix-huit ans. Il était mon premier véritable petit ami, mon premier tout. Et même lorsque les choses se sont détériorées, je lui suis restée fidèle, à lui et à notre mariage.

Jusqu'à la nuit dernière, George a été le seul homme avec qui j'ai couché, le seul qui m'a fait jouir.

La douleur me percute, le chagrin si poignant et soudain qu'il me fait l'effet d'un coup de poing. Haletante, je me penche sur le lavabo, serrant ma brosse à dents de toutes mes forces. Au cours des six derniers mois, j'ai passé tant de temps à gérer mon anxiété et mes crises de panique en plus de la culpabilité de savoir que j'ai causé la mort de George, que je n'ai pas eu la chance de réellement pleurer mon mari. Je n'ai pas encore assimilé le trou béant que son absence a créé dans ma vie, n'ai pas encore accepté le fait que l'homme avec qui j'ai passé près de dix ans n'est plus.

George est mort et je dors avec son tueur.

Mon estomac se soulève comme je fixe mon reflet dans le miroir de la salle de bain, détestant la femme qui me regarde. La facilité avec laquelle j'ai joui hier me remplit d'une honte brûlante. Peter m'a à peine touchée, n'a pratiquement rien fait. Il ne me retenait même pas vraiment. Si j'avais essayé, j'aurais probablement pu m'éloigner, mais je n'ai rien tenté.

Je suis simplement restée là et me suis abandonnée au plaisir, puis j'ai dormi dans les bras de mon tortionnaire pour la deuxième nuit de suite.

La douleur se rassemble en un nœud rigide de dégoût de moi-même, et je détourne le regard, incapable de soutenir le blâme dans les yeux noisette qui me fixent. Je ne peux pas continuer, je ne peux pas jouer au jeu tordu que Peter m'impose. Qu'il ait ses raisons, ou qu'il le croit, ne change rien. Aucune souffrance ne peut excuser ce qu'il a infligé à George, ou ce qu'il m'inflige encore.

Mon bourreau est peut-être souffrant et en deuil, mais ça ne le rend que plus dangereux... pour ma raison aussi bien que ma sécurité.

Je dois trouver une issue.

Coûte que coûte, je dois me débarrasser de lui.

Je passe la majorité de mon quart de garde en pilotage automatique. Par chance, je n'ai aucune chirurgie ni aucun problème critique ; sinon, j'aurais probablement demandé à un autre médecin de s'en charger. Cette fois-ci, mon attention n'est pas portée sur les besoins de mes patientes, mais sur la manière dont je peux me débarrasser de mon harceleur.

Ça ne sera pas facile et ce sera très certainement dangereux, mais je ne vois pas d'autres solutions.

Je ne peux pas passer une autre nuit dans les bras d'un homme que je hais.

J'en ai presque terminé pour la journée lorsque je croise Joe Levinson dans le couloir. Je le dépasse sans le voir, mais il prononce mon nom et je reconnais l'homme grand et élancé à la chevelure blonde.

— Joe, salut, dis-je, en souriant.

Nous avons passé un bon moment au dîner de mes parents samedi et chaque fois que nous nous sommes croisés au fil des années par l'entremise de l'amitié des Levinson et de mes parents. Dans d'autres circonstances, si je n'avais pas été mariée, puis brutalement veuve, j'aurais pu envisager de le fréquenter, à la fois pour plaire à mes parents, mais également parce que je l'apprécie réellement. Il ne me coupe pas le souffle, mais il est gentil, et c'est un point important selon moi.

— Que fais-tu ici ?

— Voilà, dit-il cyniquement en levant sa main droite pour montrer un doigt pansé.

— Oh, non ! Que s'est-il passé ?

Il grimace.

— Je me suis battu contre un robot culinaire, et le robot l'a emporté.

— Aïe.

Je sourcille en m'imaginant la scène.

— C'est grave ?

— Assez grave pour ne pas pouvoir suturer. Je vais devoir attendre que le saignement cesse par lui-même.

— Oh, désolée. Alors, tu es aux urgences pour ça ?

— Oui, mais j'ai manifestement dramatisé la situation. Enfin, il y avait du sang partout et le bout du doigt n'est plus qu'une bouillie, mais ils disent que ça va guérir et que la cicatrice ne sera peut-être pas si mal.

— Oh, c'est rassurant. J'espère que ça guérira rapidement.

Il me sourit, ses yeux bleus pétillants.

— Merci, moi aussi.

Je lui rends son sourire et je suis sur le point de reprendre mon chemin lorsqu'il ajoute :

— Euh, Sara…

Je grimace intérieurement devant l'expression hésitante de son visage.

— Oui ?

J'espère qu'il n'est pas sur le point de…

— Je voulais justement t'appeler, mais comme tu es là… Que fais-tu vendredi ? demande-t-il, confirmant ainsi mes soupçons. Il y a une exposition d'art vraiment bien au centre-ville et…

— Je suis désolée. Je ne peux pas.

Le refus est automatique et ce n'est que lorsque je vois le regard piteux de Joe que je réalise mon impolitesse. Me sentant horrible, je tente de me racheter.

— Ce n'est pas que je ne veux pas, mais je serai certainement de garde vendredi et je ne sais pas si…

— Ça va. Ne t'en fais pas.

Je reconnais son sourire comme totalement faux. J'ai souvent le même lorsque je veux camoufler un bouleversement émotionnel.

Bordel. Je dois lui plaire plus que je ne le croyais.

— Tu veux faire autre chose à la place ? Offré-je avant de pouvoir me reprendre. Pas vendredi, mais dans quelques semaines ?

Le sourire de Joe se fait sincère, ses yeux se plissant joliment.

— Pourquoi pas ? Que dirais-tu d'un dîner le week-end prochain ? Je connais un petit restaurant italien avec les meilleures lasagnes qui soient.

— C'est tentant, dis-je, regrettant déjà mon impulsion.

Et si je ne réussis pas à résoudre mon problème de harceleur d'ici là ? Il est trop tard pour faire marche arrière maintenant, alors je dis :

— Mieux vaut déterminer le jour et l'heure à ce moment-là. Mon horaire change tout le temps et…

— N'en dis pas plus. Je comprends tout à fait.

Il me lance un grand sourire.

— J'ai ton numéro, alors je t'appellerai la semaine prochaine et tu pourras me dire le moment qui te convient le mieux, ça te va ?

— C'est parfait. J'attends ton appel, dis-je, avant de partir en hâte de peur de mettre les pieds dans les plats une nouvelle fois.

J'ai une dernière patiente à voir, puis je pourrai me concentrer sur ma mission.

Si tout va bien, d'ici demain, je serai libre.

CHAPITRE 25
PETER

— Est-ce que tu l'as revoie ce soir ? demande Anton en russe, en levant le nez de son portable lorsque j'entre dans le salon.

Comme toujours, l'ancien pilote est vêtu de noir de la tête aux pieds et est armé jusqu'aux dents, même si notre planque de banlieue est ce qu'il y a de plus sûr. Comme le reste de mon équipe, c'est un engin de mort et, même si nous le taquinons souvent à propos de ses longs cheveux hippies et de sa barbe noire épaisse, il ressemble exactement à ce qu'il est : un ancien assassin de la Spetsnaz.

— Évidemment, lui réponds-je, également en russe.

Une fois près de la table de salon qui jouxte le canapé où se trouve Anton, je retire mon blouson en cuir et tout l'arsenal d'armes attachées à mon gilet. Lorsque je suis avec Sara, je n'amène qu'une arme à feu et quelques couteaux, tous stratégiquement cachés dans les poches intérieures de mon blouson pour qu'elle ne les aperçoive pas lorsque je m'habille ou me déshabille. Je ne veux ni l'effrayer ni lui rappeler ce que je suis ; elle est déjà trop au fait de mes talents. Et puis, je serais idiot de lui faire confiance avec de véritables armes.

Même un novice peut atteindre sa cible par un coup de chance.

— Yan s'occupera du premier quart ce soir, dit Anton, reportant son attention sur l'ordinateur devant lui. Je dois me pencher sur certains détails de logistique pour le boulot au Mexique.

Je fronce les sourcils tout en retirant mon gilet pare-balles.

— Je croyais que tout était prêt.

— Oui, je le croyais aussi, mais il semble que Velazquez a eu une petite altercation avec ton vieux copain Esguerra et il a renforcé sa sécurité. Je crois qu'il s'attend à une attaque de la part d'Esguerra. Ça n'a rien à voir avec nous, évidemment, mais voilà. Ça complique les choses.

— Putain.

L'implication de Julian Esguerra, même indirecte, complique indéniablement les choses et pas seulement parce qu'il a flanqué la frousse à notre cible par inadvertance. Le trafiquant d'armes colombien me garde rancune. Même si j'ai sauvé la vie de ce salaud, j'ai mis la vie de sa femme en danger dans le processus et ce n'est pas quelque chose qu'il oubliera de sitôt. Il ne me traque pas activement, mais s'il apprend que je suis au Mexique, si près de son territoire, il pourrait vouloir honorer sa promesse de me tuer.

À bien y penser, je suis près de son territoire ici aussi, en Illinois. Les parents de sa femme vivent à Oak Lawn, pas si loin de la maison de Sara à Homer Glen. Je doute qu'il leur rende bientôt visite, mais si c'est le cas et que nos chemins se croisent, je n'aurai peut-être pas d'autre choix que de l'affronter.

Bon. Je m'en inquiéterai le moment venu. Il n'est pas question que je parte d'ici avant d'en avoir fini avec Sara.

— Ouais, marmonne Anton, en lançant un regard noir à l'ordinateur. Putain.

Je le laisse tranquille et me dirige vers la cuisine pour prendre une bière dans le réfrigérateur. Je me suis occupé personnellement d'une mission locale aujourd'hui, et Ilya, le frère jumeau de Yan, s'est chargé de surveiller Sara. Je suis encore bourré d'adrénaline, mes sens sont vifs et mon esprit, limpide. Que je me sente aussi vivant après avoir tué est étrange, mais bien une réalité.

Comme tous ceux de ma profession le savent, la vie et la mort ne sont qu'à un coup de couteau l'un de l'autre, et manier cette lame est l'un des plus grands plaisirs qui soient.

J'avale la moitié de ma bière, mange une poignée de noix dans le bol sur le comptoir, puis retourne au salon. Un peu plus tard, je partirai pour la maison de Sara pour préparer le dîner et cette collation devrait me faire tenir jusque-là. Avant tout, cependant, Anton et moi devons parler.

Le boulot au Mexique est important et nous ne pouvons nous permettre de foirer.

— Alors, où en sommes-nous ? Dis-je en m'asseyant aux côtés d'Anton sur le canapé.

En déposant ma bière sur la table du salon, je jette un œil sur l'écran.

— Que devrons-nous changer dans notre plan ?

— Pratiquement tout, grogne Anton. L'horaire des gardes est chaotique, il y a de nouvelles caméras de sécurité partout et Velazquez exige des patrouilles tout le long du périmètre du complexe.

— Bon. Mettons-nous-y.

Pendant l'heure suivante, nous élaborons un nouveau plan d'attaque, un qui tient compte de la sécurité plus importante de son complexe. Plutôt que d'utiliser le couvert de la nuit pour l'assassiner, comme nous l'avions initialement planifié, nous nous y rendrons sur l'heure du déjeuner, car il n'y aura que quelques nouveaux gardes en place. C'est stupide, mais la plupart des gens, y compris les chefs de cartels mexicains qui devraient être plus avisés, se sentent plus en sécurité pendant la journée. C'est l'un des problèmes les plus fréquents que j'ai croisé pendant mon travail de consultant en sécurité, et j'ai toujours conseillé à mes clients d'avoir une protection aussi importante en place, peu importe le moment de la journée.

— Le transfert est-il confirmé ? Demandé-je lorsque nous en avons fini.

Anton acquiesce.

— Sept millions d'euros comme nous avons convenu ; l'autre moitié sera livrée une fois le travail accompli. Ça devrait nous permettre de faire le plein de bière et d'arachides.

Je ricane sèchement. Anton et deux autres membres de mon ancienne équipe, les jumeaux Ivanov, m'ont rejoint il y a deux ans, après l'obtention de la liste et ma demande d'assistance. Je leur ai promis la richesse s'ils liaient leur destin au mien. Ils ont accepté, à la fois par amitié et par désenchantement croissant du gouvernement russe. Avec l'équipe en place, je suis passé de la consultation en sécurité à un travail plus lucratif, et flexible, utilisant mes relations pour obtenir des contrats très payants. J'avais besoin d'argent pour financer ma vengeance et garder une longueur d'avance sur les forces de l'ordre, et les gars avaient besoin d'un nouveau défi. Même si l'élimination des gens sur ma liste était prioritaire, nous avons pris en charge un nombre d'assassinats payés en cours de route et avons établi notre réputation dans le monde du crime. Nous nous spécialisons maintenant dans l'élimination de cibles ardues à travers le monde et recevons des sommes énormes pour des mandats que personne d'autre ne veut. La plupart du temps, nos clients sont des criminels dangereux et follement riches, et nos cibles le sont également souvent, comme Carlos Velazquez, chef du cartel Juárez.

Pour mon équipe, il n'y a pas beaucoup de différences entre traquer des terroristes et supprimer des chefs du crime. Ou descendre quiconque se met en travers de notre chemin. Nous avons tous perdu il y a bien longtemps notre conscience et notre moralité.

— Tu sors ? demande Anton, en fermant l'ordinateur lorsque je me lève et enfile mon blouson. Tu passeras encore la nuit avec elle ?

— Probablement.

Je tapote mon blouson, m'assurant que mes armes sont bien cachées.

— Très possible.

Anton soupire et se lève, laissant le portable sur le canapé.

— Tu sais que c'est cinglé, non ? Si tu la veux à ce point, alors prends-la qu'on en finisse. J'en ai assez des contrats locaux de dix mille dollars ; les brutes stupides n'offrent même pas de défi. Si nous n'avons pas un autre vrai contrat avant le Mexique, je vais devenir fou.

— Tu peux toujours te lancer en solo, dis-je.

Je réprime un ricanement lorsqu'Anton m'envoie au diable. Même si nous n'étions pas amis, il ne quitterait pas l'équipe. Mes relations sont la raison derrière tous ces contrats payants. En tentant d'obtenir la liste, j'ai plongé à fond dans le monde criminel et j'ai rencontré beaucoup des joueurs principaux. Malgré toutes leurs compétences, mes hommes ne seraient jamais aussi prospères sans moi, et ils le savent.

— Amuse-toi, me lance Anton, lorsque je me dirige vers la sortie, et je prétends ne pas l'entendre lorsqu'il marmonne quelque chose à propos des hommes obsédés et de pauvres femmes torturées.

Il ne comprend pas pourquoi j'agis ainsi avec Sara, et je ne suis pas disposé à m'expliquer.

Surtout parce que je ne le comprends pas moi-même.

CHAPITRE 26
SARA

*L'*arôme alléchant de fruits de mer onctueux et d'ail rôti m'accueille lorsque j'entre chez moi, mon sac à main accroché à mon épaule. Comme je l'espérais, la table de la salle à manger est une nouvelle fois mise avec des bougies, et une bouteille de vin blanc attend dans un seau de glace. Seul le repas est différent aujourd'hui ; il semble avoir préparé des linguines aux fruits de mer comme plat principal, avec des calmars et une salade de tomates et mozzarella comme hors-d'œuvre.

Le décor ne pourrait pas être mieux même si je le voulais.

Soit normale. Reste calme. Il ne peut pas savoir ce que tu as en tête.

— Un dîner italien, hein ? Dis-je lorsque Peter se détourne du comptoir de la cuisine, où il hache ce qui ressemble à du basilic.

Mon cœur bat la chamade, mais je réussis à garder un ton froidement sarcastique.

— Et demain ? Japonais ? Chinois ?

— Si tu le souhaites, dit-il en marchant vers la table pour saupoudrer le basilic haché sur la mozzarella. Quoique je ne m'y connaisse pas beaucoup, alors nous devrons probablement commander les plats.

— Évidemment.

Mon regard se pose sur ses mains alors qu'il retire le reste du basilic sur ses doigts. Une sensation chaude et frémissante se répand en moi comme je me rappelle la façon dont ces doigts m'ont procuré du plaisir, me laissant brisée dans ses bras.

Non. N'y pense pas.

Prête à tout pour me distraire, je reporte mon attention sur sa tenue. Aujourd'hui, il porte une chemise noire boutonnée, les manches relevées, et ma gorge s'assèche à la vue de ses avant-bras musclés et basanés, son avant-bras gauche couvert de tatouages jusqu'au poignet. Les hommes tatoués m'attirent rarement, mais les tatouages complexes lui conviennent, soulignant la puissance qui court sous la peau lisse. J'ai toujours été attirée par les avant-bras robustes et ceux de Peter sont uniques. George s'entraînait, alors il avait aussi de jolis bras, mais ils étaient bien loin d'avoir l'apparence impressionnante de ceux-ci.

Oh, arrête. Ma gorge s'emplit de dégoût lorsque je réalise le cours de mes pensées. En aucun cas, je ne devrais comparer mon mari, un homme normal et paisible, avec un tueur dont la vie tourne autour de la violence et de la vengeance. Peter Sokolov est évidemment en meilleure forme ; il doit l'être pour pouvoir tuer toutes ces personnes et échapper aux forces de l'ordre. Son corps est une arme, affûté par des années de combat, alors que George était un journaliste, un écrivain qui passait son temps devant son ordinateur.

Sauf que… à en croire Peter, mon mari n'était *pas* un journaliste. Il était un espion qui œuvrait dans le même monde obscur que le monstre qui se trouve dans ma cuisine.

Des bandes de tension serrent mon front et je repousse toute pensée de l'imposture supposée de mon mari, me concentrant sur le reste de la tenue de mon harceleur : un autre jean foncé et des chaussettes noires sans chaussure. Pendant une seconde, je me demande si Peter a quelque chose contre les chaussures, puis je me rappelle que dans certaines cultures, il est irrespectueux et impur de porter des chaussures à l'intérieur de la maison.

La culture russe est-elle ainsi et, si c'est le cas, l'homme qui m'a torturée dans cette même cuisine tente-t-il de me montrer, d'une manière très détournée, qu'il me respecte ?

— Vas-y. Va te laver les mains ou peu importe ce que tu dois faire, dit-il en tamisant les lumières avant de s'asseoir et de déboucher le vin. Le repas refroidit.

— Tu n'avais pas à m'attendre, dis-je avant de me rendre à la salle de bain la plus proche pour me laver les mains.

Je déteste lorsqu'il agit comme s'il connaissait toutes mes habitudes, mais je ne mettrai pas ma santé en jeu pour lui tenir tête.

— Vraiment, dis-je, une fois de retour. Tu n'avais pas du tout besoin d'être ici. Tu sais que me nourrir ne fait pas partie de tes tâches de harceleur, n'est-ce pas ?

Il sourit et je m'assieds devant lui, accrochant mon sac à main sur le dossier de ma chaise.

— Ah bon ?

— C'est ce que toutes les offres d'emploi pour harceleur disent.

Je pique un morceau de tomate et de mozzarella avec ma fourchette et le dépose dans mon assiette. Ma main est ferme, ne montrant aucunement l'anxiété qui me ronge. Je veux serrer mon sac contre moi, le laisser sur mes genoux et à portée de main, mais je ne veux pas qu'il se méfie. J'ai déjà pris un risque en l'accrochant sur ma chaise alors que je le jette normalement sur le canapé dans la salle de séjour. J'espère qu'il attribuera ce changement de routine au fait que je suis entrée directement dans l'aire ouverte sans faire mon détour habituel vers le canapé.

— Eh bien, si c'est ce qui est dit, qui suis-je pour discuter ?

Peter nous verse chacun un verre de vin avant de déposer un peu de salade dans son assiette.

— Je ne suis pas un expert.

— Tu n'as pas suivi d'autres femmes avant moi ?

Il coupe un morceau de mozzarella et le mâche lentement.

— Pas ainsi, non, dit-il une fois sa bouchée avalée.

— Oh ?

Je suis sordidement curieuse.

— Comment alors ?

Il me lance un regard direct.

— Crois-moi, tu ne veux pas savoir.

Il a probablement raison, mais comme il est possible que je ne le revoie pas après ce soir, j'ai une envie insolite d'en apprendre plus à son sujet.

— Non, je veux vraiment savoir, dis-je.

Je tire un réconfort de la bretelle de mon sac contre mon dos.

— Je veux savoir. Raconte.

Il hésite, puis dit :

— La majorité de mes mandats concernaient des hommes, mais j'ai aussi suivi des femmes dans le cadre de mon travail. Des mandats différents, des femmes différentes, des raisons différentes. En Russie, il s'agissait souvent des femmes et des petites amies des hommes qui menaçaient mon pays ; nous les suivions et les interrogions pour trouver nos véritables cibles. Par la suite, lorsque je suis devenu un fugitif, j'ai suivi quelques femmes dans le cadre de mon travail pour différents chefs de cartel, trafiquants d'armes, et autres. Généralement, elles étaient une menace quelconque ou avaient trahi les hommes qui m'engageaient.

Le morceau de tomate que je viens d'avaler semble pris dans ma gorge.

— Tu... te contentais de les suivre ?

— Pas toujours.

Il plante une fourchette dans les linguines et dépose une bonne portion de pâtes dans son assiette, sans renverser une goutte de la sauce onctueuse.

— Parfois, je devais faire plus.

Mes doigts me semblent tout à coup glacés. Je sais que je devrais me taire, mais je m'entends plutôt demander :

— Comme quoi ?

— Selon la situation. Un jour, ma proie était une infirmière qui avait vendu mon employeur, le trafiquant d'armes que j'ai mentionné plus tôt, à certains de ses clients terroristes. Résultat, sa copine du moment a été kidnappée et il a presque été tué en la secourant. C'était une situation sordide et lorsque j'ai retrouvé l'infirmière, j'ai dû recourir à une solution définitive.

Il s'interrompt, ses yeux gris étincelants.

— Dois-je continuer ?

— Non, ça…

J'attrape mon verre de vin et prends une grande gorgée.

— Ça va.

Il hoche la tête et commence à manger. Je n'ai plus faim, mais je me force à suivre son exemple, déposant un peu de pâtes dans mon assiette. C'est délicieux, les pâtes et les fruits de mer parfaitement cuits et nappés d'une sauce onctueuse et savoureuse, mais j'ai peine à y goûter. Je meurs d'envie d'ouvrir mon sac et d'en sortir la petite fiole qui s'y cache, mais pour cela, je dois distraire Peter, détourner son regard de son verre de vin durant au moins vingt secondes. Je me suis chronométrée à l'hôpital, essayant avec une fiole d'eau : cinq secondes pour ouvrir la fiole, cinq de plus pour verser le contenu de la fiole dans le verre de vin et trois autres pour ramener ma main et me calmer. J'en ai pour environ treize secondes, pas vingt, mais je ne veux pas qu'il se doute de quoi que ce soit, alors j'ai besoin d'un peu plus de temps.

— Alors, parle-moi de ta journée, Sara, dit-il après avoir vidé pratiquement toute son assiette.

En relevant la tête, il me fixe de son regard d'acier froid.

— Quelque chose d'intéressant ?

Mes entrailles se contractent, se nouant autour des linguines que je me suis forcée à avaler. Peter ne peut pas savoir que j'ai croisé Joe, si ? Mon bourreau n'a rien dit, mais si cette étrange situation entre nous est sa façon de me courtiser, il pourrait émettre une objection, à ce que je parle, ou prenne rendez-vous, avec d'autres hommes.

— Euh, non.

À mon grand soulagement, ma voix semble relativement normale. Je fonctionne de mieux en mieux sous un stress extrême.

— Il y a bien une femme qui s'est présentée avec des pertes de sang énormes, causées par une fausse de couche de jumeaux, et une jeune fille de quinze ans qui s'est pointée avec une grossesse *prévue*, ayant toujours voulu être mère, paraît-il, mais ça ne t'intéresse probablement pas, j'en suis sûre.

— C'est faux.

Il dépose sa fourchette et s'adosse à la chaise.

— Je trouve ton travail fascinant.

— Vraiment ?

Il acquiesce.

— Tu es médecin, mais pas seulement quelqu'un qui préserve la vie et soigne les maladies. Tu *donnes* la vie, Sara, en aidant des femmes dans leur état le plus vulnérable, et le plus beau.

J'inspire, le fixant du regard. Cet homme, ce *tueur*, ne peut pas comprendre, n'est-ce pas ?

— Tu crois… que les femmes enceintes sont belles ?

— Pas seulement les femmes enceintes. Tout le processus est beau, dit-il, et je réalise qu'il comprend. Tu ne crois pas ? demande-t-il lorsque je continue de le fixer, sous le choc. La façon dont la vie se forme, la façon dont une petite grappe de cellules croît et change avant de voir le jour ? Ne trouves-tu pas ça beau, Sara ? Miraculeux, même ?

Je soulève mon verre et prends une gorgée avant de répondre.

— Oui.

Ma voix est étouffée lorsque je réussis enfin à parler.

— Bien sûr. Je ne m'attendais seulement pas à ce que *tu* le voies ainsi.

— Pourquoi ?

— N'est-ce pas évident ?

Je dépose mon verre.

— Tu mets fin à des vies. Tu t'en prends à des gens.

— Oui, c'est vrai, acquiesce-t-il, sans ciller. Mais ça ne me fait qu'apprécier davantage la vie. Lorsque tu comprends la fragilité de l'*être*, son caractère éphémère, lorsque tu vois à quel point il est facile de mettre un terme à l'existence de quelqu'un, tu apprécies encore plus la vie, pas moins.

— Alors, pourquoi le faire ? Pourquoi détruire quelque chose que tu apprécies ? Comment peux-tu concilier le fait d'être un tueur avec…

— Le fait de trouver la vie humaine belle ? C'est simple.

Il se penche vers l'avant, ses yeux gris pratiquement noirs dans la flamme dansante des bougies.

— Tu vois, Sara, la mort fait partie de la vie. Une partie hideuse, certes, mais il n'y a pas de beauté sans laideur, tout comme il n'y a pas de bonheur sans douleur. Nous vivons dans un monde de contrastes, pas d'absolus. Nos esprits sont faits pour comparer, pour percevoir les changements. Tout ce que nous sommes, tout ce que nous faisons en tant qu'êtres humains, se base sur le fait, que X, est différent de Y, mieux, pire, plus chaud, plus froid, plus sombre, plus clair, peu importe, mais seulement dans la comparaison. Dans le vide, X n'a aucune beauté, tout comme Y n'a aucune laideur. C'est le contraste entre eux qui nous permet d'estimer l'un plus que l'autre, de faire un choix et d'en retirer du bonheur.

Ma gorge me semble inexplicablement serrée.

— Alors, quoi ? Tu apportes de la joie au monde grâce à ton travail ? Tu rends les gens heureux ?

— Non, bien sûr que non.

Peter prend son verre de vin et remue le liquide qui s'y trouve.

— Je n'ai aucune illusion sur ce que je suis et ce que je fais. Mais ça ne signifie pas que je ne peux pas concevoir la beauté de *ton* travail, Sara. On peut vivre dans les ténèbres et voir l'éclat du soleil, il est même encore plus éclatant ainsi.

— Je…

Mes paumes sont moites lorsque je soulève mon verre et glisse discrètement ma main libre dans mon sac. Aussi fascinant que ce soit, je dois agir avant qu'il ne soit trop tard. Il n'y a aucune garantie qu'il se versera un deuxième verre.

— Je n'ai jamais envisagé les choses sous cet angle.

— Et c'est normal.

Il dépose son verre et me sourit. C'est ce sourire sombre et magnétique, celui qui échauffe mon sang.

— Tu as mené une vie bien différente, ptichka. Une vie plus douce.

— Oui.

Ma respiration est courte alors que je soulève mon verre et l'approche de mes lèvres.

— Je suppose que c'est le cas… avant que tu n'y entres.

Son expression se fait sombre.

— C'est vrai. Pour ce que ça vaut…

Mon verre me glisse des doigts, le contenu se déversant sur la table devant moi.

— Zut.

Je me lève d'un coup, comme si j'étais embarrassée.

— Je suis vraiment désolée. Laisse-moi…

— Non, non, assieds-toi.

Il se lève, comme je l'espérais. Même s'il est ici chez moi, il aime jouer le rôle d'un hôte accueillant.

— Je m'en occupe.

Il n'a besoin que de quelques foulées pour atteindre le papier absorbant sur le comptoir, mais c'est tout ce qu'il me faut pour ouvrir la fiole. *Six, sept, huit, neuf…* Je compte dans ma tête, alors que j'en verse le contenu dans son verre. *Dix, onze, douze.* Il se retourne, des feuilles de papier absorbant dans la main, et je lui lance un sourire penaud alors que je m'affaisse contre ma chaise, la fiole vide de retour dans mon sac. Mon dos est trempé de sueur glacée et mes mains tremblent sous l'effet de l'adrénaline, mais ma tâche est accomplie.

Il ne lui reste plus qu'à boire de son vin.

— Attends, laisse-moi t'aider, dis-je en faisant mine d'attraper une serviette alors qu'il éponge le vin sur la table, mais il me fait signe de rester à l'écart.

— Tout va bien, ne t'inquiète pas.

Il transporte mon assiette pleine de vin vers la poubelle et y laisse tomber le reste de mes pâtes, une autre occasion pour moi, me dis-je dans un coin de mon esprit, puis il revient avec une assiette propre.

— Merci, dis-je, en tentant de paraître reconnaissante, plutôt qu'enchantée, lorsqu'il remplace mon verre et le remplit avant d'en verser également dans le sien. Je suis désolée d'être aussi empotée.

— Ne t'inquiète pas.

Il semble froidement amusé lorsqu'il s'assit à nouveau.

— Normalement, tu es très gracieuse. C'est l'une des choses qui me plaît le plus chez toi : à quel point tes gestes sont précis et contrôlés. Est-ce en raison de ta formation médicale ? Une main ferme pour les chirurgies et tout ?

Ne montre pas ta nervosité. Peu importe ce que tu fais, ne montre pas que tu es nerveuse.

— Oui, en partie, réponds-je, en faisant de mon mieux pour garder un ton calme. J'ai aussi fait du ballet dans ma jeunesse et mon enseignante était stricte pour ce qui était de la précision et de la bonne technique. Nos mains de-vaient être placées comme ça, nos pieds tournés comme ci. Elle nous faisait pratiquer chaque posture, chaque pas jusqu'à ce que ce soit parfait et si nous manquions un détail, nous devions le reprendre, parfois pendant tout un cours.

Il soulève son verre et fait tournoyer le liquide.

— Intéressant. J'ai toujours pensé que tu avais le physique d'une danseuse. Tu en as la posture et la silhouette.

— Vraiment ?

Bois. Je t'en prie, bois.

Il dépose le verre et me fixe d'un regard énigmatique.

— Sans conteste. Mais tu ne danses plus, n'est-ce pas ?

— Non.

Allez, reprends le verre.

— J'ai arrêté le ballet lorsque j'ai commencé le lycée, mais j'ai fait un peu de salsa à l'université.

— Pourquoi avoir arrêté le ballet ?

Sa main s'approche de son verre, comme s'il était sur le point de le soulever à nouveau.

— J'imagine que tu étais bonne.

— Pas suffisamment pour continuer sur le plan professionnel, du moins pas sans encore plus d'entraînement. Et mes parents ne souhaitaient pas une telle chose pour moi.

Mon cœur s'emballe sous l'effet de l'anticipation alors que ses doigts s'enroulent sur le pied du verre.

— Le salaire potentiel d'un danseur est assez limité, de même que la durée de sa carrière. La plupart arrêtent la danse dans la vingtaine et doivent trouver autre chose à faire de leurs vies.

— Quel pragmatisme, dit-il, songeur, en soulevant le verre. Était-ce important pour toi ou pour tes parents ?

— Qu'est-ce qui était important ?

J'essaie de ne pas fixer le verre qui n'est qu'à quelques centimètres de ses lèvres. *Allez, bois.*

— Le salaire potentiel.

Il fait à nouveau tournoyer le vin, semblant s'amuser de voir le liquide doré tourbillonner.

— Souhaitais-tu devenir un médecin riche et prospère ?

Je me force à détourner le regard du mouvement hypnotique du vin.

— Bien sûr. Qui ne le voudrait pas ?

L'attente me ronge, alors je me distrais en soulevant mon propre verre et prends une gorgée. *Allez, imite-moi inconsciemment et bois. Allez, quelques gorgées, c'est tout.*

— Je ne sais pas, murmure-t-il. Peut-être une petite fille qui aurait préféré être une ballerine ou une chanteuse ?

Je bats des cils, brièvement distraite de son verre de vin.

— Une chanteuse ?

Pourquoi me dit-il ça ? Personne, à l'exception de mon conseiller de cinquième, n'était au fait de cette ambition précise.

Même à dix ans, je savais qu'il était vain d'aborder quelque chose d'aussi irréaliste avec mes parents, surtout après avoir appris leur opinion sur le ballet.

— Tu as une voix magnifique, dit Peter, jouant toujours avec son verre. Il n'est que logique qu'à un certain point, tu aies envisagé de chanter. Et contrairement à la carrière d'une danseuse, celle d'une chanteuse n'a pas à se terminer trop tôt. De nombreux chanteurs âgés sont très réputés.

— Je suppose que tu as raison.

Je fixe à nouveau son verre, de plus en plus frustrée. À croire qu'il me torture, pour voir combien de temps il me faut avant de craquer. Pour contrôler mon impatience, je prends une grande gorgée de vin et ajoute :

— Comment sais-tu seulement le genre de voix que j'ai ? Oh, je vois. Tes appareils d'écoute, c'est ça ?

Il acquiesce, sans aucune trace de remords.

— Oui. Tu chantes souvent lorsque tu es seule.

J'ingurgite un peu plus de vin. À tout autre moment, son mépris désinvolte de ma vie privée m'aurait enragée, mais pour l'instant, toute mon attention est tournée vers ce stupide verre. *Pourquoi ne boit-il pas ?*

— Alors, tu crois vraiment que j'ai une belle voix ? Demandé-je, avant de réaliser que je devrais probablement m'indigner davantage.

D'une voix plus acerbe, j'ajoute :

— Puisque je me suis donnée en spectacle sans le savoir, tu peux tout aussi bien me donner ton avis honnête.

Ses yeux se plissent alors qu'il dépose à nouveau son verre.

— Tu as une belle voix, ptichka. Je te l'ai déjà dit, et je n'ai aucune raison de te mentir.

Oh mon Dieu, mais bois ton putain de vin ! Pour m'empêcher de hurler, j'inspire un bon coup et placarde un joli sourire sur mes lèvres.

— Oui, eh bien, tu essaies *bien* de coucher avec moi. Comme toute femme te le dira, la flatterie est un bon début.

Il rit et reprend son verre.

— C'est vrai. Seulement, j'ai l'impression que je pourrais te complimenter jusqu'à la fin des temps et que ça ne changerait rien.

— On ne sait jamais.

Je garde un ton léger et charmant malgré la sueur froide qui coule le long de ma colonne. S'il ne boit pas de lui-même, je vais devoir lui forcer la main.

Nous ne pouvons pas mettre fin à ce dîner avant qu'il n'ait pris quelques bonnes gorgées.

En soulevant mon verre, je souris davantage et dis :

— Pourquoi ne pas boire à ça ? À la vanité des femmes et à tes flatteries ?

— Pourquoi pas ?

Il entrechoque nos verres.

— À toi, ptichka et, à ta voix sublime.

Nous portons tous deux un verre à nos lèvres, mais avant que je puisse prendre une gorgée, ses doigts se relâchent sur le pied de son verre.

— Zut, murmure-t-il, lorsque son verre tombe, renversant le vin devant lui en une réplique exacte de ma bévue précédente.

Ses yeux étincellent d'une lueur sombre.

Je cesse de respirer, mon sang se figeant dans mes veines.

— Tu… tu…

— Savais que tu as ajouté quelque chose dans mon verre ? Évidemment.

Sa voix reste douce, mais je peux maintenant y déceler une note dangereuse.

— Tu crois que personne n'a jamais tenté de m'empoisonner avant ?

Mon cœur bat la chamade, pourtant je suis incapable de bouger alors qu'il se lève et contourne la table, s'approchant de moi avec la grâce d'un prédateur. Je ne peux que le fixer, sans pouvoir me détourner de la rage qui couve dans ces yeux métalliques.

Il va me tuer. Il va me tuer après cette tentative.

— Je n'ai pas…

La terreur est comme une lave toxique dans mes veines.

— Je ne voulais pas…

— Non ?

S'arrêtant près de moi, il glisse une main dans mon sac et en sort la fiole vide. Je devrais fuir, du moins essayer, mais je ne suis pas assez brave pour le provoquer davantage. Alors, je reste immobile, respirant à peine comme il approche la fiole de son nez pour la humer.

— Ah, oui, murmure-t-il en baissant la main. Un peu de diazépam. Je ne pouvais pas le déceler dans le vin, mais c'est clair ainsi.

Il dépose la fiole devant moi sur la table.

— Je suppose que tu l'as pris à l'hôpital ?

— Je… Oui.

Ça ne sert à rien de nier. La preuve est littéralement devant moi.

— Hmm.

Il appuie sa hanche sur la table et me regarde.

— Et quel était ton plan, une fois que j'étais inconscient, ptichka ? Me livrer au FBI ?

Je hoche la tête, les mots figés dans ma gorge alors que je le fixe du regard. Avec son corps imposant qui me surplombe, je me sens comme le petit oiseau auquel il m'a comparée : petite et terrifiée dans l'ombre d'un faucon.

Ses lèvres sensuelles se tordent en une parodie de sourire.

— Je vois. Et tu crois que ça aurait été aussi simple ? M'assommer et c'est terminé ?

Je bats des cils, sans comprendre.

— Tu crois que je n'ai pas un plan de secours pour un tel cas ? Clarifie-t-il, et je cille lorsqu'il lève une main.

Mais il ne fait que soulever l'une de mes boucles et effleurer la pointe contre ma mâchoire, le geste tendre et pourtant cruellement moqueur.

— Ou essaies-tu de me tuer ou de m'assommer d'une quelconque façon ?

— Tu… tu en as un ?

Ses paupières s'abaissent, son regard se fixant sur mes lèvres.

— Évidemment.

La mèche qu'il tient toujours effleure mes lèvres, la pointe chatouillant la chair sensible et mes entrailles se contractent lorsqu'il ajoute doucement :

— En ce moment, mes hommes surveillent ta maison et tout ce qui se trouve dans un rayon de dix coins de rue, en plus du petit écran qui affiche mes signes vitaux.

Ses yeux croisent les miens.

— Veux-tu savoir ce qu'ils auraient fait si ma tension artérielle avait chuté subitement ?

Je secoue la tête sans un mot. Si les hommes de Peter ressemblent un tant soit peu à ce dernier, et ça ne fait pas de doute s'ils suivent ses ordres, je préfère ignorer les détails de ce que je viens d'éviter de justesse.

Son sourire se fait sombre.

— Oui, c'est probablement sage, ptichka. L'ignorance est une bénédiction, et tout.

Je rassemble ce qui me reste de courage.

— Que vas-tu me faire ?

— Que crois-tu que je vais faire ?

Il penche la tête, son sourire s'assombrissant davantage.

— Te punir ? Te blesser ?

Mon cœur cogne contre ma poitrine.

— Est-ce le cas ?

Il me regarde pendant un long moment, son sourire s'estompant, puis il secoue la tête.

— Non, Sara.

Il y a une note étrangement lasse dans sa voix.

— Pas aujourd'hui.

S'éloignant de la table, il commence à rassembler la vaisselle et je m'affaisse, soulagée et pourtant vidée de tout espoir.

S'il ne ment pas au sujet de ses hommes, et je n'ai aucune raison de croire autrement, je suis encore plus piégée que je le pensais.

CHAPITRE 27
PETER

Ça ne devrait pas me faire mal, de savoir qu'elle veut se débarrasser de moi. Ça ne devrait pas me faire l'effet de lames brûlantes tranchant mon torse. Toute personne dans la situation de Sara aurait lutté ; c'est tout bonnement logique et attendu.

Ça ne devrait pas faire mal, mais c'est le cas et, peu importe ce que je me dis alors que je précède Sara dans l'escalier, le monstre en moi, grogne et hurle, exigeant de moi que je lui fasse exactement ce qu'elle craint et que je la punisse de sa tentative.

Lorsque nous arrivons dans la chambre, je ne la force pas à se dévêtir devant moi à nouveau ; je suis trop près du gouffre pour garder mon sang-froid. Je l'ai déjà trop mise à l'épreuve pendant le dîner en entrant dans sa routine innocente de *Je n'ai pas drogué ton vin*. J'ai su immédiatement ce qu'elle avait fait, renverser son vin étant trop inhabituel pour elle, mais je voulais savoir si elle était bonne actrice et j'ai continué à lui parler, à prétendre que j'étais inconscient et crédule, un idiot sur le point de me laisser prendre à l'un des plus vieux tours du monde.

— Tu peux prendre une douche, dis-je, en lui montrant la salle de bain lorsqu'elle s'arrête près du lit, son regard passant nerveusement du lit à moi. Je serai là lorsque tu auras terminé.

Le soulagement éclaire ses traits et elle disparaît dans la salle de bain. J'en profite pour descendre l'escalier et prendre une douche rapide dans l'une des autres salles de bain.

Même si j'ai pris une douche après le boulot d'aujourd'hui, je veux être ultra propre pour elle.

Elle est toujours dans la douche lorsque je reviens dans la salle de bain, alors je plie soigneusement mes vêtements et les dépose sur la commode avant de m'installer dans le lit. Je me suis soulagé un peu plus tôt aujourd'hui, mais mon envie de Sara ne s'est pas atténuée et je sais que je ne pourrai pas jouer ce jeu encore bien longtemps.

Je vais la posséder et la faire mienne.

Si ce n'est pas ce soir, alors très bientôt.

La douche de Sara s'éternise et je sais qu'elle essaie ainsi de m'éviter, mais je n'en ai cure. Je profite de ce moment pour faire le vide dans mon esprit et calmer la colère persistante qui brûle en moi. Lorsqu'elle sort enfin de la salle de bain, enveloppée dans une serviette, j'ai retrouvé le contrôle du monstre et je peux lui sourire calmement.

— Viens, dis-je, en tapotant le lit.

J'essaie de toutes mes forces de ne pas penser à la douceur et à la moiteur de son sexe hier, mais c'est impossible.

Je veux sentir cette douce moiteur autour de mon membre, je veux l'entendre gémir comme j'entre en elle. Je veux goûter à cette bouche pulpeuse et voir ses yeux noisette se faire lointains au moment où elle jouit, encore et encore.

Je la veux, mais je ne peux pas.

Pas tout de suite, du moins.

Elle s'approche avec incertitude, aussi méfiante qu'une gazelle, et tout aussi gracieuse. Je veux l'attraper et l'attirer dans le lit, mais je reste immobile, la laissant s'approcher de son propre chef. Je peux ainsi prétendre qu'elle ne me déteste pas, que de me voir en prison ou mort ne lui procurerait pas la plus grande joie qui soit.

Je peux ainsi imaginer qu'un jour, elle *me* choisira peut-être.

— Retire cette serviette et viens ici, dis-je lorsqu'elle s'arrête à moins d'un mètre du lit, mais elle ne bouge pas, ses mains serrant la serviette contre sa poitrine.

— Allons-nous dormir ? Simplement dormir ? demande-t-elle d'une voix incertaine.

Je hoche la tête, même si je suis douloureusement dur juste à la regarder. Si j'étais sûr de pouvoir garder le contrôle, je la prendrais ce soir, ou du moins je la ferais à nouveau jouir, mais le mieux que je peux me permettre est de l'étreindre et de me forcer à dormir. Ce sera une torture, mais je la supporterai. Je ne la forcerai pas lorsqu'elle s'attend à ce que je lui fasse mal ; si difficile soit-il, je ne donnerai pas raison à ses peurs.

— Rien de plus, promets-je, espérant qu'elle ne remarque pas la faim violente dans ma voix. Nous ne ferons que dormir.

Elle hésite une autre seconde, puis elle s'approche du lit, laisse tomber la serviette humide et se glisse sous la couverture. Je ne vois rien de plus qu'un peu de peau nue, mais c'est suffisant pour que le désir m'enflamme. Je me raidis en l'attirant contre moi et j'étouffe un grognement lorsque ses douces fesses se pressent contre mon entrejambe, sa peau humide et chaude après la longue douche. Elle a de magnifiques fesses, ma petite médecin, fermes et galbées, et je n'ai qu'une envie : entrer en elle, sentir ces fesses lisses se presser contre mes testicules alors que je plonge en elle, encore et encore.

En fermant les yeux, je hume le doux parfum de son shampoing et me force à contrôler ma respiration. Après un moment, je sens la tension de ses muscles s'apaiser, et je sais qu'elle commence à se détendre, à croire que je ne la prendrai pas de force malgré l'érection qu'elle sent contre elle.

Lentement, me dis-je en inspirant et en expirant. *Contrôle et sang-froid. La douleur n'est rien. L'inconfort n'est rien.* C'est un mantra que je me suis répété lorsque j'étais au camp Larko et c'est vrai. La douleur, la faim, la soif, le désir… ce ne sont que des pulsions chimiques et électriques, un moyen de communication entre le cerveau et le corps. Désirer Sara ne me tuera pas, pas plus que les six mois passés en isolement lorsque j'avais quatorze ans. La torture d'un désir inassouvi n'est rien comparativement à l'enfer d'être enfermé dans une pièce à peine assez grande pour être appelée une cage, avec personne à qui parler et rien à faire. Ce n'est rien comparativement à un couteau qui se plante dans un rein ou à un poing imposant qui s'abat avec assez de force pour pratiquement en perdre l'œil.

Si j'ai survécu à la prison juvénile en Sibérie, je peux survivre à mon envie de Sara.

Encore un moment, du moins.

CHAPITRE 28
SARA

— Et toi, Sara ?

— Euh…

Je lève les yeux de mon assiette et fixe un regard vide sur Marsha, qui vient probablement de me demander quelque chose.

Andy lève les yeux au ciel.

— Elle a encore la tête dans les nuages. Laisse-la tranquille, Marsha.

— Désolée, je suis un peu distraite, dis-je en repoussant une boucle qui s'est détachée de ma queue de cheval.

Je suis convaincue que mes cheveux sont en pagaille aujourd'hui, mais j'oublie constamment de m'arrêter devant un miroir pour les replacer. En général, tout ce qui me trotte dans la tête ce matin, c'est qu'en rentrant chez moi ce soir, *il* m'y attendra.

Peter Sokolov, l'homme à qui je ne peux échapper.

— Je t'ai demandé si tu voulais te joindre à Tonya et moi samedi, dit Marsha, semblant plus amusée qu'agacée. Andy vient de confirmer qu'elle sera des nôtres ; elle passera du temps avec son copain un autre soir. Et toi, Sara ?

— Oh, désolée, je ne peux pas, dis-je en repoussant mon assiette.

J'ai croisé les infirmières à la cafétéria au moment où j'attrapais mon petit-déjeuner et elles m'ont convaincue de me joindre à elles pour un repas assis.

— J'ai promis à mes parents de passer les voir.

Cette dernière partie est un mensonge, mais je ne me vois pas leur expliquer que je ne veux pas qu'elles deviennent la cible d'un certain tueur russe, ou de l'un de ses hommes.

— C'est dommage, dit Marsha. Tonya nous introduira à nouveau dans le club. Tu semblais t'y plaire, si je me souviens bien. Tonya dit que le joli barman s'est renseigné sur toi.

Je fronce les sourcils.

— Ah bon ?

— Oui, confirme Tonya. Il a dit quelque chose d'étrange, par contre. Il a cru te voir avec un homme qui semblait possessif, comme s'il était ton petit ami ou quelque chose du genre. Je lui ai dit qu'il avait dû se tromper, parce que tu es partie seule cette nuit-là. N'est-ce pas ? Tu n'as pas un homme secret caché quelque part, dis-moi ?

Je me sens glacée, alors même que mon visage devient désagréablement brûlant.

— Non, vraiment pas.

— Vraiment ? dit Marsha, fascinée. Alors pourquoi rougis-tu ? Et pourquoi serres-tu cette fourchette comme si tu étais sur le point de poignarder quelqu'un ?

Je baisse les yeux et vois qu'elle a raison. Je tiens l'ustensile si fort que mes jointures sont blanches. Je me force à relâcher ma poigne, puis je lâche un rire maladroit et dis :

— Désolée. J'étais ivre cette nuit-là et ça me gêne un peu. Je crois que j'ai dansé avec un homme et c'est probablement ce qu'a vu ton ami, Tonya.

Andy fronce les sourcils.

— Est-ce que cet homme est la raison pour laquelle tu es sortie de là aussi vite ? Tu semblais presque… effrayée.

— Quoi ? Non, j'étais simplement ivre.

Je laisse échapper un autre rire embarrassé.

— Vous connaissez cette sensation d'être sur le point de vomir à tout moment ? Eh bien, je me sentais exactement comme ça.

— OK, dit Tonya. Je vais dire à Rick, le barman, que tu es libre. Juste au cas où tu déciderais de retourner au club avec nous, bien sûr.

— Oh, je…

Je rougis à nouveau.

— Non, ça va. Je ne suis pas vraiment prête à fréquenter quelqu'un et…

— Ne t'inquiète pas.

Tonya me tapote la main, ses doigts frais sur ma peau.

— Je ne lui donnerai pas ton numéro. Tu peux garder ton mystère de la « princesse dans une tour ». Ça ne fait que les attiser, si tu veux mon avis.

— Quoi ?

Je la fixe, bouche bée.

— Qu'est-ce que tu veux dire ?

— Elle veut dire que tu donnes cette impression d'être intouchable, dit Andy, la bouche pleine d'œufs. C'est difficile à expliquer, mais c'est comme si tu donnais l'impression d'une princesse de glace, mais pas froide, tu vois ? Comme si Jackie-O et la princesse Diana décidaient de s'encanailler en travaillant avec nous, gens ordinaires. Tu comprends ?

— Non, pas vraiment.

Je regarde la femme rousse et fronce les sourcils.

— Tu veux dire que j'ai l'air coincé ?

— Non, pas coincée, seulement différente, dit Marsha. Andy ne l'a pas bien expliqué. Tu es simplement… classe. Peut-être à cause de toutes tes années de ballet, pourtant tu donnes l'impression de savoir faire une révérence et marcher avec un livre sur la tête. Ou de savoir quelle fourchette utiliser à un dîner officiel et comment discuter avec l'ambassadeur de je ne sais quoi.

— Quoi ?

J'éclate de rire.

— C'est ridicule. Enfin, George et moi avons assisté à quelques collectes de fonds officielles, mais c'était plus son genre que le mien. Si je pouvais, je vivrais en pantalon de yoga et en tennis, tu le sais bien, Marsha. Seigneur, j'écoute du Britney Spears et je danse sur du hip-hop et du R & B.

— Je sais, chérie, mais c'est ce que tu dégages, pas ce que tu es, dit Marsha, en sortant un petit miroir pour refaire son maquillage.

Après avoir appliqué une couche de rouge à lèvres d'une main experte, elle range le miroir et le rouge et dit :

— C'est une bonne chose, crois-moi. Prends mon exemple. Je pourrais essayer d'avoir l'air classe, mais les gars me jettent un coup d'œil et décident que je suis facile. Ce que je porte ou comment j'agis n'ont pas d'importance, ils ne voient que mes cheveux, mes seins et mes fesses, et se disent que je suis intéressée.

— Ça, c'est parce que tu l'es, souligne Tonya avec un sourire.

Marsha soupire et repousse ses boucles blondes.

— Oui, pourtant ça n'a rien à voir. Mon point est qu'*elle*, dit-elle en me pointant du pouce, ne pourrait pas passer pour facile même si elle le voulait. N'importe quel homme qui la regarde sait, il le *sait*, qu'il aura à se démener pour l'avoir. Comme des dîners chez les parents et une bague au doigt.

— Ce n'est pas vrai, protesté-je. J'ai couché avec George bien avant notre mariage.

Andy lève les yeux au ciel.

— Oui, cependant combien de temps vous êtes-vous fréquentés avant de coucher ensemble ?

— Quelques mois, dis-je, en me renfrognant. Mais je n'avais que dix-huit ans et…

— Tu vois ? Quelques mois, dit Tonya, en donnant un coup de coude à Marsha. Et combien de temps les fais-*tu* attendre ?

Marsha glousse.

— Au moins quelques heures.

— Eh bien, voilà, dit Andy. Et tu te demandes pourquoi ces salauds ne te rappellent pas. Ma mère disait toujours que le meilleur moyen de perdre un gars est de coucher avec lui. Sara a la bonne méthode : soit calme et distante, alors lorsque tu lances un sourire à un mec, il en perd la parole.

— Oh, allons.

Je m'occupe des restes de mon petit-déjeuner.

— C'est le vingt-et-unième siècle. Je crois que les hommes savent mieux que…

— Non, dit Marsha, joyeusement. Ils ne le savent pas. Si quelque chose est facile, alors ce n'est pas aussi précieux. Je le sais, et je suis à l'aise avec le fait d'être là pour un bon moment. La plupart du temps, je ne veux *pas* que ces salauds m'appellent, et les quelques fois où j'aimerais…

Elle soupire.

— Eh bien, la vie en décide autrement, je suppose. Et puis, la vie est trop courte pour essayer d'être quelque chose que je ne suis pas. Lorsque vous aurez mon âge, vous comprendrez.

— Mais oui, bien sûr.

Tonya finit d'une bouchée son bagel.

— Dis-nous en plus, ô vieille sage.

— Tais-toi, marmonne Marsha, en lui lançant sa serviette de table froissée.

La boule frappe Andy qui se venge immédiatement en lançant son propre projectile, et je me penche, en riant, alors que le petit-déjeuner se change en une bataille de serviettes de table.

Ce n'est que lorsque je sors de la cafétéria, riant encore, que je réalise que les infirmières ne m'ont pas seulement distraite de mes pensées à propos de Peter et remonté le moral.

Elles m'ont aussi donné une idée.

———————————

Mon quart de garde se termine tard, mais je me rends tout de même à la clinique après celui-ci. Elle est ouverte en permanence et ils ont toujours besoin de moi. De mon côté, je veux retarder mon retour à la maison autant que possible. L'idée qui me trotte dans la tête me donne des crampes d'estomac et la dernière chose que je souhaite est de croiser mon harceleur.

Comme toujours, ils sont heureux de me voir à la clinique. Malgré l'heure avancée, la salle d'attente est bondée de femmes de tous âges, beaucoup accompagnées d'enfants en larmes. En plus d'offrir des services d'obstétrique-gynécologie aux femmes à faible revenu, le personnel de la clinique traite souvent leurs enfants pour des troubles légers, quelque chose que les patients et les salles d'urgence du quartier apprécient grandement.

— C'est occupé ? Demandé-je à Lydia, la réceptionniste d'âge mûr et elle acquiesce, visiblement débordée.

Elle est l'une des deux seules membres salariées de la clinique. Tous les autres, y compris les médecins et les infirmières, sont des bénévoles comme moi. Les horaires sont donc imprévisibles, mais cela permet à la clinique d'offrir des soins gratuits à la communauté tout en œuvrant uniquement grâce aux dons.

— Tiens, dit Lydia, en me lançant la feuille de présence. Tu peux commencer avec les cinq noms du bas.

Je prends la feuille et me dirige vers la petite pièce qui me sert de bureau et de salle d'examen. Je dépose mes choses, me lave les mains, m'asperge le visage d'un peu d'eau froide et passe à la salle d'attente pour appeler ma première patiente.

Mes trois premières patientes sont des cas faciles, l'une veut des contraceptifs oraux, l'autre veut un dépistage de MST, et la troisième veut une confirmation de grossesse. Mais la quatrième, une jolie jeune fille de dix-sept ans du nom de Monica Jackson se plaint de saignements menstruels prolongés. Lorsque je l'examine, je découvre des lésions vaginales et d'autres signes de traumatismes sexuels et, lorsque je lui en demande la cause, elle éclate en sanglots et admet que son beau-père l'a violée.

Je la calme, prends une trousse pour le viol, traite ses blessures et lui donne le numéro d'un refuge pour femmes où elle peut rester si elle ne se croit pas en sécurité chez elle. Je lui suggère également de communiquer avec la police, mais elle persiste à ne pas vouloir porter plainte.

— Ma mère me tuerait, dit-elle, ses yeux marron rougis et sans espoir. Elle dit que c'est un bon pourvoyeur et que nous avons de la chance de l'avoir. Il a des antécédents alors si je parle, il retournera en prison et nous nous retrouverons encore à la rue. Je m'en fous, je préférerais faire le trottoir plutôt que de vivre avec ce salaud, mais mon frère n'a que cinq ans et il finira en famille d'accueil. Pour l'instant, je m'en occupe lorsque ma mère ne peut pas et je ne veux pas qu'on nous sépare.

Elle se remet à pleurer et je lui serre la main, le cœur douloureux devant sa détresse. Même si les papiers que Monica a remplis disent qu'elle a dix-sept ans, avec sa petite silhouette et ses joues rondes, elle semble à peine assez âgée pour être au lycée. Je vois souvent des jeunes filles comme elle, ici, et ça me brise le cœur chaque fois, de savoir qu'il n'y a pas grand-chose que je puisse faire. Si elle était seule, il serait facile de la sortir de cette situation, mais avec son petit frère, la seule chose que je puisse faire est d'appeler les services à l'enfance et cela pourrait mener exactement à ce que ma patiente redoute : voir son petit frère en famille d'accueil sans elle.

— Je suis désolée, Monica, dis-je lorsqu'elle se calme. Je crois toujours que d'aller voir la police est la meilleure option pour ton frère et toi. Est-ce que quelqu'un d'autre pourrait vous aider ? Un ami de la famille ? Un proche, peut-être ?

Les traits de la jeune fille se creusent.

— Non.

Elle saute au bas de la table et enfile ses vêtements.

— Merci pour votre aide, Dr Cobakis. Au revoir.

Elle sort de la pièce et je la regarde partir, avec l'envie de pleurer. Cette fille est dans une situation impossible et je ne peux rien pour elle. Je ne peux jamais rien pour les filles comme elle. Sauf…

— Attends !

J'attrape mon sac et pars à sa suite.

— Monica, attends !

— Elle est déjà partie, dit Lydia lorsque j'entre au pas de course dans la réception. Que se passe-t-il ? Elle a oublié quelque chose ?

— En quelque sorte.

Je ne prends pas la peine de m'expliquer. En courant vers la porte, je sors et sonde la rue sombre et déserte. La petite silhouette à la chevelure foncée de Monica est déjà au bout de la rue, marchant d'un bon pas, alors je cours à sa suite, voulant à tout prix faire quelque chose au moins cette fois.

— Monica, attends !

Elle doit m'entendre, car elle s'arrête et se retourne.

— Dr Cobakis ? dit-elle avec surprise lorsque je la rejoins.

Je m'arrête, essoufflée, et fouille dans mon sac.

— Combien as-tu besoin pour passer le cap ? Demandé-je, à bout de souffle, en sortant mon carnet de chèques et un stylo.

— Quoi ?

Elle me regarde comme si je m'étais transformée en extraterrestre.

— Si tu vas voir la police et que ton beau-père est enfermé, combien ta mère et toi auriez-vous besoin afin ne *pas* finir dans la rue ?

Elle bat des cils.

— Notre loyer est de mille deux cents par mois et le chèque d'invalidité de ma mère en couvre à peu près la moitié. Si nous pouvons tenir jusqu'à l'été, je pourrai me trouver un emploi à temps plein et aider, mais…

— OK, attends un peu.

Je place le carnet de chèques contre le mur d'un immeuble et j'écris le montant de cinq mille dollars. J'avais l'intention d'utiliser l'argent pour payer une croisière d'anniversaire à mes parents cet été, mais je leur trouverai un cadeau moins dispendieux.

Mes parents ne m'en voudront pas, j'en suis sûre.

Détachant le chèque, je le tends à la jeune fille et dis :

— Prends ça et va voir la police. Il mérite d'être en prison.

Son menton arrondi tremble et, pendant un instant, j'ai peur qu'elle n'éclate à nouveau en sanglots. Mais elle ne fait qu'accepter le chèque d'une main tremblante.

— Je... Je ne sais même pas comment vous remercier. C'est...

Sa voix se brise.

— C'est juste...

— Tout va bien.

Je range mon carnet de chèques et lui sourit.

— Va le déposer, puis fais arrêter ce salaud, d'accord ? Promets-moi que tu le feras ?

— Promis, dit-elle en fourrant le chèque dans la poche de son jean. Promis, Dr Cobakis. Merci. Merci infiniment.

— Tout va bien. Allez. Il est tard et tu ne devrais pas être dehors seule.

Elle hésite, puis jette ses bras autour de moi en une étreinte rapide.

— Merci, murmure-t-elle à nouveau, puis elle part, sa petite silhouette passant d'un lampadaire à l'autre avant de disparaître de ma vue.

Je reste là jusqu'à ce qu'elle disparaisse, puis je me dirige vers la clinique. Mon compte en banque vient de prendre un coup, mais je me sens aussi joyeuse que si je venais de gagner à la loterie. Pour la première fois depuis que je travaille à la clinique, j'ai réellement aidé quelqu'un et la sensation est incroyable.

Le vent froid me gifle le visage comme je me mets à avancer et je réalise que j'ai oublié mon manteau à la clinique. Ça n'a pourtant pas d'importance. Je rayonne d'une joie intérieure et le vent froid de mars ne fait pas le poids.

Je ne peux pas régler ma propre vie, mais j'ai peut-être permis à Monica de régler la sienne.

Je suis à moins d'un coin de rue de la clinique lorsque le vacillement d'une ombre à ma droite attire mon attention. Mon cœur s'emballe et l'adrénaline inonde mes veines lorsque deux hommes à l'allure dépenaillée sortent d'une étroite allée entre deux maisons, la lumière de la rue se reflétant sur les lames étincelantes de leurs couteaux.

— Ton sac, grogne le plus grand, en me faisant signe du couteau et, même à cette distance, je perçois la puanteur nauséabonde d'odeur corporelle, d'alcool et de vomi. Lance-le ici, salope. Maintenant.

Je fais mine d'attraper le sac avant même qu'il ne finisse sa phrase, mais mes doigts glacés sont gourds et le sac tombe de mon épaule.

— Putain de salope ! Lance-le ici, j'ai dit ! Siffle-t-il, de plus en plus agité et je réalise qu'il est sous l'effet d'une drogue.

Meth? Coke ? Dans tous les cas, il est instable et son partenaire, qui s'est mis à ricaner comme une hyène, n'est pas mieux.

Je dois les apaiser. Rapidement.

— Attends, je te le donne, promis.

Tremblante, je m'agenouille pour prendre le sac et le lui donner, mais avant de pouvoir me relever, une masse floue me dépasse.

Haletante, je tombe à la renverse, arrêtant ma chute de mes mains, alors qu'une grande silhouette sombre percute mes attaquants, se déplaçant à une vitesse et avec une adresse presque surhumaine. Les trois corps disparaissent dans la ruelle sombre et j'entends deux cris paniqués, suivis d'un étrange gargouillis. Puis, quelque chose de métallique tombe sur le pavé. Deux fois.

Oh, mon Dieu. Oh, mon Dieu, oh mon Dieu. Oh, mon Dieu.

Je recule en hâte, remarquant à peine l'asphalte qui érafle la peau de mes paumes, alors que mon sauveur sort de la ruelle, les deux hommes derrière lui s'affaissant comme des marionnettes aux ficelles coupées. Un liquide sombre s'étend sous leurs corps couchés et l'odeur cuivrée du sang emplit l'air, se mêlant à quelque chose d'encore plus répugnant.

Il les a tués, je réalise dans une stupeur hagarde. Il vient de les *tuer*.

La vague de terreur me donne une nouvelle dose d'adrénaline et je me mets sur mes pieds, prête à crier. Mais avant de pouvoir faire un son, la silhouette sombre s'avance vers moi et le lampadaire illumine son visage.

Son visage familier et exotique aux traits séduisants.

— T'ont-ils blessée ?

La voix de Peter Sokolov est aussi dure que son regard métallique et, encore une fois, je me retrouve paralysée, terrifiée et pourtant incapable de bouger d'un iota alors qu'il s'approche de moi, ses sourcils épais renfrognés. C'est l'expression d'un tueur, le visage du monstre sous le masque humain, pourtant il y a aussi autre chose.

Quelque chose qui ressemble presque à de l'inquiétude.

— Je….

J'ignore ce que j'étais sur le point de dire, car l'instant d'après, je me retrouve enveloppée dans ses bras, serrée si fort contre son torse puissant que j'ai peine à respirer. La chaleur de son corps imposant m'entoure, me protégeant du vent glacial, et je réalise que j'ai froid, que je suis glacée. L'horreur de ce dont j'ai été témoin ne m'a pas encore entièrement frappée, mais je commence déjà à me sentir engourdie, mes pensées diffuses et léthargiques, alors que le froid s'enfonce davantage en moi, m'anesthésiant contre le traumatisme.

C'est le choc. Je pose mon diagnostic automatiquement. Je suis en état de choc.

— Chut, ptichka. Tout va bien. Tout ira bien.

La voix de Peter est basse et apaisante, son étreinte se relâchant jusqu'à ce qu'il me tienne dans ses bras avec une tendresse étonnante. Je réalise alors que je suis la cause des étranges sons étouffés que j'entends. J'ai peine à respirer, ma gorge se contractant comme pendant une crise de panique.

Non, pas comme… *j'ai* une crise de panique.

Il doit s'en rendre compte aussi, car il recule et baisse les yeux vers moi, ses yeux gris se plissant d'inquiétude.

— Respire, m'ordonne-t-il, ses mains se resserrant sur mes épaules. Respire, Sara. Lentement et profondément. C'est bien, ptichka. Encore. Respire…

Je suis sa voix, le laissant agir comme mon thérapeute et, graduellement, la sensation d'étouffement s'estompe, ma respiration se stabilisant. Je me concentre sur cette tâche, respirer normalement, et évite de penser, car si je réfléchis à ce qui vient de se passer, si je jette un regard à la ruelle à ma droite et vois les deux corps comme des marionnettes, je vais m'évanouir.

— Voilà, c'est bien.

Il m'attire à nouveau contre lui, sa grande main caressant mes cheveux alors que je reste là, mon visage enfoui contre son torse.

— Tout va bien, ptichka. Tout va bien.

Bien ? J'ai envie de rire et de crier en même temps. Dans quel monde deux cadavres dans une ruelle sont « bien » ? Je tremble maintenant, à la fois sous l'effet du vent et du choc, et je sais que je suis sur le point de perdre le contrôle. Je n'ignore rien du sang et des blessures, et j'ai aussi côtoyé la mort à l'hôpital, mais la façon dont ces deux hommes se sont affaissés, comme s'ils n'étaient rien, rien d'autre que des sacs de viande et d'os…

Je mets un frein à mes pensées avant qu'elles continuent trop loin sur cette voie, mais ma gorge se contracte déjà à nouveau et mes tremblements s'intensifient.

— Chut.

Peter me réconforte encore une fois, me berçant doucement. Il doit me sentir trembler.

— Ils ne peuvent plus te faire de mal. C'est fini. Tout est fini. Allez, retournons à la maison.

J'ouvre la bouche pour m'objecter, pour insister sur le fait d'appeler la police ou une ambulance, ou quelque chose, mais avant que je puisse prononcer un seul mot, il se penche et me soulève dans ses bras. Il le fait sans effort, comme si je ne pesais rien. Comme s'il était normal d'emporter une femme en proie à une crise de panique loin de la scène d'un double homicide.

Comme s'il le faisait tous les jours… ce qui, que je sache, est peut-être le cas.

Je retrouve enfin ma voix.

— Dépose-moi.

Ce n'est qu'un faible murmure, à peine un son, mais c'est mieux que rien. Mes mains tentent aussi de bouger, de repousser ses larges épaules alors qu'il s'avance dans la rue.

— Je t'en prie. Je… je peux marcher.

— Tout va bien.

Il me lance un regard rassurant.

— Nous y sommes presque.

— Où, demandé-je, puis, j'aperçois alors notre destination.

C'est un SUV noir, stationné à un coin de rue de la clinique. Un grand homme arborant une épaisse barbe noire est appuyé contre celui-ci. Comme nous approchons, Peter lui dit quelque chose dans une langue étrangère, sa voix basse et urgente.

L'homme répond dans la même langue, probablement du russe, me dis-je confusément, puis sort un smartphone de sa poche, pianotant sur celui-ci avec des gestes rapides et furieux. Le collant à son oreille, il crache d'autres phrases en russe alors que Peter ouvre la portière et m'installe doucement sur le siège arrière.

Mon bourreau ne mentait pas lorsqu'il a affirmé avoir une équipe. Cet homme doit être l'un de ses compagnons.

— Je reviens dans un moment, ptichka, murmure Peter dans ma langue, en repoussant mes cheveux avec cette même tendresse étrange, puis il recule et referme la portière, me laissant seule dans la chaleur du véhicule.

Je reste immobile quelques secondes, l'observant discuter avec le barbu, puis je passe à l'action.

Me déplaçant sur le siège arrière, j'attrape la poignée de la portière opposée à l'endroit où se trouvent les deux hommes et j'ouvre la porte, tombant presque hors du véhicule dans ma hâte de fuir. Mes pensées et mes réactions sont encore lentes sous l'effet du choc, mais je suis suffisamment remise pour comprendre un fait très important.

Deux hommes ont été tués devant moi et, si je ne fais rien, je serai complice de leurs meurtres.

Le vent froid est mordant et mes poumons brûlent alors que je cours vers la clinique. Derrière moi, j'entends un cri, suivi d'un bruit de pas rapides et je sais qu'ils me poursuivent. Ma seule chance est d'entrer dans la clinique avant qu'ils ne m'attrapent. En tant qu'homme recherché, Peter ne voudra pas attirer l'attention. Une fois en sécurité, je pourrai reprendre mon souffle et réfléchir à la suite, à la meilleure façon d'informer la police des événements.

Je suis à moins de trente mètres de ma destination lorsqu'un bras solide s'enroule autour de ma taille, une main se plaquant contre ma bouche, étouffant mon cri.

— Tu aimes vraiment m'avoir à tes trousses, n'est-ce pas ? Grogne une voix familière à mon oreille, puis j'entends un véhicule approcher.

Je redouble d'efforts, tentant de me libérer en frappant les tibias de Peter et en griffant la main plaquée contre mon visage, mais rien n'y fait. J'entends une portière ouvrir, puis

Peter me fourre à l'intérieur, beaucoup moins doucement cette fois-ci.

— *Yezhay*, lance-t-il au chauffeur barbu, puis nous nous éloignons, en laissant la clinique et la scène du crime derrière nous.

CHAPITRE 29
PETER

— Yan et Ilya s'occupent de tout, m'informe Anton en russe alors qu'il tourne à droite sur la rue qui mène à la maison de Sara. Ils sont arrivés avant que quelqu'un ne tombe sur la scène.

— Bien.

Je jette un œil vers Sara, qui est assise près de moi sur le siège arrière, silencieuse et d'une pâleur extrême.

— Dis-leur de disposer soigneusement des restes. Nous ne voulons pas voir réapparaître des membres où que ce soit. Ils doivent aussi ramener sa voiture.

— Ils le savent.

Anton croise mon regard dans le rétroviseur.

— Que vas-tu faire d'elle ? Tu l'as vraiment terrifiée.

— Je trouverai bien.

Je suis heureux que Sara ne puisse pas comprendre nos paroles ; elle ne serait que plus horrifiée. Je n'aurais pas dû tuer ces drogués devant elle, mais ils la menaçaient de leurs couteaux et j'ai vu rouge. Je n'ai vu que le corps de Tamila, brisé et ensanglanté, et la pensée que ça aurait pu être Sara, que si je n'avais pas été là, l'un de ces vagabonds aurait pu la tuer m'a glacé le sang. Ce n'était pas une décision consciente ; j'ai agi purement par instinct. Je n'ai eu besoin que de quelques secondes pour les désarmer et leur trancher la gorge, et lorsque les corps se sont écroulés, il était trop tard.

Sara les a vus mourir.

Elle m'a vu les tuer.

— Peux-tu prendre le quart d'Ilya pour le reste de la nuit ? Demandé-je à Anton lorsque nous nous immobilisons devant la maison de Sara.

Avec les chênes imposants camouflant l'entrée et les voisins les plus proches à une bonne distance, l'endroit est joli et intime, parfait pour une telle situation. C'est dommage qu'elle vende la maison, j'en suis venu à l'aimer.

— Pas de problème, répond Anton. Je serai dans les parages. Tu resteras ici jusqu'au matin ?

— Oui.

Je regarde Sara qui fixe encore le vide, inconsciente, semble-t-il, de notre arrivée.

— Je serai à ses côtés.

En prenant la main de Sara, je lui dis dans sa langue :

— Nous y sommes, ptichka. Viens, rentrons.

Ses doigts fins sont de glace dans ma main ; elle est toujours sous le choc. Cependant, alors que je l'aide à descendre du véhicule, elle me regarde et demande d'une voix rauque :

— Et la clinique ?

— Qu'y a-t-il ?

— Ils se demanderont ce qui m'est arrivé.

— Non.

Je plonge la main dans ma poche et en sors le téléphone que j'ai pris dans son sac pendant le trajet.

— Je leur ai envoyé ceci.

Je lui montre le texto affirmant qu'elle avait une urgence à l'hôpital.

— Oh.

Elle me lance un regard perplexe.

— Tu l'as envoyé ?

J'acquiesce, remettant le téléphone dans ma poche tout en l'éloignant du véhicule.

— Tu étais un peu dans la brume pendant le trajet.

C'est un euphémisme ; une fois que je l'ai poussée dans la voiture, elle a cessé de lutter et est devenue pratiquement catatonique.

Elle bat des cils.

— Mais… les corps ?

— Tout est réglé, lui dis-je. Rien ne te reliera à cette scène. Tu es en sécurité.

Sara frissonne, alors je la pousse rapidement vers la maison, ouvrant la porte avec les clés que j'ai trouvées dans son sac plus tôt. J'ai mes propres clés, que j'ai fait faire il y a un mois, lorsque je suis revenue pour elle, mais je préfère que Sara n'en sache rien. Si elle change à nouveau ses serrures, je devrai faire le même processus une deuxième fois.

— Tiens, assieds-toi, dis-je en la guidant vers le canapé. Je vais te préparer un thé à la camomille.

— Non, je…

Elle se libère de ma poigne.

— Je dois me laver les mains.

— D'accord.

Je me rappelle qu'elle est très pointilleuse à ce sujet.

— Vas-y.

Elle tourne le coin vers la salle de bain et je me dirige vers l'évier de la cuisine pour me laver. J'ai fait attention de ne pas me trouver dans le jet de sang lorsque j'ai tranché la gorge de ces hommes, mais je trouve tout de même quelques petites taches de sang sur mes avant-bras.

Avec un peu de chance, Sara ne les a pas aperçues.

Je me lave les mains et les avant-bras, puis je mets la bouilloire électrique en marche. Lorsque l'eau bout, je prépare deux tasses de thé et les dépose sur la table. Sara n'est toujours pas de retour, alors je décide d'aller voir si tout va bien.

Une fois devant la salle de bain, je cogne à la porte.

— Tout va bien ?

Il n'y a pas de réponse, seulement le bruit de l'eau qui coule. Inquiet, j'essaie de tourner la poignée, mais elle est verrouillée.

— Sarah ?

Pas de réponse.

— Sara, ouvre la porte.

Rien.

J'inspire calmement et dis d'une voix plus douce :

— Ptichka, je sais que tu es sous le choc, mais si tu n'ouvres pas tout de suite cette porte, je n'aurai d'autre choix que de l'enfoncer.

Ou de forcer la serrure, mais je n'en dis pas plus. Enfoncer la porte sonne beaucoup plus menaçant.

L'eau s'arrête, mais la porte est toujours verrouillée.

— Sara. Tu as jusqu'à cinq. Un. Deux. Trois…

J'entends le déclic du verrou.

Soulagé, je pousse la porte… et comprends que j'avais raison de m'inquiéter. Sara est assise sur le sol, son dos contre la baignoire et ses genoux relevés contre sa poitrine. Elle ne fait pas un bruit, mais son visage est strié de larmes, et elle tremble.

Bordel. Je n'aurais vraiment pas dû les tuer devant elle.

— Sara…

Je m'agenouille à ses côtés et elle s'éloigne de moi. Ignorant sa réaction, je prends doucement son bras et l'attire dans mes bras.

— Je ne te ferai pas de mal, ptichka, murmuré-je, dans ses cheveux lorsque je sens ses tremblements s'intensifier. Tu es en sécurité avec moi.

Un sanglot étouffé lui échappe puis, un autre et un autre, soudain, elle s'agrippe à moi, ses bras fins s'enroulant autour de mon cou comme elle se met à pleurer à chaudes larmes. Je caresse son dos en des cercles apaisants alors qu'elle tremble sous l'effet des sanglots incontrôlables et elle me serre encore plus fort, enfouissant son visage contre mon cou. Je sens ses larmes, et je me souviens de ce jour où j'ai voulu la calmer après l'avoir torturée. Le souvenir me donne la nausée ; je ne peux pas m'imaginer lui faire une telle chose aujourd'hui, ne peux pas m'imaginer la blesser pour quelque raison que ce soit.

Elle n'est pas seulement une personne pour moi maintenant, elle est mon monde et je la protégerai de tout et de quiconque.

Un long moment passe avant que ses sanglots se calment, si long que mes jambes sont raides lorsque je me lève enfin et la mets doucement sur ses pieds.

— Viens, murmuré-je, en entourant son dos d'un bras rassurant alors que nous sortons de la salle de bain. Prenons un thé avant d'aller au lit. Tu dois être épuisée.

Elle renifle et murmure d'une voix rauque :

— Pas de thé.

— D'accord, pas de thé. Dans ce cas, allons nous coucher.

Je me penche pour la soulever dans mes bras.

Elle ne s'oppose pas, se contentant de poser la tête contre mon épaule et d'entourer mon cou de ses bras. Son souffle est encore saccadé après toutes ses larmes, mais elle est plus calme. Cela me plaît, tout comme la façon dont elle s'agrippe à moi. Je ne sais pas si c'est le contrecoup du traumatisme ou si je viens enfin à bout de sa résistance, mais de la sentir s'agripper ainsi à moi, sans aucune trace de peur ou de méfiance, emplit ma poitrine d'une douce chaleur qui atténue le vide glacial qui enveloppe mon cœur.

Auprès de Sara, je me sens revivre, et je désire plus de cette sensation.

CHAPITRE 30
SARA

Il est doux avec moi dans la douche, ses gestes tendres et curieusement platoniques alors qu'il me lave de la tête aux pieds. Je reste immobile ; c'est tout ce que je peux faire pour l'instant : me tenir debout. Rien ne me gêne en ce moment ni ma nudité, ni même la sienne. Maintenant que le torrent d'émotions s'est tari, je me sens vidée, un voile d'épuisement enveloppant toutes mes pensées et mes émotions. J'ai laissé derrière moi le désir, l'anxiété et la peur ; il n'existe plus que la culpabilité.

La culpabilité terrible et écrasante de savoir que deux hommes sont morts à cause de moi.

Ils sont morts parce que j'ai laissé un tueur entrer dans ma vie et que j'ai alimenté son obsession.

C'est maintenant clair, si parfaitement évident que j'ignore pourquoi je ne l'ai pas vu avant. Je suis toxique, un danger pour tous ceux qui m'entourent. Aujourd'hui, les victimes étaient deux drogués ; demain, cela pourrait être des amis ou ma famille. Personne n'est en sécurité près de moi tant que Peter me veut et toutes mes réactions n'ont fait qu'accroître son obsession.

Depuis le début, j'ai mal joué et deux hommes ont payé de leur vie mon erreur.

— Tiens, sors, m'ordonne Peter, et je sors de la douche, le laissant m'envelopper dans une épaisse serviette.

Il m'essuie avec celle-ci, me traitant à nouveau comme une enfant et je le laisse faire, trop épuisée pour faire autre chose. Et puis, toute cette situation, pleurer dans ses bras, m'agripper à lui et le laisser s'occuper de moi est parfait pour la nouvelle stratégie que je veux mettre en place.

Puisqu'il me veut, je vais le laisser m'avoir.

Ce n'est pas une stratégie particulièrement géniale, et il n'y a aucune garantie que ça fonctionne. Cela pourrait même avoir l'effet inverse. Mais à ce stade, j'ai très peu à perdre. J'ai essayé de le repousser et il est encore là, encore une menace. Je dois maintenant essayer une nouvelle approche.

Je dois lui faire perdre tout intérêt envers moi.

C'est la conversation au petit-déjeuner qui m'a donné l'idée. Et si les infirmières ont raison et que je donne l'impression d'être une « princesse de glace », une impression qui intrigue mon harceleur ? Et si, en me refusant à lui, j'alimente son envie de moi ?

Le meilleur moyen de perdre un homme est de coucher avec lui. C'est une expression stupide, mais la mère d'Andy n'est pas la seule à y croire. J'ai entendu la même chose des dizaines de fois, souvent de la part de parents d'adolescentes qui étaient tombées enceintes parce que leur famille préférait leur enseigner les valeurs de l'abstinence plutôt que celles des contraceptifs. C'est un vieux stéréotype sexiste sur la dynamique entre les hommes et les femmes, qui se fonde sur l'idée que les femmes sont comme du papier toilette, quelque chose à utiliser une seule fois avant de s'en débarrasser.

Je me suis toujours moquée de ce genre de choses, mais je sais tout de même que certains hommes agissent ainsi en pourchassant les femmes jusqu'à les avoir dans leur lit, puis en perdant rapidement tout intérêt. Mais ce n'est pas parce qu'ils croient que les femmes doivent être pures du moins généralement pas. Ils retirent tout simplement le plus de plaisir de la chasse. Ils préfèrent l'anticipation à l'aboutissement et une fois qu'ils réussissent, ils passent à autre chose, à une nouvelle proie.

J'ignore si mon harceleur entre dans cette catégorie, mais c'est possible... probable même. Il est un homme remarquablement séduisant et il est sans conteste habitué à voir les femmes s'enflammer devant son charme de mâle alpha dangereux. Je n'ai jamais rencontré quelqu'un comme lui, mais j'ai déjà perçu une partie de cette arrogance chez les athlètes universitaires populaires, les cadres de Wall Street et les chirurgiens trop payés. Les hommes comme ça, ceux au sommet de la pyramide, perçoivent toute trace de réticence comme un défi. Ils en sont intrigués et cela les rend plus enclins à poursuivre cette femme, et non l'inverse.

Si c'est le cas, et je l'espère désespérément, alors le moyen le plus facile de me débarrasser de Peter Sokolov peut être de lui donner exactement ce qu'il veut : moi consentante, dans son lit. Pour une raison quelconque, le tueur russe semble avoir fixé la limite au viol, préférant s'imposer dans ma vie, alors il me revient de lui donner le feu vert.

Si je veux mettre fin à ce cauchemar, je dois coucher de plein gré avec mon tortionnaire.

— Allez, couche-toi, m'exhorte Peter lorsque nous arrivons devant le lit.

Après avoir retiré la serviette qui m'enveloppe, il me guide doucement sous la couverture.

— Tu te sentiras mieux demain matin, c'est promis.

Une fois de plus, ses gestes sont platoniques, pratiquement cliniques, mais je sais qu'il me désire. Je vois à quel point il est dur lorsqu'il se glisse sous la couverture à mes côtés, je sens la tension qui l'habite pendant qu'il éteint les lumières et m'attire dans ses bras, contre son corps chaud, dans la même position familière.

Il me désire, mais il ne me prendra pas… pas tant que je ne lui donnerai pas mon accord.

Je reste immobile quelques instants, tentant de me convaincre de le faire. Mon estomac semble être le champ de bataille d'un raton laveur et d'un hamster, et l'épuisement me fait l'effet d'une chape étouffant mon esprit. Avec mes yeux rougis et mon mal de tête après toutes ces larmes, la dernière chose que je veux est du sexe, mais c'est peut-être mieux ainsi.

Je me sentirai peut-être moins lamentable si je n'y prends pas de plaisir.

Prenant mon courage en main, je bouge légèrement, approchant mes fesses du sexe de Peter. Il se fige, la respiration laborieuse, et je répète mon geste, me frottant contre lui alors que je bouge sous le prétexte de me mettre plus à l'aise. Avec son bras musclé entourant ma taille, j'ai une amplitude de mouvements très limitée, mais ça ne change rien. Nous sommes tous deux nus et le plus léger effleurement de sa peau contre la mienne est électrifiant, si empli de sensations que chacune de mes terminaisons nerveuses est en alerte. Je ne vois rien dans l'obscurité totale de la chambre, mais je peux sentir la rugosité des poils de ses jambes contre l'arrière de mes cuisses, humer son odeur de mâle propre, et ma propre respiration s'accélère, mon cœur battant furieusement dans ma poitrine alors que son érection se fait encore plus pressante contre mes fesses comme le canon d'un fusil.

C'est ça, allez. Ignorant l'anxiété qui serre ma gorge, je bouge un peu plus mes hanches. Je n'ai pas la force de me retourner et de l'étreindre, mais peut-être qu'avec un peu d'encouragement, il perdra le contrôle et se laissera aller. Je ne protesterai pas, je ne ferai rien pour l'arrêter. Je le laisserai me prendre, je prétendrai même y prendre un peu goût, pour ne pas présenter un défi à ce niveau. Je vais rester là et l'accepter, puis ce sera fini.

Je serai une prise consentante, mais ennuyeuse, et il se fatiguera de moi.

C'est le plan, du moins, mais alors que je continue de me mouvoir, je réalise qu'une partie de mon épuisement s'estompe pour être remplacé par une moiteur chaude entre mes cuisses. Avec l'obscurité qui dissimule tout, il est facile de prétendre que rien n'est réel, que je suis dans l'un de mes rêves tordus.

— Sara, ptichka…

Son murmure rauque semble tendu.

— Si tu veux dormir, je te conseille d'arrêter de bouger.

Je me fige un instant, puis lentement et délibérément, je bouge à nouveau contre lui.

— Et si…

J'humecte mes lèvres sèches.

— Et si je ne veux pas dormir ?

Le corps de Peter se pétrifie derrière moi, son bras se resserrant sur ma taille. Pendant un court moment irrationnel, j'ai peur qu'il ne me refuse, que malgré tous les signes il ne me désire pas réellement, mais je me retrouve alors sur le dos, son corps écrasant le mien, avant que la lampe de chevet ne s'allume.

Je cligne des yeux, momentanément aveuglée par la lumière et, comme son visage se précise, je remarque ses yeux gris plissés, sa mâchoire serrée alors qu'il se tient sur un coude. Il semble furieux et, pendant une seconde horrible, je me demande si je n'ai pas mal interprété toute la chose, si j'ai fait une terrible erreur.

— Est-ce un jeu, Sara ?

Sa voix est basse et dure, son accent plus prononcé que d'ordinaire comme il se saisit de mes poignets et les coince sur l'oreiller au-dessus de ma tête d'une seule main.

— Tu veux savoir jusqu'où tu peux me pousser?

Je le fixe du regard, mon corps parcouru d'un sombre fourmillement. Ça ressemble tant à mes rêves que ça en est troublant. Mais, c'est différent aussi. Mon souvenir embrumé lui avait conféré des traits cruels et rudes, plus un monstre qu'un homme, mais c'était faux. Il n'y a rien de monstrueux dans le visage magnifiquement fatal qui m'observe. Les rêves avaient sous-estimé la force de son charme magnétique, omis la douceur sensuelle de ses lèvres, l'arête noble de son nez, la façon dont ses épais sourcils foncés se froncent au-dessus de ces yeux métalliques intenses... Il est magnifique, mon harceleur terrifiant, et étendue là, clouée sous son corps chaud et solide, je sens le fourmillement sombre s'intensifier jusqu'à se transformer en quelque chose de dangereux et d'interdit. Mes mamelons se durcissent et une vague de chaleur m'inonde, mes muscles intimes se contractant sous l'afflux d'un besoin douloureux.

Je ne désire pas cet homme. Je ne peux *pas* le désirer. Et pourtant, tout en me disant ces mots, je sais que c'est un mensonge, une imposture issue d'une douce illusion. Peu importe ce qui a attiré Peter vers moi, c'est réciproque, la force de l'attirance entre nous aussi grande qu'irrationnelle. Je le désire. Plus encore, j'ai *besoin* de lui. Mon corps se fiche du fait qu'il a tué deux personnes devant moi, que je le déteste de toute mon âme. Ses caresses ne me révulsent pas, elles m'excitent. Mon désir est alimenté par l'intimité qu'il m'a imposée au cours des derniers jours et par le plaisir tordu que j'ai connu dans ses bras.

Par la tendresse contre nature et perverse qui n'a pas sa place dans notre relation violente.

Il attend toujours ma réponse, les yeux plissés, et je sais que je pourrais faire marche arrière, prétendre que ce n'est qu'un malentendu. Mais dans ce cas, il continuera de me suivre, sapant ma résistance jour après jour jusqu'à ce que je cède, et dans l'intervalle, tous ceux autour de moi seront en danger.

— Ce n'est pas un jeu, murmuré-je dans le silence tendu. Les préservatifs sont dans le tiroir de la table de chevet.

Il inspire, ses doigts se resserrant autour de mes poignets et je vois le moment exact où il saisit ce que je veux dire. Ses narines frémissent, ses pupilles se dilatent, la fureur sur ses traits se transformant en une faim sombre et sauvage. Il ouvre le tiroir de sa main libre, en sort un emballage en aluminium, l'ouvre d'un coup de dent et glisse le préservatif le long de son imposant sexe tendu.

Mon cœur s'emballe, l'anxiété serrant ma poitrine, mais il est trop tard.

Abaissant la tête, Peter se saisit de mes lèvres.

CHAPITRE 31
SARA

Je ne sais pas pourquoi, mais je ne m'attendais pas à ce qu'il m'embrasse, à ce qu'il place sa bouche sur la mienne et qu'il me dévore comme s'il était affamé. Parce que c'est l'impression que j'ai : comme s'il me dévore, s'emparant de mon essence, de mon âme même. Ses lèvres et sa langue ravagent ma bouche, me coupant le souffle. Sa main libre est enfouie dans ma chevelure, m'immobilisant tout au long de ce baiser vorace, et j'ai toutes les peines du monde à ne pas fondre sur les draps. Parce qu'il ne se contente pas de prendre ; il donne. Il me donne tant de plaisir que je suis submergée par celui-ci, dépassée par son goût, son odeur et son contact.

Il m'embrasse jusqu'à me laisser brûlante, jusqu'à être incapable de me rappeler autre chose que ses lèvres sur les miennes, son souffle chaud et mentholé contre ma peau. Jusqu'à ce que toute pensée de qui nous sommes, s'envole.

Je me retrouve alors arquée contre lui, abrutie par le plaisir, prête à tout pour son contact, pour ce plaisir étourdissant et brûlant. Je ne sens plus mes doigts sous la force de sa poigne, et son corps est lourd contre le mien, mais je veux plus.

Je veux me perdre dans cette étreinte impitoyable, me dissoudre en lui et disparaître.

Il relâche mes lèvres pour laisser une traînée de baisers brûlants sur mon visage et mon cou, et j'ai le souffle court, le cœur qui bat la chamade et la chair de poule sous l'effet de ce plaisir électrifiant. À chacune de mes inspirations, la pointe de mes seins frotte contre son torse musclé et l'intérieur de mes cuisses est moite d'excitation, mon corps se préparant pour lui, pour cet acte que je ne devrais pas vouloir, que je ne devrais pas désirer avec une telle intensité.

La respiration saccadée, il soulève la tête et je vois une faim identique dans son regard d'argent, un besoin sombre mêlé à quelque chose d'étonnamment possessif. Sa main lâche mes cheveux et descend le long de mon corps, caressant mes seins.

— Sara…

Il souffle mon nom d'une voix rauque alors que son pouce caresse mon mamelon sensible.

— Tu es si belle, ptichka… tout ce dont j'ai rêvé et bien plus.

Ses mots passionnés me transpercent, m'emplissant d'une chaleur qui descend jusqu'à mon entrejambe, et déclenchent des signaux d'alarme dans mon esprit. Ça ressemble trop à l'aboutissement d'une histoire d'amour et, alors que son genou écarte mes cuisses, la brume sensuelle qui pèse sur moi se dissipe un moment. Dans un sursaut de lucidité, je comprends ce qui se passe et l'horreur éteint mon désir.

Qu'est-ce que je fais ? Comment puis-je y prendre un tant soit peu de plaisir ? C'est une chose de supporter stoïquement les caresses d'un monstre pour sauver mon sort, mais de le désirer… de le laisser agir comme si nous étions amants, c'est malsain et complètement cinglé. Même avec mes poignets retenus, il ne sert à rien de prétendre que je ne suis pas consentante, que mon corps ne le désire pas de la façon la plus perverse.

Son sexe large frôle mes plis et mon souffle se fait court, mes muscles se raidissant sous l'effet d'une panique soudaine. Je ne peux pas… pas ainsi. Ça ressemble trop à des ébats amoureux. Il me regarde toujours, ses yeux gris emplis d'une chaleur brûlante, et je sais que je dois lui dire d'arrêter, mettre fin à…

Il entre en moi en une seule poussée et j'oublie ce que j'étais sur le point de dire. J'oublie tout ce qui n'est pas la sensation brutale et cruelle de son sexe plongeant dans mon corps. Sa rigidité intransigeante écarte des tissus intimes serrés et, malgré mon excitation, je sens un picotement brûlant alors qu'il plonge plus profondément, ignorant la résistance des muscles contractés. Je n'ai pas eu de rapports depuis longtemps et il est imposant, à la fois plus large et plus long que George. Mon cœur bat violemment dans ma poitrine alors que mon corps cède avec réticence à cette pénétration brutale et, avec un mélange de déception et de soulagement amer, je réalise que mes peurs étaient sans fondement.

Ça n'a rien à voir avec des ébats amoureux.

Lorsqu'il est pleinement enfoui en moi, il s'arrête, ses yeux brillent d'une faim sombre et un autre genre de tension envahit mon corps, chassant la dernière trace d'excitation indésirable et raffermissant ma détermination. Le charme sensuel de ses traits est toujours là, mais je vois maintenant le monstre sous le visage séduisant, le tueur qui m'a torturée et a détruit ma vie. Il n'y a plus de doutes sur mes sentiments, plus d'ambivalence de tout genre. Mon harceleur, l'homme que je déteste, abuse de mon corps, et j'en suis heureuse. Je suis heureuse, car sa cruauté me blesse moins que sa tendresse, son caractère impitoyable m'effraie moins que sa compassion.

Prenant une inspiration profonde, je me prépare à endurer un rythme dur et brutal, mais il ne bouge pas. Son visage est crispé de désir, son corps si tendu qu'il en vibre, mais il ne bouge pas et je réalise qu'il a remarqué mon inconfort et qu'il me donne le temps de m'habituer.

À sa manière, il essaie d'être doux, ce qui est la dernière chose que je veux.

Rassemblant mon courage, je passe la langue sur mes lèvres et regarde la faim dans son regard s'intensifier.

— Vas-y, murmuré-je, en contractant mes muscles intimes.

Je le sens palpiter en moi, dur, fort et dangereux.

— Bordel, vas-y.

Il me fixe du regard et je sens la lutte, du monstre contre l'homme. Je ne suis pas la seule avec des émotions mitigées. Il y a une part de Peter qui me déteste aussi, qui voit en moi un rappel de sa tragédie. Il me veut, mais il

ANNA ZAIRES

veut aussi me blesser, me faire payer le sort de sa femme et de son fils. Il ne le réalise peut-être pas, mais je le sais. Je le sens. Notre relation a été forgée dans la souffrance et le deuil, notre intimité est née de la torture. Il n'y a rien de normal dans son attirance ; elle est aussi tordue que ma propre réaction.

Sa vengeance est ce qui nous lie et aucune douceur ne peut changer ce fait.

Je vois le moment exact où le monstre commence à gagner du terrain. La mâchoire de Peter se crispe alors qu'il se retire un peu avant de plonger en moi avec force.

— Est-ce ce que tu veux de moi ?

Sa voix est basse et dure, ses yeux gris s'emplissant d'une noirceur croissante. Il bouge les hanches et je halète alors qu'il m'empale davantage, sa main se resserrant autour de mes poignets.

— Dis-moi, Sara. Est-ce ce que tu veux ?

Je peux encore dire non, laisser l'homme contenir la bête, mais j'ai choisi ma voie et je ne ferai pas marche arrière. Ce dernier acte de vengeance est peut-être ce dont nous avons besoin, le châtiment nécessaire à mon absolution.

S'il déchaîne ses ténèbres sur moi, nous pourrons peut-être enfin être libres.

— Oui, je murmure tout en me préparant. C'est précisément ce que je veux.

CHAPITRE 32
PETER

Je ne sais pas ce que j'attendais, mais lorsque je croise le regard noisette de Sara et y vois la haine, tous mes fantasmes volent en éclat, les mensonges que je me suis racontés s'évaporant à la lumière hostile de la vérité. Son corps réagit peut-être à ma présence, mais je suis encore son ennemi, tout comme elle est la mienne. Même enveloppé par la moiteur de son sexe, je sens que le désir qui pulse dans mes veines est teinté de violence, mon désir d'elle plus sombre que tout ce que j'ai connu.

Je ne veux pas seulement la posséder, je veux la déchirer, me venger sur sa chair délicate.

— Sara...

Je m'agrippe aux vestiges de ma raison en cherchant quelque chose à quoi me retenir alors qu'une vague déferle sur moi, le coup vicieux du désir minant mon sang-froid.

— Tu ne sais pas ce que tu...

— Bordel, vas-y, murmure-t-elle à nouveau, soutenant mon regard d'un air de défi, et le dernier fil de ma maîtrise se brise.

Avec un grognement sourd, je me retire et plonge en elle, remarquant à peine la façon dont son sexe se contracte en une résistance paniquée, les tissus intimes sensibles s'écartant sous mon assaut. Elle est moite, mais étroite, presque autant qu'une vierge, et même sous l'emprise de la passion, je réalise ce que cela signifie.

Elle n'a pas eu de sexe depuis un moment, certainement depuis son mari.

L'homme dont l'arrogance a tué mon fils.

Mon désir se fait encore plus obscur, alimenté par une rage née de la souffrance et je baisse la tête, écrasant les lèvres de Sara sous les miennes. Seulement cette fois-ci, je ne me retiens pas et le baiser est brutal et sauvage, aussi violent que les émotions qui me déchirent. Ses lèvres délicieuses, son odeur suave, la texture soyeuse et humide de sa bouche, tout cela me rend fou et je découvre le goût cuivré de son sang lorsque mes dents s'enfoncent dans sa lèvre inférieure, rompant la peau tendre. Ça devrait m'arrêter, ou du moins me faire hésiter, mais cela ne fait qu'attiser mon appétit. C'est ce dont j'ai besoin : sa douleur, sa souffrance. C'est comme si un inconnu s'était emparé de mon corps, déformant mon envie d'elle en un besoin de punir, de lui faire payer les péchés de son mari. Posséder Sara ainsi est à la fois paradisiaque et infernal, le plaisir violent de la prendre se mêlant à l'amertume de ne pas avoir tenu ma promesse.

Je fais souffrir la femme que je voulais guérir, celle qui me fait sentir vivant.

Je ne sais pas si c'est cette réalisation ou les larmes que je vois sur son visage lorsque je soulève la tête, mais la vague de rage s'estompe, le voile rouge se dissipant alors même que mon excitation atteint un nouveau sommet. Mes testicules se contractent, la tension précédant l'orgasme s'enroulant à la base de ma colonne, pourtant je deviens douloureusement conscient de la finesse de ses poignets dans ma poigne… et de la raideur terrifiée de son corps alors que je viole sa peau soyeuse.

Ses yeux soutiennent mon regard, et j'y vois de la douleur, mêlée à une satisfaction perverse. Je rends les choses faciles pour elle, alimentant le brasier de sa haine. C'est ce qu'elle attendait depuis le début, ce qu'elle craignait et souhaitait à la fois.

Après ce soir, je ne serai jamais rien d'autre que l'homme qui l'a blessée, qui a abusé d'elle de la façon la plus cruelle.

Non. Bordel, non. Je serre les dents et me force à arrêter, luttant contre la montée de l'orgasme. Relâchant ses poignets, je me retire et descends le long de son corps, en ignorant la rigidité atroce de mon membre. M'installant entre ses cuisses ouvertes, j'agrippe ses genoux et baisse la tête.

— Qu'est-ce que tu… commence-t-elle confuse, mais je lèche déjà son sexe, passant la langue entre ses replis roses et enflés.

Elle est moite, mais pas assez, alors je me mets à la tâche, utilisant toutes les techniques que j'ai apprises au cours de mes trente-cinq ans de vie.

— Attends, Peter, non…

Elle fait mine de se relever, en tentant de me repousser comme je passe ma langue sur son clitoris et, lorsqu'elle n'y parvient pas, elle tente de refermer ses jambes.

— Ce n'est pas…

— Chut.

J'utilise ma poigne sur ses genoux pour maintenir ses cuisses ouvertes.

— Couche-toi et détends-toi.

— Non, je…

Elle étouffe un cri, agrippant mes cheveux, alors que j'aspire son clitoris en un rythme soutenu et la tension dans ses jambes faiblit, son souffle se faisant haletant. Je peux sentir la moiteur sous ma langue et je profite de sa distraction pour approcher ma main droite de son sexe.

— C'est bien, ptichka, détends-toi…

Je souffle sur son clitoris et je suis récompensé par un doux gémissement, juste avant que ses cuisses se tendent à nouveau. Elle essaie de résister, de rejeter le plaisir, mais mon coude est déjà en place, l'empêchant d'écraser ma tête entre ses jambes. Elle respire avec force maintenant, ses mains se resserrant dans mes cheveux alors que je recommence à aspirer son clitoris et je plonge deux doigts dans son ouverture moite et étroite, les courbant en elle jusqu'à sentir la paroi douce et spongieuse de son point G. Son sexe se contracte avec force, palpitant autour de mes doigts et ses hanches s'arc-boutent comme j'intensifie la succion. Elle est proche, je le sens. Mon cœur bat la chamade, mon souffle est rapide et la sensation intense dans mes testicules se fait insoutenable, mais je me retiens, jusqu'à être sûr qu'elle est au bord du précipice. Seulement alors, je me laisse aller à mon propre désir.

En retirant mes doigts, je remonte pour la couvrir de mon corps et aligne mon membre contre son ouverture enflée.

— Jouis avec moi, dis-je d'une voix rauque, en soutenant son regard comme je la pénètre d'une seule poussée, et son corps m'obéit, sa chair étroite et moite se refermant autour de moi, palpitant contre mon sexe alors que l'orgasme me frappe.

Son magnifique regard se fait doux et lointain, son visage crispé sous l'effet de l'orgasme, et ses doigts s'enfoncent dans ma peau, un cri étranglé s'échappant de sa gorge alors que ma semence jaillit. La sensation est telle que j'ai l'impression que chaque muscle de mon corps vibre en même temps, mes poumons se vidant d'un coup alors que le plaisir explose en moi en des vagues brûlantes et, comme je m'affaisse sur elle, je sais que ça y est.

Je ne désirerai jamais plus une autre femme.

J'ignore combien de temps passe avant que je trouve la force de me soulever sur mes coudes, mais Sara est déjà suffisamment remise pour réaliser ce qui vient d'arriver et l'horreur emplit son regard. Comme moi, elle respire avec force, ses joues rougies par l'éclat de l'orgasme, mais il n'y a aucune joie dans son regard, seulement l'étincelle vive des larmes.

Elle le regrette et se reproche les événements et je ne l'accepterai pas.

— Non.

Je baisse la tête et embrasse ses joues, alors que les larmes coulent le long de ses tempes.

— Non, ptichka. Ne te sens pas mal. Tu n'as rien fait de mal. C'est moi. Je t'ai fait mal, tu te souviens ? Je ne t'ai laissé aucun choix.

Son souffle tremble sur ses lèvres alors que je laisse une pluie de baisers sur son visage, et je la sens trembler sous moi, ses mains se tordant dans les draps et les larmes ruisselant à nouveau. Je suis toujours en elle, mon sexe comblé toujours enfoncé dans sa chaleur, et pourtant, elle essaie de ne pas me toucher, de se recroqueviller sur elle-même et de rejeter ce lien entre nous.

Je voulais sa souffrance et je l'ai... et ça me brise le cœur.

Je ne sais que faire, comment la calmer, alors je continue de l'embrasser, la caressant avec toute la douceur possible. La soif de vengeance n'est plus et tout ce qui reste est le regret. Je suis encore une fois la cause de sa souffrance, et cette fois-ci, c'est bien pire. Cette fois-ci, je la connais.

Je la connais, et ça m'affecte.

Elle pleure encore lorsque je me retire et me lève pour jeter le préservatif dans la salle de bain. Lorsque je reviens avec une serviette humide, je la trouve recroquevillée sur le côté, la couverture remontée jusqu'au cou.

— Tiens, laisse-moi te laver, je murmure tout en retirant la couverture qui couvre son corps nu.

Comme elle ne proteste pas, je glisse la serviette sur son entrejambe, apaisant la chair sensible et enflée, et faisant disparaître toute trace de son désir. Elle ne pleure plus, mais ses yeux sont toujours humides et, dès que j'ai terminé, elle se blottit à nouveau sous la couverture, se cachant la tête sous celle-ci.

Je suis sur le point de m'installer dans le lit près d'elle lorsque j'entends la vibration de mon téléphone sur la table de chevet, où je l'ai laissé en cas d'urgence.

Les sourcils froncés, je l'attrape et jette un œil sur l'écran

Changement de projet, dit le message d'Anton. *Velazquez part pour sa retraite de Guadalajara dans deux jours. C'est demain ou jamais.*

Je jure dans ma barbe, me retenant de lancer le téléphone à l'autre bout de la pièce. De tous les pires moments... Nous venons tout juste de terminer tous les détails de logistique de notre plan et avons décidé de le mettre en action dans six jours. Mais si notre cible change d'emplacement, nous devrons tout recommencer. La reconnaissance de la retraite de Velazquez à Guadalajara pourrait prendre des semaines et notre client, un rival, est déjà agité. Il veut Velazquez, hors d'état de nuire et il le veut pour hier. Il ne verra pas d'un bon œil tout retard.

Anton a raison. Nous devons agir maintenant.

Je lui envoie ma réponse :

Prépare l'avion et le matériel. Nous partons au petit matin.

C'est noté, me répond Anton. *Je suppose que tu veux que les Américains s'occupent d'elle ?*

Oui. Dis-leur de rester près de la clinique.

La dernière fois que mon équipe et moi avons quitté le pays pour un boulot, j'ai embauché quelques personnes du coin pour surveiller Sara en notre absence et pour me rapporter tous ses gestes. Je les ai passés à la loupe et, même si je ne leur fais pas confiance autant qu'à mes gars, j'ai été satisfait de leurs services.

Ils devraient pouvoir la protéger pendant mon absence.

Après avoir réglé mon alarme pour dans quatre heures, je me glisse sous la couverture près de Sara et l'attire dans mes bras, mon corps se blottissant contre son dos. Elle se crispe, mais ne s'éloigne pas et, comme je ferme les yeux, humant son parfum, un sentiment de paix m'envahit.

Rien n'est résolu entre nous, mais je ne sais pourquoi, je suis convaincu que tout ira bien et que nous mènerons à bien cette relation, peu importe ce que cette « relation » deviendra. C'est la seule issue, car je ne peux imaginer ma vie sans elle.

Sara m'appartient, et je mourrai avant de la laisser partir.

CHAPITRE 33

*U*n bourdonnement persistant me tire d'un sommeil profond. Pendant une seconde, je suis si désorientée que j'ai l'impression d'être encore au milieu de la nuit.

En roulant sur le côté, je tâtonne aveuglément à la recherche du téléphone qui vibre.

— Allô, dis-je d'une voix rauque, en l'attrapant sur la table de chevet sans ouvrir les yeux.

Mes paupières semblent collées et ma tête est si lourde que j'ai peine à la soulever de l'oreiller.

— Dr Cobakis, nous avons une patiente dont le travail s'est déclenché prématurément. Dr Tomlinson a été appelé pour des raisons familiales et vous êtes la prochaine sur la liste. Pouvez-vous arriver rapidement ?

Je m'assieds, une flambée d'adrénaline repoussant le pire de ma somnolence.

— Euh…

Je cligne des yeux pour en chasser le sommeil et réalise que le soleil filtre à travers les rideaux. Le réveil près du lit indique six heures quarante-cinq, moins d'une heure avant le moment où je dois me lever pour le travail de toute façon.

— Oui. Je peux être là dans environ une heure.

— Merci.

À la seconde même où la coordonnatrice des horaires raccroche, je saute du lit pour m'élancer vers la douche, et me fige en sentant la sensibilité de mon corps. Les souvenirs de la nuit m'envahissent, brûlants et toxiques, et tout vestige de torpeur me quitte.

J'ai couché avec Peter Sokolov la nuit dernière.

Il m'a fait souffrir et j'ai joui dans ses bras.

Pendant un moment, ces deux faits semblent incompatibles, comme une tempête de neige en juillet. Je n'ai jamais été attirée par la douleur, au contraire. Les quelques fois que George et moi nous y sommes essayés, la légère fessée qu'il m'a donnée m'a distraite de mon orgasme plutôt que de m'exciter. Je ne comprends pas comment j'ai pu jouir après du sexe aussi brutal, comment ai-je pu prendre du plaisir alors que mon corps me semblait déchiré et malmené ?

Et cet orgasme n'a pas été le seul. Mon bourreau m'a réveillée au milieu de la nuit en me pénétrant, ses doigts caressant avec art mon clitoris et, malgré ma sensibilité, j'ai joui en quelques minutes, mon corps lui répondant alors même que mon esprit poussait des cris de protestation. Par la suite, j'ai pleuré jusqu'à m'endormir et il m'a serrée contre lui, caressant mon dos comme s'il se faisait du souci.

Pas étonnant que je me sente aussi sonnée ; avec tout le sexe et les pleurs, je n'ai dormi que quelques heures.

En tentant de chasser la boule de honte dans ma gorge, je me force à me reprendre. Je dois m'habiller et me rendre à l'hôpital. Peu importe comment je me sens en ce moment, ma vie ne s'est pas arrêtée hier soir. J'ignore si j'ai bien fait d'encourager Peter à coucher avec moi, mais ce qui est fait est fait et je dois aller de l'avant.

La bonne nouvelle est que je n'ai pas à le voir avant ce soir.

D'ici là, l'idée de le voir ne me donnera peut-être plus l'envie de mourir.

Le jour passe en une succession de tâches et, lorsque j'arrive enfin chez moi, je me sens à la fois épuisée et affamée. J'ai été si occupée que j'aie sauté le déjeuner et bien que je redoute une autre nuit auprès de mon harceleur, je dois admettre que je me réjouis à l'idée de sa cuisine.

Peter Sokolov est peut-être un psychopathe, mais c'est un excellent chef.

À ma grande surprise, et avec un peu de déception, aucun arôme délicieux ne m'accueille lorsque j'entre par le garage. La maison est sombre et vide et je sais, sans devoir passer d'une pièce à l'autre, qu'il n'est pas là. Je le sens. Ma maison semble plus froide, moins vibrante, comme si l'énergie sombre que Peter Sokolov dégage lui donne une certaine vitalité.

Je lance tout de même un :

— Allô ? Peter ?

Rien.

— Es-tu là ?

Aucune réponse.

Mon plan a-t-il fonctionné aussi rapidement ? Est-ce possible qu'une seule nuit ait satisfait le désir pervers de mon harceleur ?

Perplexe, je me dirige vers le réfrigérateur et en sors un dîner congelé que je glisse dans le four à micro-ondes. C'est un plat santé et biologique, des nouilles thaïes et des légumes dans une sauce pas trop sucrée, pourtant c'est tout de même un repas dans une boîte. Dommage que ce soit la seule chose pour laquelle j'ai de l'énergie ce soir. J'aurais dû prendre quelque chose à la cafétéria de l'hôpital, mais je crois que je comptais inconsciemment sur un repas chez moi.

En secouant la tête devant le ridicule de toute cette situation, je mets le four à micro-ondes en marche et pars me laver les mains.

Mon tortionnaire est parti et c'est une bonne chose.

Il ne me reste plus qu'à convaincre mon estomac de ce fait.

———————

Il n'est toujours pas là lorsque je m'éveille et, même si j'ai la vague sensation d'être observée en chemin vers le travail, je ne vois personne qui me suit. C'est la même chose lorsque j'arrive à l'hôpital et que je commence ma journée. Je suis assez paranoïaque pour sentir un regard sur moi en tout temps, mais la sensation est loin d'être aussi intense qu'elle l'était.

Si je ne savais pas que j'ai réellement un harceleur, je croirais que tout cela est le fruit de mon imagination.

Mes parents m'appellent pendant mon heure de déjeuner et m'invitent à dîner vendredi. Je leur donne une réponse vague ; je ne veux pas plus les exposer au danger. Puis, j'appelle la clinique.

— Salut, Lydia, comment ça va ? fais-je, en tentant de cacher ma nervosité. Comment se passent les choses ?

— Bonjour, Dr Cobakis.

La voix de la réceptionniste se fait très chaleureuse.

— C'est bon d'avoir de tes nouvelles. Tout va bien. Ce n'est pas trop occupé pour l'instant, mais ça changera probablement cet après-midi. Crois-tu pouvoir travailler cette semaine ?

— Oui, je crois bien. Euh, Lydia…

J'hésite, incertaine de la façon de me renseigner sur ce qui me préoccupe. Je n'ai rien vu aux nouvelles sur les meurtres, mais ça ne veut pas dire que les corps n'ont pas été trouvés.

— Tu n'as rien vu ou entendu de… d'insolite, dis-moi ?

— Insolite ?

Lydia semble perplexe.

— Comme quoi ?

— Oh, rien de particulier.

Pour donner le change, j'ajoute :

— Je pensais seulement à cette patiente, Monica Jackson… Tu n'as pas de nouvelles d'elle ? La jeune fille aux cheveux noirs que j'ai vue hier ?

À mon étonnement, Lydia répond :

— Oh, elle. Oui, en fait. Elle est passée il y a quelques heures et elle t'a laissé un message. Quelque chose comme « merci et il est maintenant sous les verrous ». Elle n'a rien expliqué, m'a seulement dit que tu comprendrais. Tu y comprends quelque chose ?

— Oui.

Malgré ma tension, un énorme sourire étire mes lèvres.

— Oui, je comprends tout à fait. Merci pour l'information. Je te vois plus tard cette semaine.

Je raccroche, le sourire encore aux lèvres puis, je pars me préparer pour ma césarienne de l'après-midi.

J'ignore comment Peter a fait disparaître les preuves de son crime, mais il l'a fait et, maintenant, il semble que quelque chose de bien soit ressorti de cette soirée sinistre.

Il n'y a peut-être pas d'échappatoire pour moi, mais Monica est libre.

Ma maison est à nouveau sombre et vide lorsque j'arrive ce soir-là et, alors que je me prépare pour me coucher, je prends conscience d'une mélancolie particulière. Avoir Peter chez moi était terrifiant, mais il était tout de même une présence humaine. Je suis à nouveau seule, comme je l'ai été au cours des deux dernières années, et la sensation de solitude est plus forte que jamais, mon lit plus froid et plus vide que je ne m'en souviens.

Je devrais peut-être adopter un chien. Un gros chien que je gâterais en le laissant dormir avec moi. J'aurais ainsi quelqu'un qui m'accueillerait chaque soir et je ne me languirais pas de quelque chose d'aussi pervers que le tueur de mon mari m'étreignant chaque nuit.

Oui, je vais adopter un chien, décidé-je, en m'installant dans le lit et en tirant la couverture sur moi. Une fois la maison vendue, je louerai un endroit plus près de l'hôpital en m'assurant que les chiens y sont acceptés… peut-être près d'un parc.

Un chien me donnera ce dont j'ai besoin et je serai à même d'oublier Peter Sokolov.

Du moins, en supposant qu'il m'a oubliée.

CHAPITRE 34
SARA

Lundi, je suis presque convaincue que Peter est parti pour de bon. Pendant le week-end, j'ai passé toute ma maison au peigne fin pour trouver ses caméras cachées, mais elles ont soit toutes été enlevées ou bien elles sont cachées d'une telle façon qu'un amateur comme moi n'a aucune chance de les dénicher. Ou bien, elles ne s'y sont jamais trouvées et mon harceleur a appris tout ce qu'il savait d'une autre façon. Dans tous les cas, je n'ai eu aucun signe de lui, aucun contact. J'ai passé la majorité du week-end à la clinique et, même si j'ai senti un regard peser sur moi en me rendant à ma voiture, ce pouvait être les vestiges de ma paranoïa.

Mon cauchemar est peut-être enfin terminé.

C'est stupide, mais savoir que j'ai chassé Peter en couchant avec lui me blesse un peu. J'avais espéré qu'une fois que je ne serais plus la « princesse de glace » inatteignable, il me laisserait tranquille, mais je ne m'attendais pas à des résultats aussi immédiats. Peut-être suis-je mauvaise au lit ? Je dois l'être, si Peter n'a eu besoin que d'une fois pour réaliser que je ne serais jamais à la hauteur de son fantasme.

Après m'avoir harcelée pendant des semaines, mon tortionnaire m'a abandonnée après une seule nuit.

C'est une bonne chose, bien sûr. Il n'y a plus de dîners, plus de douches où je suis traitée comme une enfant. Plus de tueurs dangereux m'étreignant pendant la nuit, semant la pagaille dans mes idées et séduisant mon corps. Mes journées sont identiques à celles des derniers mois, mais je me sens plus forte, moins brisée à l'intérieur. Confronter la source de mes cauchemars a fait plus pour ma santé mentale que des mois de thérapie, et je ne peux qu'être reconnaissante de cette situation.

Même avec la honte qui me ronge chaque fois que je pense aux orgasmes qu'il m'a donnés, je me sens mieux, un peu plus comme avant.

— Alors, dis-moi comment tu vas, Sara, dit Dr Evans lorsque je retourne enfin le voir après ses vacances.

Il est bronzé et son visage mince rayonne pour une fois de santé.

— Comment s'est passée ta visite libre ?

— Mon agent immobilier a reçu deux offres, réponds-je, en croisant les jambes.

Pour une raison que j'ignore, je me sens mal à l'aise ici aujourd'hui, comme si je n'y avais plus ma place. En repoussant cette sensation, je précise :

— Elles sont toutes deux plus basses que j'aimerais, alors nous tentons de faire monter le prix.

— Oh, bien. Donc, il y a un peu de progrès sur ce plan-là.

Il penche la tête.

— Et peut-être à d'autres niveaux ?

J'acquiesce, pas surprise par la perspicacité du thérapeute.

— Oui, ma paranoïa s'est calmée et mes cauchemars aussi. J'ai même réussi à ouvrir l'eau de l'évier de la cuisine samedi.

— Vraiment ?

Il hausse les sourcils.

— C'est une excellente nouvelle. Quelque chose de particulier a déclenché ce changement ?

Oh, tu sais, seulement le fait que l'homme qui m'a torturée et a tué mon mari soit réapparu dans ma vie.

— Je ne sais pas, dis-je, en haussant les épaules. Peut-être que c'est le temps. Ça fait presque sept mois.

— Oui, dit Dr Evans, doucement. Mais n'oublie pas que ce n'est pas beaucoup de temps dans l'optique de la douleur humaine et du SSPT.

— Oui.

Je baisse les yeux vers mes mains et remarque une cuticule sur mon pouce gauche. Il serait peut-être temps d'aller voir une manucure.

— Je suppose que je suis chanceuse, alors.

— En effet.

Lorsque je lève les yeux, Dr Evans m'observe avec cette même expression pensive.

— Comment va ta vie sociale ? demande-t-il et, je sens une rougeur subite envahir mon visage.

— Je vois, dit D'r Evans, lorsque je ne réponds pas immédiatement. Aimerais-tu en parler ?

— Non, ce… ce n'est rien.

Mon visage me brûle encore plus lorsqu'il me lance un regard incrédule. Je ne peux pas lui parler de Peter, alors je cherche une réponse plausible.

— Je veux dire, je suis bien sortie il y a quelques semaines avec quelques collègues et j'ai passé un bon moment…

— Ah.

Il semble accepter ma réponse.

— Et comment t'es-tu sentie, de « passer un bon moment » ?

— Je me suis sentie… bien.

Je me revois danser dans le club, le rythme de la musique m'envahissant.

— Je me suis sentie vivante.

— Excellent.

D'r Evans prend quelques notes.

— Es-tu sortie à nouveau depuis ?

— Non, je n'en ai pas eu l'occasion.

C'est faux… j'aurais pu sortir avec Marsha et les filles samedi dernier, mais je ne peux pas expliquer au thérapeute que j'essaie de protéger mes amies en minimisant tout contact avec elles. Le secret professionnel a ses limites et divulguer que j'ai eu des contacts avec un criminel recherché, et que j'ai été témoin de deux meurtres la semaine dernière pourrait amener D'r Evans à communiquer avec la police et nous mettre tous les deux en danger.

Dans l'ensemble, venir ici aujourd'hui était une erreur. Je ne peux pas parler des choses dont je dois discuter et il ne pourra pas m'aider à comprendre mes émotions complexes sans comprendre toute l'histoire. Je réalise alors que c'est la raison de mon malaise : je ne peux plus laisser entrer Dr Evans.

Mon téléphone vibre dans mon sac et je saute avec empressement sur la distraction. En prenant le téléphone, je vois que c'est un texto de l'hôpital.

— Excuse-moi, dis-je en me levant et en laissant tomber le téléphone dans mon sac. Le travail d'une patiente vient de se déclencher prématurément et on a besoin de moi.

— Bien sûr.

En dépliant ses longues jambes, Dr Evans se lève et me serre la main.

— Nous continuerons la semaine prochaine. Comme toujours, c'est un plaisir.

— Merci. Pareil pour moi, dis-je tout en prenant note d'annuler mon rendez-vous de la semaine prochaine. Passe une belle journée.

Et, en quittant le cabinet du thérapeute, je me précipite vers l'hôpital, pour une fois reconnaissante de l'imprévisibilité de mon travail.

———————————

J'ignore si c'est la séance avec Dr Evans ou les meilleures nuits que j'ai eues, mais cette nuit, je me retrouve incapable de m'endormir, m'assoupissant uniquement pour me réveiller en sursaut, le cœur battant la chamade sous l'effet d'une anxiété inconnue. Le vide de mon lit m'accable, ma solitude est un trou béant dans ma poitrine. Je veux croire que George me manque, que ce sont ses bras que j'ai envie, mais lorsque le sommeil agité m'enveloppe enfin, ce sont des yeux d'un gris acier qui envahissent mes rêves, et non des yeux marron.

Dans ces rêves, je danse, me produisant devant mon bourreau comme une ballerine professionnelle, dans une robe jaune légère, avec des ailes rigides dans le dos. Alors que je tournoie et m'élance sur la scène, je me sens plus légère que la brume, plus gracieuse qu'une volute de fumée. Mais, à l'intérieur, je brûle de passion. Mes gestes sont le reflet de mon âme ; mon corps parle par la danse avec la sincérité brute de la beauté.

Tu me manques, dit ce plié. *Je te veux*, confirme cette pirouette. Je dis avec mon corps ce que je ne peux mettre en paroles, et il me regarde, son visage sombre et énigmatique. Des gouttelettes rouges parsèment ses mains et je sais sans poser la question que c'est du sang, qu'il a mis fin à une vie aujourd'hui. Je devrais être dégoûtée, mais tout ce qui m'intéresse c'est de savoir s'il me veut, s'il ressent la chaleur qui me dévore.

Je t'en prie, supplié-je par mes gestes, suspendue en un arc gracieux devant lui. *Je t'en prie, dis-moi. J'ai besoin de la vérité. Dis-moi.*

Mais il ne dit rien. Il se contente de m'observer et je sais qu'il n'y a rien à faire, que je ne peux pas le convaincre. Alors je danse plus près, séduite par une attirance sombre, et lorsque je suis à sa portée, il soulève les bras, ses mains éclaboussées de sang se refermant sur mes épaules.

— Peter...

Je vacille vers lui, ce besoin terrible me tordant les en-trailles, mais ses yeux sont froids, si glaciaux qu'ils brûlent.

Il ne me veut plus. Je le sais. Je le vois.

Je lève tout de même une main vers son visage aux traits durs. Je le veux tellement, j'ai tant besoin de lui. Mais avant de pouvoir le toucher, il murmure :

— Adieu, ptichka.

Puis, il me repousse.

Je chute vers l'arrière, tombant de la scène. Ma robe flotte un court instant dans les airs, puis mes ailes se froissent comme je heurte le sol. Même avant que le choc de l'impact se répercute en moi, je sais que ça y est.

Mon corps est brisé, tout comme mon âme.

— Peter, dis-je dans mon dernier souffle, mais il est trop tard.

Il est parti à jamais.

Je m'éveille le visage humide de larmes et le cœur lourd de chagrin. La pièce est plongée dans l'obscurité et, dans ces ténèbres, ça n'a pas d'importance qu'il soit rationnelle-ment impossible de me languir d'un homme que je déteste. Le rêve est si net dans mon esprit, c'est comme si je l'avais réellement perdu… comme si j'étais morte de son rejet. Je pleure sans doute ce que j'ai réellement perdu, George et la vie que nous devions mener, mais là, dans mon lit vide, mon corps appelant une étreinte solide et chaude, j'ai l'im-pression de me languir de *lui*.

Peter.

L'homme que j'ai toutes les raisons de haïr.

En fermant les yeux, je me recroqueville en une petite boule sous la couverture et serre l'oreiller contre moi. Je n'ai pas besoin de Dr Evans pour me dire que ce que je ressens ne peut sans conteste pas être réel, que c'est, au mieux, une version bizarre du syndrome de Stockholm. On ne peut *pas* tomber amoureux de son harceleur ; c'est tout simplement impossible. Je ne connais même pas Peter Sokolov depuis si longtemps. Il a été dans ma vie pendant quoi ? Une semaine ? Deux ? Les jours qui suivent la sortie au club m'ont paru une éternité, mais en fait, si peu de temps s'est passé.

Bien sûr, il a été présent dans mes cauchemars bien plus longtemps.

Pour la première fois, je me permets de vraiment penser à mon bourreau, de me pencher sur l'homme. Comment était-il avec sa famille ? Je devrais avoir de la difficulté à imaginer un tueur aussi impitoyable dans un cadre familial, mais je n'ai aucun problème à l'imaginer jouant avec un enfant ou préparant le repas avec sa femme. Est-ce en raison de la manière douce dont il s'occupait de moi ? J'ai pourtant l'impression qu'il y a quelque chose en lui qui transcende les choses monstrueuses qu'il a faites, quelque chose de vulnérable et de profondément humain.

Il devait aimer sa famille, pour se dévouer ainsi à sa vengeance.

Les images de son téléphone me reviennent à l'esprit et ma poitrine se contracte sous l'effet de la douleur. Des renseignements erronés, c'est ce que Peter blâme pour ces atrocités. Est-il possible que George ait fourni ces renseignements ? Que mon mari paisible et séduisant, qui aimait les barbecues et lire le journal au lit, ait été un espion qui a fait une erreur aussi terrible ? Cela semble incroyable, pourtant, il devait y avoir une raison pour que Peter s'en prenne à George, pour qu'il aille aussi loin pour le tuer.

À moins que Peter ait lui-même fait une erreur gigantesque, George n'était pas ce qu'il semblait.

En resserrant ma prise sur l'oreiller, j'essaie d'assimiler cette réalisation, pleinement. Au cours des dix derniers jours, j'ai réussi à éviter de penser aux révélations de mon harceleur, mais je ne peux plus repousser la vérité.

Entre la protection du FBI qui est tombée du ciel et la distance croissante entre George et moi depuis notre mariage, il est entièrement possible que mon mari m'ait dupée, qu'il m'ait menti ainsi qu'à tous les autres pendant près de dix ans.

Ma vie a été encore plus une illusion que je le croyais.

Lorsque je m'endors, une heure plus tard, j'ai le goût amer de la trahison dans la bouche et une nouvelle détermination en tête.

Demain matin, je vais accepter l'une des offres de la maison. J'ai besoin d'un nouveau départ et je vais l'avoir. Peut-être qu'avec un nouveau foyer, je pourrai oublier à la fois la duplicité de George et *lui*.

Si Peter Sokolov est vraiment parti, je pourrai enfin commencer à vivre.

CHAPITRE 35
SARA

Jeudi, je signe les papiers pour la vente de ma maison à un couple d'avocats arrivant de Chicago et s'installant dans la région. Ils ont deux enfants au cycle élémentaire et un bébé à naître, alors ils ont besoin des cinq chambres. Même si leur offre est trois pour cent plus basse que la valeur du marché et quelques milliers de dollars sous l'autre offre, j'ai décidé d'aller avec eux, car ils paient comptant et peuvent prendre possession de la maison rapidement.

S'il n'y a pas de problèmes avec l'inspection, je déménagerai dans moins de trois semaines.

Pleine d'énergie, je demande à un autre médecin de prendre ma place vendredi et passe la journée à visiter des appartements à louer. Mon choix s'arrête sur un appartement d'une chambre à distance de marche de l'hôpital, dans un immeuble acceptant les animaux. Il est un peu vieillot et l'espace de rangement est pratiquement inexistant, mais comme j'ai l'intention de me débarrasser de tout ce qui me rappelle mon ancienne vie, ça me convient.

Nouveau départ, me voici !

Mon enthousiasme perdure jusqu'au soir, au moment où j'arrive chez moi et ressens une nouvelle fois le vide de la maison. Mon dîner est une autre boîte sortie du congélateur et, malgré tous mes efforts, je ne peux m'empêcher de penser à Peter, de me demander où il est et ce qu'il fait. Hier, il m'est venu à l'esprit qu'il pouvait y avoir une autre raison à son absence et cette pensée me ronge depuis.

Les autorités l'ont peut-être attrapé ou tué.

Je ne sais pas pourquoi je n'ai pas pensé à cette possibilité avant, mais maintenant je ne peux plus me la sortir de la tête. Ce serait évidemment une bonne chose, je serais réellement en sécurité s'il était mort ou sous les verrous, mais chaque fois que j'y pense, mon cœur semble peser une tonne et quelque chose qui s'apparente étrangement à des larmes me pique les yeux.

Je ne veux pas de Peter Sokolov dans ma vie, mais je ne peux pas plus supporter l'idée de sa mort.

C'est stupide, si stupide. Oui, nous avons couché ensemble cette nuit-là, et il m'a fait jouir plus d'une fois, mais je ne suis pas une adolescente vierge qui croit que coucher ensemble est la preuve d'un amour éternel. Le seul autre point entre nous autre que la haine est le désir animal, une attirance des plus élémentaires. Que je désire le tueur de mon mari est déjà perturbant, mais de craindre pour sa vie est autre chose.

Quelque chose de bien plus dément.

Peter ne me manque pas, me dis-je, alors que je tourne et me retourne dans mon lit vide. Cette solitude que je ressens n'est que le résultat de trop de stress et pas assez de temps avec mes amis et ma famille. J'attendrai encore un peu, jusqu'à ce que le danger de mon harceleur soit entièrement passé, et je sortirai avec Marsha et les infirmières et j'envisagerai peut-être même un rendez-vous avec Joe.

Bon, oublions le dernier point ; j'ai refusé son invitation lorsqu'il m'a appelée il y a quelques jours et je ne ressens toujours pas de regret, mais je retournerai sans conteste danser.

D'une façon ou d'une autre, ma nouvelle vie commencera bientôt.

CHAPITRE 36
PETER

Elle dort lorsque j'entre dans la pièce, son corps élancé enveloppé des pieds à la tête dans une couverture. Sans bruit, j'allume les lumières et m'immobilise, le souffle court. Au cours des deux dernières semaines, alors que je me rétablissais du coup de poignard reçu au Mexique, je m'étais plu à l'observer par les caméras de la maison et à dévorer les rapports des Américains sur ses activités. Je sais tout ce qu'elle a fait, tous ceux à qui elle a parlé, tous les endroits où elle s'est rendue. Le sentiment de séparation aurait dû être moindre, mais la voir ainsi, sa chevelure marron répandue sur l'oreiller, me coupe le souffle et me transperce de désir.

Ma Sara. Elle m'a terriblement manqué.

Je m'approche du lit, serrant les poings pour retenir l'envie de l'attirer vers moi et de ne jamais la laisser partir.

Deux semaines. Pendant deux semaines incroyablement longues, je ne pouvais pas revenir vers elle, parce que j'avais manqué le couteau caché dans la botte d'un garde. Bon, j'étais alors aux prises avec un autre garde qui pointait un AR15 sur moi, mais ça n'excuse pas ma négligence.

J'étais distrait pendant une mission et ça m'a presque coûté la vie. Quelques centimètres de plus sur la droite, et j'aurais été étendu bien plus longtemps que deux semaines. Peut-être même de façon permanente.

— Nom d'un chien, avait grommelé Ilya pendant que son frère et lui me raccommodaient après le boulot. Il a presque percé ton rein. Tu dois surveiller tes putains d'arrières.

— C'est pour ça que vous êtes là, avais-je réussi à dire, puis la perte de sang avait eu raison de moi, m'empêchant d'expliquer la raison de ma distraction.

C'était aussi bien. La vérité est que je n'avais pas vu le couteau parce que, alors même que je fixais le canon du AR15, je ne pensais ni à mon équipe, ni à ma mission, mais à Sara et à la peur de ne plus jamais la revoir.

Mon obsession avait presque mené à ma mort.

En m'asseyant sur le lit, je tire doucement sur la couverture. Elle dort nue, comme toujours, et la passion court dans mes veines à la vue de ses courbes gracieuses. Elle ne se réveille pas, se contentant de soupirer comme un chaton contrarié par la perte de la couverture. Je sens alors quelque chose de doux envahir ma poitrine. Mon cœur s'emplit d'un éclat chaud alors même que mon sexe se durcit davantage et que mon cœur s'emballe.

Je dois la faire mienne. Maintenant.

En me levant, je me déshabille rapidement et dépose mes vêtements sur la commode, veillant à bien cacher mes armes. Les mouvements saccadés tiraillent ma cicatrice récente à l'abdomen, mais mon envie d'elle est telle que je perçois à peine la douleur. En enfilant un préservatif, je monte sur le lit et la tourne sur le dos, me glissant entre ses jambes.

Mon contact la réveille. Ses paupières se soulèvent en hâte, ses yeux noisette à la fois paniqués et confus, et je souris tout en agrippant ses poignets et en les clouant au matelas près de ses épaules. C'est un sourire prédateur, je sais, mais je ne peux pas m'en empêcher.

Même avec cette sensation chaleureuse dans ma poitrine, mon envie d'elle est sombre, aussi violente qu'elle est dévorante.

— Salut, ptichka, murmuré-je, en observant le choc remplacer la confusion de son regard. Je suis désolé d'avoir été absent aussi longtemps. Je n'y pouvais rien.

— Tu... tu es de retour.

Sa poitrine se soulève et s'abaisse en un rythme irrégulier, ses mamelons comme de petites baies roses et dures sur ses seins délicieusement pleins.

— Qu'est-ce que... pourquoi es-tu de retour ?

— Parce que je ne te laisserais jamais.

Je me penche et hume son odeur, délicate et chaude, aussi captivante que Sara elle-même. En mordillant son oreille, je murmure contre son cou :

— Croyais-tu que je partirais ainsi ?

Elle frissonne sous moi, son souffle s'accélérant, et je sais que je la trouverai moite et chaude sous mes doigts, prête pour moi. Elle me veut, ou du moins son corps me veut, et mon membre vibre à cette idée, impatient de la remplir, de sentir l'étreinte moite et étroite de son sexe. Mais avant, je veux la réponse à ma question.

Soulevant la tête, je croise son regard.

— Croyais-tu que j'étais parti, Sara ?

Son visage est un masque troublé alors qu'elle bat des cils.

— Eh bien, oui. Enfin, tu étais parti et je pensais... j'espérais...

Elle s'interrompt, en fronçant les sourcils.

— Pourquoi être parti si tu ne t'étais pas lassé de moi ?

— Lassé de toi ?

Ne réalise-t-elle donc pas que je pense littéralement tout le temps à elle, même au cœur d'un combat ? Que je ne peux pas passer une heure sans vérifier où elle est ou passer une nuit sans la voir dans mes rêves ? Soutenant son regard, je secoue lentement la tête.

— Non, ptichka. Je ne me suis pas lassé de toi, et je ne le serai jamais.

Du coin de l'œil, je vois ses doigts fins fléchir, et je réalise que je retiens encore ses poignets près de ses épaules, ma poigne forte, comme si j'avais peur qu'elle s'échappe. Elle ne le pourrait pas, bien sûr ; même avec ma blessure récente, elle ne fait pas le poids contre mes réflexes ou ma force, mais j'aime l'avoir ainsi, contrainte sous moi, nue et impuissante. Ça fait partie de mes sentiments tordus pour elle, ce besoin de dominer, de toujours l'avoir à ma merci.

— Non, murmure-t-elle, pourtant elle passe la langue sur ses douces lèvres roses et la faim en moi s'intensifie, mes testicules se contractant alors que le sang afflue à mon entrejambe.

Il y a quelque chose de si pur en elle, quelque chose de doux et innocent dans les traits gracieux de son visage en forme de cœur. C'est comme si la vie l'avait épargnée et ne l'avait pas corrompue par toute la bassesse que je vois chaque jour. Ça rend les choses que je veux lui faire encore plus perverses, encore plus tordues, et pourtant je sais que je les lui ferai toutes.

Le bien et le mal n'ont jamais été ma force.

En abaissant la tête, je goûte à ses lèvres, maintenant mon baiser délicat, malgré la raideur douloureuse de mon sexe. Même avec les envies sombres qui me rongent, je ne veux pas lui faire de mal aujourd'hui… pas après la dernière fois. Je ne sais toujours pas ce qu'elle représente pour moi, mais je sais que je dois l'aimer, la dorloter et la protéger. Je ne veux pas qu'elle redoute de souffrir par ma faute, même si parfois j'aimerais la faire souffrir.

Je ne sais pas ce que je veux d'elle, mais je sais que c'est plus que ça.

Elle ne réagit tout d'abord pas, les lèvres serrées sous ma langue, mais je continue de l'embrasser et, enfin, ses lèvres s'adoucissent et s'ouvrent sous les miennes. Elle a une saveur délicieuse, comme une note de dentifrice à la menthe et d'elle-même, et je ne peux retenir un grognement comme mon sexe effleure l'intérieur de sa cuisse. Je veux être en elle, sentir ses parois chaudes et moites se contracter autour de moi, mais je résiste à la tentation, toute mon attention tournée vers sa séduction ; je veux lui donner tant de plaisir qu'elle en oubliera la douleur que je lui ai causée.

Je taquine et caresse ses lèvres sans arrêt et, après un long moment, je sens la caresse hésitante de sa langue. Elle répond à mon baiser et, alors que son corps s'assouplit sous le mien, mon cœur s'emballe, mon besoin de la posséder cognant contre ma poitrine. La respiration saccadée, je passe de ses lèvres à la peau tendre de son cou, puis à sa clavicule et à la douceur soyeuse de ses seins. Elle gémit lorsque mes lèvres se referment sur son mamelon, et je la sens s'arc-bouter contre moi, ses hanches se soulevant pour presser son sexe contre moi.

Avec un grognement sourd, je porte mon attention sur son autre sein, l'aspirant jusqu'à ce que les gémissements de Sara se fassent plus bruyants et qu'elle se torde sous moi, ses mains fléchissant de façon convulsive dans ma poigne. Lorsque je soulève la tête, je vois la rougeur de ses joues, ses yeux fermés et sa tête basculée vers l'arrière en un abandon sensuel.

Il est temps. Putain, il est plus que temps.

Libérant son mamelon, je remonte, alignant mon érection contre l'entrée de son corps.

— Le veux-tu ? Je demande d'une voix rauque, alors que ses paupières s'ouvrent sur un battement, révélant un regard voilé par le désir. Dis-moi que tu le veux, ptichka. Dis-moi que je t'ai manqué pendant mon absence.

Les lèvres de Sara s'entrouvrent, mais aucun mot n'en sort, et je sais qu'elle n'est pas prête à l'admettre, à accepter le lien qui existe entre nous. J'ai peut-être son corps, mais je devrai lutter plus fort pour son esprit et son cœur. Et je suis prêt, car c'est ce dont j'ai besoin : qu'elle soit entièrement mienne, qu'elle me désire et qu'elle ait autant besoin de moi que moi d'elle.

En baissant la tête, je l'embrasse à nouveau, puis libère l'un de ses poignets pour me guider dans son sexe chaud et moite. Elle est encore incroyablement étroite, mais cette fois-ci, j'arrive à garder un rythme lent, la pénétrant centimètre par centimètre jusqu'à être complètement en elle. Elle se cramponne de sa main libre à ma taille, ses ongles délicats s'enfonçant dans ma peau alors qu'elle halète à mon oreille. Je sens ses parois internes se tendre comme je commence à bouger en elle, plongeant en elle en un rythme délibérément lent. Mon propre désir est enfiévré et j'ai toutes les peines du monde à conserver un rythme régulier, frottant son clitoris chaque fois que je plonge au plus profond d'elle.

— Oui, c'est ça, grogné-je, en sentant ses muscles se contracter et sa respiration s'accélérer. Jouis pour moi, ptichka. Laisse-moi te sentir jouir.

Elle crie lorsque j'accélère le rythme et j'agrippe sa hanche, pressant la chair de ses fesses comme je plonge avec force en elle, la possédant avec tant de force que le lit craque sous nos corps. Je ne peux me rassasier d'elle, de sa moiteur soyeuse et de sa douce odeur, et je plonge encore plus profondément en elle, voulant fusionner avec elle, m'enfoncer si loin en elle jusqu'à rester irrévocablement gravé dans sa chair.

Ses cris se font plus fort, plus frénétiques, et je sens les contractions de son sexe, ses hanches se soulevant comme elle atteint l'orgasme. Ses spasmes sont le coup de grâce ; dans un cri rauque, j'explose, écrasant mon bassin contre le sien comme mon membre soubresaute et que ma semence jaillit, emplissant le préservatif.

Haletant, je me glisse à ses côtés et je l'attire contre moi, l'étreignant avec force alors que nos respirations se calment. Maintenant que ma faim est apaisée, je prends conscience de la pulsation sourde de la blessure récente sur mon abdomen. Les médecins m'ont prévenu de me tenir tranquille pendant quelques semaines, mais je n'y ai pas fait attention, trop absorbé par Sara et le plaisir incandescent de la posséder.

Après une minute, je me lève pour jeter la protection et, à mon retour, Sara est assise sur le lit, sa silhouette élancée enveloppée dans une couverture comme la dernière fois. Seulement, aujourd'hui il n'y a pas de larmes ; ses yeux sont secs, son regard soutenant le mien avec défi comme je traverse la pièce.

Peut-être commence-t-elle à accepter la réalité entre nous, à comprendre qu'il n'y a aucune honte à me désirer.

— Pourquoi es-tu de retour ? demande-t-elle comme je m'assieds près d'elle, et je perçois le désespoir derrière sa bravoure.

J'avais tort. Elle est encore bien loin de m'accepter.

En soulevant une main, je replace une boucle brillante derrière son oreille. Avec la couverture enveloppée autour d'elle et ses boucles marron en désordre, ma jolie médecin semble jeune et vulnérable, plus une jeune fille qu'une femme. La voir ainsi me donne envie de la protéger, de l'abriter de la cruauté de mon univers.

Dommage que je fasse partie de ce monde… et que j'en sois vraisemblablement l'élément le plus cruel de tous.

— Je ne suis jamais parti, réponds-je, en baissant la main. Du moins, je ne voulais pas partir, pas aussi long-temps. J'avais un boulot, mais ça n'aurait pas dû durer plus d'une journée ou deux.

— Un boulot ?

Elle bat des cils.

— Quel genre de boulot ?

J'envisage de ne pas lui répondre, ou du moins de passer sous silence les réalités les plus brutales de mon travail, mais je repousse l'idée. L'opinion de Sara à mon égard ne peut pas vraiment empirer, alors elle peut bien connaître toute la vérité.

— Mon équipe mène à bien certaines missions, dis-je avec prudence, observant sa réaction. Des missions que bien peu d'autres peuvent prendre en charge avec le même niveau de compétences et de discrétion. Nos clients se meuvent généralement dans l'ombre, tout comme les per-sonnes que nous devons éliminer.

La rougeur sur ses joues s'estompe, laissant ses traits singulièrement pâles.

— Tu es un assassin ? Ton équipe… tue pour de l'ar-gent ?

J'acquiesce.

— Pas n'importe qui, mais oui. Nos victimes sont généralement très dangereuses elles-mêmes, souvent en-tourées de plusieurs couches de sécurité que nous devons pénétrer. C'est comme ça que j'ai fini avec ça.

Je pointe la cicatrice récente sur mon abdomen et je vois ses yeux s'écarquiller alors qu'elle la remarque, pour la première fois. Je doute qu'elle y ait jeté un œil pendant que je lui donnais du plaisir.

— Comment est-ce arrivé ? demande-t-elle en regardant mon ventre.

Son visage est encore plus pâle, sa peau de porcelaine prenant une teinte verdâtre.

— C'est un coup de couteau ?

— Oui. Et pour ce qui est du comment, c'était un moment d'inattention de ma part.

Ça m'énerve encore d'avoir manqué le garde derrière moi qui a attrapé son couteau pendant que je m'occupais de son partenaire armé d'un fusil.

— J'aurais dû être plus prudent.

Elle déglutit et examine à nouveau ma cicatrice.

— Si c'est si dangereux, pourquoi le fais-tu ? demande-t-elle après un moment, ses yeux remontant vers mon visage.

— Parce qu'éviter les autorités n'est pas donné, dis-je.

Sara prend ma révélation mieux que je ne m'y attends, bien que je suppose que de m'avoir vu tuer ces deux drogués l'a préparée à quelque chose de ce genre.

— Le travail paie extrêmement bien et s'agence bien à mes compétences. J'étais auparavant consultant pour certains de nos clients, mais être à mon compte est mieux. J'ai plus de liberté et de flexibilité… quelque chose qui s'est révélé important lorsque j'ai mis la main sur ma liste.

Ses lèvres se serrent.

— La liste sur laquelle se trouvait mon mari ?

— Oui.

Elle baisse le regard, mais pas avant que j'aperçoive l'éclat de colère dans ses yeux noisette. Elle est dérangée par le fait que je n'ai aucun remords, mais je ne peux pas feindre. Ce *ublyudok*, son bâtard de mari, méritait une mort bien pire que ce qu'il a eu, et mon seul regret est qu'il se trouvait dans un état végétatif. Ça, et le fait que, pendant un court instant, j'ai hésité avant d'appuyer sur la gâchette.

J'ai hésité parce que j'ai pensé à Sara au lieu de ma femme et mon fils morts.

Ce souvenir me remplit d'une rage et d'une douleur familière et je me force à inspirer profondément. Si je ne me sentais pas aussi apaisé après l'avoir prise, il me serait pratiquement impossible de contenir l'agonie qui emplit ma poitrine ; or je réussis à me maîtriser… même lorsque Sara se lève et se dirige vers la salle de bain, toujours enroulée dans la couverture.

Elle s'est refermée comme une huître, mais je ne m'en fais pas. Il est déjà plus de minuit et nous aurons tout le temps pour parler demain.

En m'étirant sur le lit, j'attends le retour de Sara. C'est aussi bien qu'elle ait mis fin aussi vite à nos retrouvailles. J'ai à peine fait d'efforts aujourd'hui, mais je me sens aussi exténué qu'après une mission. Mon corps est encore en rétablissement, un fait qui me frustre. Je déteste ne pas être en état ; toute faiblesse me rend nerveux et me dérange.

Sara prend son temps dans la salle de bain, mais revient finalement et se couche près de moi, sans m'offrir la couverture. Aussi agacé qu'amusé, je lui retire la couverture et l'arrange par-dessus nos deux corps lorsqu'elle se retrouve à sa place : dans mes bras, ses fesses fermes pressées contre mon entrejambe.

— Bonne nuit, murmuré-je, en embrassant sa nuque.

Lorsqu'elle ne répond pas, je ferme les yeux, ignorant les tressaillements de mon membre.

Même si j'adorerais la prendre à nouveau, j'ai besoin de repos et elle aussi.

Je peux être patient. Après tout, elle sera mienne demain… et tous les jours qui suivront.

CHAPITRE 37
SARA

Je me réveille avec l'arôme du café et du bacon dans l'air et la sensation du soleil sur mon visage. Perplexe, j'ouvre les yeux et vois qu'il reste trente minutes avant que mon réveil-matin ne sonne. Alors que j'essaie de comprendre ce qui se passe, des souvenirs de la nuit dernière envahissent mon esprit et je grogne, tirant la couverture au-dessus de ma tête.

Mon harceleur russe est de retour... et prépare le petit-déjeuner dans ma maison.

Après une minute, je me convaincs de me lever et de suivre ma routine matinale habituelle. Oui, le tueur de mon mari m'a prise à nouveau la nuit dernière... et m'a fait jouir, mais ce n'est pas la fin du monde et je dois agir en conséquence.

Je dois ignorer le dégoût de moi-même qui crispe mes entrailles et me préparer pour le travail.

Dix minutes plus tard, je descends, habillée et lavée. Étrangement, savoir ce que Peter fait comme travail ne change pas ma façon de le voir. Je pense à lui depuis si longtemps comme un tueur que de savoir que son équipe et lui le font pour de l'argent ne me trouble pratiquement pas. Une chose est pourtant sûre, ça renforce ma conviction qu'il est dangereux et que je dois me montrer prudente pour ne pas mettre en danger ceux qui me sont chers.

— J'espère que tu aimes le bacon et les œufs brouillés, dit-il comme j'entre dans la cuisine.

Comme moi, il est habillé, sauf pour ses chaussures et le blouson en cuir accroché à l'une des chaises de cuisine. Une fois de plus, ses vêtements sont foncés et, devant le spectacle de sa silhouette puissamment masculine et fatalement séduisante près du poêle, mon cœur s'emballe et mon estomac se tord sous l'effet d'une sensation troublante.

Une sensation qui ressemble étrangement à de l'excitation.

En repoussant l'idée, je croise les bras et appuie une hanche contre le comptoir.

— Bien sûr, dis-je d'une voix égale, en ignorant mon cœur qui bat la chamade. Qui n'aime pas ?

Même si j'aimerais lui jeter mon plat à la figure, je ne veux pas le provoquer avant d'avoir trouvé une nouvelle stratégie.

— C'est bien ce que je pensais.

Il dépose avec aisance les œufs et le bacon dans les assiettes, puis nous verse une tasse de café.

Décidant que je ferais aussi bien d'aider, j'attrape les tasses et les dépose sur la table. Il me suit avec les assiettes et nous nous asseyons pour le petit-déjeuner.

Les œufs sont excellents, savoureux et légers, et le bacon est bien croustillant. Même le café est inhabituellement bon, comme s'il utilisait une recette secrète avec ma machine Keurig. Pas que je m'attendais à autre chose ; chaque repas qu'il a préparé a été un délice.

Si toute cette histoire d'assassin/harceleur ne réussit pas, mon bourreau pourra toujours envisager une carrière de chef.

L'idée est si ridicule que je glousse dans mon café, et Peter relève la tête, les sourcils levés en une question muette.

— Je me disais seulement que tu pourrais en faire ta profession, expliqué-je, en prenant une bouchée d'œufs.

C'est peut-être une autre insulte au souvenir de George, mais je suis incapable de me rappeler mon mari me préparant un petit-déjeuner. Quelques fois alors que nous nous fréquentions, il avait tenté un dîner romantique… une commande de chinois avec quelques bougies, mais sinon, je cuisinais ou nous sortions au restaurant.

— Merci.

Un sourire joue sur les lèvres de Peter en réponse à mon compliment.

— Je suis heureux que ça te plaise.

— Hmm.

Je me concentre sur mon assiette et essaie de ne pas rougir en me rappelant ces lèvres sculptées contre mon cou, mes seins, mes mamelons… Je veux croire qu'il m'a prise par surprise la nuit dernière, que ma réaction était le résultat d'un esprit ensommeillé, mais l'excitation qui coule dans mes veines ce matin contredit cette supposition.

Une part tordue de moi est heureuse de le voir… et soulagée de le savoir vivant.

Idiote, me réprimandé-je. Peter Sokolov est un fugitif recherché, un monstre qui a tué deux personnes devant moi, après m'avoir torturée et avoir tué George. Un harceleur dont la présence dans ma vie introduit d'innombrables complications et menace tous ceux qui m'entourent.

Le désirer est non seulement mal, mais franchement anormal.

Et pourtant, comme je finis mes œufs et bois mon café, je suis consciente d'une légèreté insolite dans ma poitrine. La maison ne me semble plus immense et oppressante, la cuisine est lumineuse et chaleureuse, plutôt que froide et menaçante. *Il* remplit l'espace maintenant, le dominant de son corps imposant et de la force redoutable de sa personnalité et, même s'il est la dernière personne dont je devrais souhaiter la compagnie, je ne sens pas la pression écrasante de la solitude lorsque je suis avec lui.

Un chien, me rappelé-je. *Tu as simplement besoin d'un chien.* Et brusquement, je réalise qu'il pourrait y avoir un problème avec ce point… et avec ma nouvelle vie en général.

— Tu sais que je déménage dans quelques semaines, n'est-ce pas ? Dis-je en déposant ma tasse vide. J'ai signé l'acte de vente de la maison.

L'expression de Peter ne change pas.

— Oui, je sais.

— Évidemment.

Je serre les poings sur la table, mes ongles s'enfonçant dans mes paumes.

— Tu m'as probablement fait surveiller pendant ton absence. Ces yeux sur moi, ce n'était pas mon imagination, n'est-ce pas ?

— Je ne pouvais pas te laisser sans protection, dit-il avec un haussement d'épaules impénitent.

— Bien sûr.

J'inspire et me force à détendre les mains.

— Eh bien, je déménage dans un appartement et je suis convaincue que tu ne pourras pas aller et venir comme ici… du moins, pas sans que les voisins te voient tous les jours. Alors, tu devrais trouver une autre femme à torturer et à harceler. Il y en a beaucoup qui vivent dans des zones semi-rurales.

Il esquisse un sourire.

— J'en suis sûr. Dommage que je n'en veux pas.

Je pianote sur la table.

— Vraiment ? Et qu'en est-il des autres personnes sur ta liste ? Ou bien les as-tu toutes tuées ?

— Il en reste un seul et il s'est révélé insaisissable jusqu'à présent, dit-il et je ne peux que le fixer sans un mot avant de secouer la tête.

Je ne suis pas prête à aller là aujourd'hui.

— C'est bon, dis-je en tentant de me reprendre. Alors, qu'est-ce qu'il faudra afin que tu *me* laisses tranquille ?

— Une balle dans la tête ou le cœur, répond-il, sans ciller, et mon estomac fait une embardée lorsque je réalise qu'il est totalement sérieux.

Il n'a aucune intention de s'éloigner de moi. Jamais.

Toute la légèreté et l'excitation s'estompent, ne me laissant qu'avec la terreur absolue de ma réalité. Aucun repas délicieux, aucun orgasme époustouflant ou aucune tendre étreinte ne compense le fait que je suis bien prisonnière de cet homme dangereux, un tueur qui ne sourcille pas devant la violence et la torture. Son obsession à mon égard est aussi dangereuse que l'homme lui-même, ses sentiments aussi tordus que le passé sombre qui est le nôtre.

Un monstre s'est fixé sur moi, et il n'y a aucune échappatoire.

Mes jambes vacillent comme je me lève en repoussant ma chaise.

— Je dois aller travailler, dis-je d'une voix sourde et, avant qu'il ne puisse objecter, j'attrape mon sac et me hâte vers le garage.

Peter ne fait aucun geste pour me retenir, mais comme je monte dans la voiture, il apparaît dans le cadre de la porte, son visage ténébreux figé en un masque indéchiffrable.

— Je te verrai à ton retour, dit-il comme je démarre la voiture, et je sais qu'il est sincère.

Mon tortionnaire est de retour et il est là pour de bon.

CHAPITRE 38
SARA

Fidèle à sa parole, Peter est là lorsque j'arrive du travail ce jour-là, et je suis si épuisée et stressée que je suis tentée de capituler et de manger le dîner qu'il a préparé, un riz pilaf à l'arôme savoureux aux champignons et aux pois. Mais je ne peux pas. Je ne peux pas continuer ce jeu insensé, agir comme si tout cela est normal.

Si mon harceleur ne me laisse pas tranquille, il est inutile d'obtempérer. Autant lui rendre les choses aussi difficiles que possible.

Passant à côté de la table mise, je monte l'escalier pendant qu'il nous verse du vin. En entrant dans la chambre, je verrouille la porte et me dirige vers la salle de bain pour m'asperger le visage d'eau froide.

J'ai tout essayé sauf la résistance pure et simple, et je suis assez désespérée pour tenter le coup.

Le visage fraîchement lavé, je sors de la salle de bain et m'assieds sur le lit, attendant de voir ce qui se passera. Je n'ai aucune intention de déverrouiller cette porte et de le laisser entrer, ou de coopérer de quelque manière que ce soit.

J'en ai assez de jouer avec un monstre. S'il me veut, il devra me forcer.

Mon estomac gronde de faim et je m'en veux de ne pas avoir mangé avant de revenir ici. J'étais si bouleversée après avoir pensé à Peter toute la journée que j'ai conduit jusqu'ici en pilotage automatique, mon esprit préoccupé par ma situation impossible. Maintenant que je suis au courant de son équipe et de ses missions d'assassinat, je suis encore moins convaincue que le FBI peut me protéger si je communique avec eux.

Je ne crois pas que *quiconque* peut me protéger contre lui.

Un coup à la porte interrompt mes pensées désespérantes.

— Descends, ptichka, dit Peter du couloir. Le dîner refroidit.

Tout mon corps se tend, mais je ne réponds pas.

Un autre coup. Puis la poignée de la porte bouge.

— Sara.

La voix de Peter se durcit.

— Ouvre la porte.

Je me lève, trop inquiète pour rester assise, mais je ne fais aucun geste vers la porte.

— Sara. Ouvre cette porte. Maintenant.

Je reste debout, serrant et desserrant les poings. Avant de revenir à la maison, j'ai envisagé de m'acheter une arme, mais je me suis souvenue de ce qu'il m'avait dit au sujet de ses hommes surveillant ses signes vitaux et ai repoussé l'idée. Je ne sais pas comment cette surveillance fonctionne, mais il est entièrement possible qu'il porte un genre de dispositif qui mesure son pouls ou sa tension artérielle. Peut-être même un implant. J'ai entendu parler de ces choses, même si je n'en ai jamais croisé. Et puis, si ce que Peter m'a dit est vrai, je ne peux pas le blesser d'aucune façon sans risquer ma propre vie, et aussi celles des gens qui m'entourent.

Des hommes qui tuent pour de l'argent n'hésiteraient pas à venger leur patron de la façon la plus brutale.

— Tu as cinq secondes pour ouvrir cette porte.

En luttant contre une sensation de déjà vu, je me mords la lèvre inférieure, mais reste immobile, même si mon cœur bat la chamade et que des sueurs froides coulent le long de mon dos. Pour autant que je ne veuille pas qu'il me fasse mal, je ne veux pas plus vivre ainsi, trop effrayée pour me défendre, acceptant docilement les demandes d'un fou. La dernière fois que j'ai verrouillé une porte, j'étais sous le choc, si bouleversée et terrifiée de l'avoir vu tuer ces deux hommes que j'avais agis sans réfléchir. Maintenant, toutefois, mon geste est délibéré.

J'ai besoin de savoir jusqu'où il ira, ce qu'il est prêt à faire pour parvenir à ses fins.

Il ne compte pas à voix haute cette fois-ci, alors je compte dans ma tête. *Un, deux, trois, quatre, cinq…*

J'attends le coup qui fera trembler la porte, mais tout ce que j'entends est le bruit de pas qui s'éloignent.

Le souffle que je retiens s'échappe en un soupir soulagé. Est-ce possible ? Aurait-il pu céder et décider de me laisser tranquille ce soir ? Je ne m'y serais pas attendu, mais il m'a surprise par le passé. Peut-être que sa répugnance à me forcer est toujours là ; peut-être qu'il tire un trait sur l'idée de démolir la porte de la chambre et…

Les pas reviennent et la poignée de la porte tourne encore avant que quelque chose de métallique ne cliquette contre elle. Mon cœur manque un battement, puis s'emballe à nouveau.

Il crochète la serrure.

Cette action délibérée et froide est encore plus effrayante que s'il avait simplement démoli la porte. Mon bourreau n'agit pas sous l'effet de la colère ; il se contrôle totalement et sait exactement ce qu'il fait.

Le cliquetis métallique dure moins d'une minute. Je le sais parce que je fixe les chiffres clignotants de mon réveil-matin sur la table de chevet. Puis, la porte s'ouvre et Peter entre, sa foulée irradiant une rage réfrénée et son visage figé en un masque froid et dur.

Luttant contre l'envie de fuir, je soulève le menton et le fixe du regard comme il s'immobilise devant moi, son corps imposant surplombant ma silhouette beaucoup plus petite.

— Viens manger.

Sa voix est calme, douce même, mais j'entends la note sinistre sous-jacente. Son contrôle ne tient qu'à un fil, et s'il me restait encore un peu d'espoir, mon instinct de survie me ferait céder. Mais je suis à court de stratégies et, à un certain stade, l'instinct de survie doit faire place au respect de soi-même.

Téméraire, je secoue la tête.

— Je ne veux pas.

Sa mâchoire se crispe.

— Pas, quoi ? Manger ?

Mon estomac choisit ce moment pour gronder à nouveau et je rougis de ce malencontreux hasard.

— Je ne mangerai pas avec *toi*, dis-je d'une voix aussi égale que possible. Et je ne dormirai pas plus avec toi… ni ne ferai rien d'autre d'ailleurs.

— Non ?

Un sombre amusement se glisse dans son regard gris glacial.

— En es-tu si sûre, ptichka ?

Je serre les poings.

— Je veux que tu sortes de ma maison. Maintenant.

— Ou sinon ?

Il s'approche davantage, me pressant de son grand corps jusqu'à ce que je n'aie d'autre choix que de reculer vers le lit.

— Ou sinon, Sara ?

Je veux le menacer d'aller voir la police ou le FBI, mais nous savons tous deux que si c'était une option, je l'aurais déjà fait. Il n'y a rien que je peux faire pour le sortir de ma vie, et c'est là le nœud du problème.

En ignorant la sueur glacée coulant dans mon dos, je soulève davantage le menton.

— J'en ai fini avec ça, Peter.

— Ça ?

Il s'approche encore, penchant la tête.

— Ce fantasme tordu de notre relation que tu as imaginé, ajouté-je.

Il est trop près, envahissant mon espace personnel comme si c'était son droit. Son odeur virile m'enveloppe, la chaleur de son corps réchauffant mes entrailles, et je recule à nouveau, tentant d'ignorer la sensation entre mes jambes et la sensibilité de mes mamelons.

Je ne peux pas être aussi près de lui sans me souvenir de la sensation d'être encore plus près, d'être unie à lui de la manière la plus intime.

— Le fantasme tordu de notre relation ?

Il hausse les sourcils avec moquerie.

— C'est un peu dur, tu ne trouves pas ?

— J'en. Ai. Fini, répété-je, en prononçant chaque mot.

Mon cœur bat avec nervosité dans ma cage thoracique, mais je suis déterminée à ne pas céder ou à le laisser me distraire par une discussion sur notre relation tordue.

— Si tu veux cuisiner chez moi, vas-y, mais à moins de vouloir me gaver, tu ne peux pas me forcer à manger avec toi, ou à faire quoi que ce soit contre mon gré.

— Oh, ptichka.

La voix de Peter est douce, son regard presque compatissant.

— Si tu savais à quel point tu as tort.

Ses lèvres se courbent en ce sourire imparfait et magnétique et mon estomac se contracte comme il s'approche encore. Souhaitant désespérément un peu de distance, je recule à nouveau, seulement pour me retrouver appuyée contre le lit.

Je suis prise au piège, une fois encore coincée par lui.

Implacablement, il continue de s'approcher, et mon sexe se contracte comme il dépose les mains sur mes épaules.

— Descends avec moi, Sara, dit-il doucement. Tu as faim et tu te sentiras mieux une fois que tu auras mangé. Et pendant que nous mangeons, nous pourrons parler.

— À quel propos ? Demandé-je, la voix tendue.

La chaleur de ses paumes me brûle même à travers la couche épaisse de mon pull et j'ai toutes les peines du monde à conserver une respiration presque régulière alors qu'un désir pernicieux s'éveille en moi.

— Nous n'avons rien à nous dire.

— Je crois que si, dit-il, et j'aperçois le monstre dans son regard argenté. Vois-tu, Sara, si tu ne veux pas être ici avec moi, nous pouvons aller ailleurs ensemble. Le fantasme peut devenir réalité, mais seulement selon mes conditions.

CHAPITRE 39
PETER

Elle tremble comme je la guide en bas, et je sais que c'est autant de colère que de peur. Je suppose que sa réaction devrait me déranger, mais je suis moi-même trop en colère. Hier, et aujourd'hui au petit-déjeuner, j'aurais juré qu'elle était heureuse de me voir, soulagée de mon retour. Mais ce soir, elle est à nouveau froide et distante, et je ne le permettrai pas.

Il est temps d'enlever mes gants.

— Assieds-toi, dis-je en arrivant près de la table.

Elle se laisse tomber sur une chaise, une expression méfiante sur son beau visage. Elle est déterminée à rendre les choses difficiles, et je suis tout aussi déterminé à ne pas la laisser faire.

En inspirant pour me reprendre, j'éteins le plafonnier lumineux et allume les bougies. Puis, je dépose le risotto que j'ai fait dans des assiettes et lui apporte la sienne avant de revenir avec mon propre plat. Je suis aussi affamé qu'elle et, dès que je suis assis, je me jette sur le repas, estimant que la discussion de notre relation peut attendre quelques minutes.

Malheureusement, Sara ne partage pas mon opinion.

— Que voulais-tu dire par « le fantasme peut devenir réalité » ? demande-t-elle, sa voix tendue alors qu'elle joue avec sa fourchette. Qu'est-ce que ça veut vraiment dire ?

Je la fais patienter jusqu'à avoir avalé ma bouchée, puis je dépose ma fourchette et lui jette un regard ferme.

— Je veux dire que le fait de vivre ici, d'aller travailler et de rencontrer des amis est un privilège que je t'accorde, dis-je calmement, et je la regarde pâlir. D'autres hommes dans cette position ne seraient pas aussi complaisants... et je n'ai pas non plus à l'être. Je te veux et j'ai le pouvoir de t'avoir. C'est aussi simple que ça. Si tu n'aimes pas la dynamique actuelle de notre relation, je la changerai, mais pas d'une façon qui te plaira.

Sa main tremble comme elle la tend vers le verre de vin que j'ai versé plus tôt.

— Alors, quoi ? Tu vas m'enlever ? M'emmener loin de tout le monde et de tout ?

— Oui, ptichka. C'est exactement ce que je ferai si la situation actuelle ne fonctionne pas.

Je me remets à manger, lui donnant le temps de digérer mes paroles. Je sais que je suis dur, mais je dois écraser cette petite rébellion, lui faire comprendre à quel point sa position est précaire.

Il n'y a aucune limite que je ne franchirai pas lorsqu'il est question d'elle. Elle sera mienne, d'une façon ou d'une autre.

Sara me fixe, le verre tremblant dans sa main ; puis, elle le dépose sans en avoir pris une seule gorgée.

— Alors, pourquoi ne pas l'avoir déjà fait ? Pourquoi tout ça ?

Elle balaie la pièce d'un geste de la main, renversant presque le verre et l'un des chandeliers.

— Attention, dis-je, en éloignant les objets. Si je ne te connaissais pas mieux, je croirais que tu essaies encore de me droguer.

Elle grince des dents.

— Dis-moi, exige-t-elle, son poing se serrant près de son assiette intacte. Pourquoi ne pas m'avoir déjà enlevée ? Tu n'as sûrement aucun scrupule moral à ce sujet.

Je soupire et dépose ma fourchette. J'aurais peut-être dû lui promettre une discussion après le repas, et non pendant.

— Parce que j'aime ce que tu fais, dis-je, en prenant une gorgée de vin. Avec les bébés, les femmes. Je crois que ton travail est admirable et je ne veux pas t'éloigner de ça… ni de tes parents.

— Mais tu le feras s'il le faut.

— Oui.

Je dépose le verre et reprends ma fourchette.

— Je le ferai.

Elle m'observe quelques secondes, puis prend sa propre fourchette et, pendant quelques minutes, nous mangeons dans un silence désagréable. Je peux pratiquement l'entendre penser, son esprit agile luttant pour trouver une solution.

Dommage pour elle qu'aucune n'existe.

Lorsque l'assiette de Sara est à moitié vide, elle la repousse et demande d'une voix tendue :

— L'as-tu aussi harcelée ?

Je hausse les sourcils en reprenant mon verre de vin.

— Qui ?

— Ta femme, dit Sara, et ma main se serre sur le pied du verre, brisant presque le verre fragile.

Instinctivement, je me prépare à la douleur agonisante et à la fureur, mais tout ce que je ressens est un écho lointain de chagrin, accompagné d'une douleur douce-amère devant mes souvenirs.

— Non, dis-je, et je me surprends à sourire tendrement. En fait, c'est elle qui m'a harcelé.

CHAPITRE 40

Choquée, je fixe mon bourreau, prise au dépourvu par ce sourire doux, presque tendre. Je m'attendais pleinement à ce qu'il explose à ma question et, en regardant ses doigts se resserrer sur le pied du verre, j'étais sûre de sa réaction.

Au lieu de cela, il a souri.

En mordillant ma lèvre inférieure, j'envisage de changer de sujet, mais avec la menace d'un enlèvement pesant sur moi, je ne peux résister à l'occasion d'en apprendre plus sur lui.

— Que veux-tu dire ? Demandé-je, en prenant mon verre de vin.

Le risotto est délicieux, mais mon estomac est si noué que je suis incapable de terminer mon repas. Le vin, par contre, est une nécessité.

Si je bois assez, j'oublierai peut-être sa promesse terrifiante.

— Nous nous sommes rencontrés lors de mon passage dans son village il y a presque neuf ans.

Peter s'adosse à sa chaise, son verre de vin à la main. La lueur des bougies jette un éclat chaleureux et doux sur ses traits séduisants et, si ce n'était de l'adrénaline qui court dans mes veines pour tout ce stress, j'aurais pu me laisser berner par l'illusion d'un dîner romantique, par le fantasme qu'il s'efforce de créer.

— Mon équipe traquait un groupe d'insurgés dans les montagnes, continue-t-il, son regard se faisant lointain comme il se remémore son passé. C'était l'hiver et il faisait froid. Incroyablement froid. Je savais que nous devions nous abriter pour la nuit, alors j'ai demandé à des villageois de nous louer des chambres. Une seule femme a été assez brave pour le faire… Tamila.

Je prends une gorgée de vin, fascinée malgré moi.

— Elle vivait seule ?

Peter hoche la tête.

— Elle n'avait alors que vingt ans, mais elle possédait une petite maison. Sa tante était décédée et la lui avait laissée. C'était inédit dans son village qu'une jeune femme vive seule, mais Tamila n'avait jamais adhéré aux règles. Ses parents voulaient qu'elle épouse l'un des anciens du village, un homme qui pouvait leur offrir cinq chèvres en échange, mais Tamila le trouvait répugnant et essayait de retarder autant que possible le mariage. Il va sans dire que ses parents n'étaient pas heureux et, lorsque mes hommes et moi nous sommes présentés au village, elle était prête à tout pour changer sa situation.

Je termine mon verre de vin comme il continue :

— Je ne savais rien de ça, évidemment. Je n'ai vu qu'une belle jeune femme qui, pour une raison inconnue, a accueilli trois soldats gelés de la Spetsnaz chez elle. Elle a laissé sa chambre à mes hommes et m'a installé dans une deuxième chambre plus petite, disant qu'elle se contenterait du canapé.

— Mais, ce n'est pas ce qu'elle a fait, deviné-je alors qu'il se penche pour me verser plus de vin.

Mes entrailles se serrent sous l'effet d'une sensation inconfortable qui ressemble beaucoup à de la jalousie.

— Elle t'a rejoint.

— En effet.

Il sourit à nouveau et je cache mon malaise en buvant un peu plus. J'ignore pourquoi l'imaginer avec cette « belle jeune femme » me dérange, mais c'est le cas, et j'ai toutes les peines du monde à l'écouter calmement ajouter :

— Je ne l'ai pas repoussée, naturellement. Aucun homme n'aurait pu. Elle était timide et relativement sans expérience, mais pas vierge. Lorsque nous sommes repartis le matin, je lui ai promis de repasser par le village sur le chemin du retour. Ce que j'ai fait, deux mois plus tard, seulement pour apprendre qu'elle portait mon enfant.

Je sourcille.

— Tu n'as pas utilisé de protection ?

— Oui... la première fois. La deuxième fois, j'étais endormi lorsqu'elle s'est mise à me caresser et lorsque je me suis enfin réveillé, j'étais en elle et bien trop loin pour penser au préservatif.

Je le regarde, bouche bée.

— Elle est tombée enceinte délibérément ?

Il hausse les épaules.

— Elle clamait que non, mais je soupçonnais autre chose. Elle vivait dans un village musulman conservateur et elle avait eu un amant avant moi. Elle ne m'a jamais dit de qui il s'agissait, mais si elle avait épousé l'ancien, ou avait décidé d'épouser un autre homme du village, elle aurait pu être publiquement dénoncée et rejetée par son mari. Un étranger comme moi, qui n'était pas musulman, était la meilleure solution pour éviter cette fin et elle a saisi l'occasion lorsque celle-ci s'est présentée. C'est louable, vraiment. Elle a pris un risque et ça a porté ses fruits.

— Parce que tu l'as épousée.

Il hoche la tête.

— Oui, une fois que le test de paternité a confirmé ses propos.

— C'est… très noble de ta part.

Je me sens inexplicablement soulagée qu'il ne soit pas tombé éperdument amoureux de cette fille.

— Peu d'hommes auraient accepté d'épouser une femme qu'ils n'aimaient pas dans l'intérêt de l'enfant.

Peter hausse les épaules une nouvelle fois.

— Je ne voulais pas que mon fils soit tourné en ridicule ou qu'il grandisse sans un père. Épouser sa mère était le meilleur moyen de m'en assurer. Et puis, j'en suis venu à aimer Tamila après la naissance de mon fils.

— Je vois.

La jalousie m'envahit à nouveau. Pour me distraire, je vide mon deuxième verre de vin et attrape la bouteille pour le remplir.

— Alors, elle t'a piégé, mais tout a bien fini.

Mes paumes sont moites et la bouteille glisse de ma main, le vin jaillissant dans le verre avec assez de force pour en renverser.

— Tu as soif ?

Les yeux gris de Peter brillent d'amusement comme il tend la main pour me reprendre la bouteille.

— Je devrais peut-être te verser de l'eau ou un thé ?

Je secoue vigoureusement la tête, puis réalise que la pièce tourne un peu. Il a peut-être raison ; je n'ai pas beaucoup mangé et je devrais laisser tomber le vin. Sauf que mon anxiété se dissout à chaque gorgée et la sensation est trop bonne pour arrêter.

— Ça va, dis-je, en soulevant mon verre.

Je le regretterai sûrement demain au travail, mais j'ai besoin de la sensation agréable que m'apporte l'alcool.

— Alors, tu en es venu à aimer Tamila. Et elle est restée dans ce village ?

— Oui.

Ses traits se tendent ; les souvenirs douloureux ne doivent plus être loin.

Confirmant mes soupçons, il dit sèchement :

— Je m'étais imaginé que Tamila et Pasha, c'était le nom de mon fils, y seraient en sécurité. Elle voulait vivre avec moi dans mon appartement de Moscou, mais j'étais toujours parti pour le travail et je ne voulais pas la laisser seule dans une ville inconnue. Je lui avais promis de lui faire connaître Moscou lorsque Pasha serait plus âgé, mais avant ça, je pensais qu'il serait mieux qu'elle reste près de sa famille et que mon fils grandisse dans l'air pur de la montagne, plutôt que dans le smog de la ville.

La gorgée de vin que j'avale me brûle la gorge.

— Je suis désolée, murmuré-je, en déposant mon verre.

Et je *suis* désolée pour lui. Je déteste Peter pour ce qu'il me fait endurer, mais mon cœur souffre tout de même de sa douleur, de la perte qui l'a poussé à suivre ce sombre chemin. Je ne peux qu'imaginer la culpabilité et l'agonie qu'il doit ressentir, sachant qu'il a malencontreusement pris la mauvaise décision, que son désir de protéger sa famille a causé sa mort.

C'est quelque chose que je peux comprendre ayant tué mon mari, pas une, mais bien deux fois.

Peter hoche la tête en réponse à mes paroles, puis se lève pour débarrasser la table. Je continue de boire comme il remplit le lave-vaisselle, et la sensation agréable dans mes veines s'intensifie, les bougies devant moi attirant mon attention avec le vacillement hypnotique des flammes.

— Il est temps de nous coucher, dit-il, et je lève les yeux pour le voir s'essuyer les mains avec le torchon de cuisine.

J'ai dû partir dans le vague un moment, attirée par les bougies. Ou alors il est incroyablement rapide pour nettoyer. Mais il est plus probable que je sois partie dans le vague, ce qui veut dire que je suis plus ivre que je le croyais.

— Coucher ?

Je m'efforce de me concentrer comme il s'approche et agrippe mon poignet, me relevant. Malgré la brume qui embrouille ma vision, je me souviens de la raison de mon trouble et, alors qu'il me tire vers l'escalier, la tension dans mes entrailles revient, mon cœur s'emballant.

— Je ne veux pas dormir avec toi.

Il me lance un regard, ses doigts se resserrant sur mon poignet.

— Je n'ai pas envie de dormir.

Mon anxiété s'intensifie.

— Je ne veux pas non plus coucher avec toi.

— Non ?

Il s'arrête au pied de l'escalier et se tourne face à moi.

— Alors, si je plonge à l'instant même dans ton jean, tes sous-vêtements ne sont pas complètement mouillés ? Ton entrejambe gonflé et affamé, n'attendant que le moment où je l'emplirai de mon sexe ?

Une rougeur se propage de mon cou à la racine de mes cheveux. Je *suis* moite ; d'un peu plus tôt, mais aussi de la manière dont il me regarde maintenant. C'est comme s'il voulait me dévorer, comme si ses paroles salaces l'excitaient autant que moi. Le brouillard d'alcool n'aide pas non plus, et je réalise que de tenter de noyer mon infortune était une erreur.

Lui résister lorsque j'ai toute ma tête est déjà difficile ; dans cet état, c'est pratiquement impossible.

Je dois pourtant essayer.

— Je ne…

— Ptichka…

Il lève une main et étreint ma mâchoire. Son pouce caresse ma joue pendant qu'il me fixe d'un regard d'acier en fusion.

— Devons-nous discuter des autres arrangements à nouveau ?

Je le regarde, des éclats de glace se formant dans mes veines. Pour la première fois, je comprends la portée totale de son ultimatum. Il ne s'attend pas uniquement à ce que je cesse de m'opposer contre les repas ; il me veut entièrement docile, que je lui ouvre mon lit comme si nous avions une véritable relation.

Comme s'il n'avait pas tué mon mari et ne s'était pas introduit de force dans ma vie.

— Non, murmuré-je, en fermant les yeux comme il baisse la tête et effleure mes lèvres des siennes... doucement, gentiment.

Sa tendresse me déchire, juxtaposée ainsi à l'horreur de sa menace. Si je m'oppose à lui, il me kidnappera, et m'enlèvera tout vestige de liberté.

Si je lui résiste, je perdrai tout ce qui importe, et sinon, je me perdrai moi-même.

Je trébuche comme Peter me guide dans l'escalier, et il me soulève dans ses bras puissants, gravissant les marches avec aisance. Sa force est à la fois terrifiante et attrayante. Je sais la sensation d'en être la victime, pourtant une partie primitive de moi est attirée par elle, par la promesse de sécurité qu'elle offre.

Lorsque nous atteignons la chambre, il me dépose sur le sol et me dévêt, me retirant mon pull et mon jean en des gestes calmes et posés. Seul l'éclat sombre de son regard argenté trahit sa faim, le désir qu'il est prêt à tout pour satisfaire.

Une fois que je suis nue, il se déshabille aussi et j'aperçois un éclat métallique à l'intérieur de son veston comme il le suspend à une chaise. Une arme à feu ? Un couteau ? La pensée qu'il entre dans ma chambre avec des armes devrait me terrifier, mais je suis trop bouleversée pour réagir, mes émotions passant déjà du choc, à la colère, et maintenant à une peur glaciale. Et sous tout ce fouillis d'émotions, il y a un soulagement insolite et illogique.

Avec la disparition de toutes mes options, je peux céder.

C'est la seule solution.

Une larme coule sur ma joue alors qu'il s'approche, totalement nu et excité, son corps imposant, une œuvre d'angles bruts et de muscles sculptés, de beauté violente et de virilité dangereuse. Les monstres ne devraient pas avoir cette allure, ils ne devraient pas être aussi fascinants que mortels.

C'est trop pour la raison d'une personne.

— Ne pleure pas, ptichka, murmure-t-il, en s'arrêtant devant moi.

Ses doigts effleurent mes joues, essuyant mes larmes.

— Je ne te ferai pas de mal. Ce n'est pas aussi mal que tu le crois.

Pas aussi mal que je le croie ? J'ai envie de rire, mais je me contente de secouer la tête, mon esprit embrouillé par le vin autant que par la chaleur que sa proximité suscite. Il a raison : je le veux. J'ai envie de lui, mon corps brûle d'un désir si fort que j'ai peine à le contenir. Et en même temps, je le hais.

Je le hais pour ce qu'il fait… et pour ce qu'il me fait sentir.

Ses doigts glissent dans ma chevelure, étreignant mon crâne, et je ferme les yeux lorsqu'il m'embrasse à nouveau, son autre main agrippant ma hanche pour m'attirer plus près de lui. Son érection se presse contre mon abdomen, imposante et dure, mais son baiser est doux, ses lèvres me cajolant au lieu de me forcer.

La sensation est bonne, si bonne que, pendant un instant, j'oublie que je n'ai aucun choix. Mes mains agrippent ses côtés, palpant sa forte musculature, et mes lèvres s'ouvrent comme le désir croît en moi. En profitant, il lèche l'intérieur de ma bouche, sa langue y laissant un goût vertigineux de vin et de douce séduction. Ce n'est pas notre première fois, pourtant dans ce baiser, il y a une sensation d'exploration, de découverte sensuelle et de tendre émerveillement.

Il m'embrasse comme si j'étais la chose la plus précieuse, la plus désirable qu'il ait connue.

Ma tête tourne sous l'effet de tout ce plaisir troublant, et il est tentant de me perdre totalement, de céder à l'illusion de ses sentiments. Il m'étreint d'une façon qui évoque un besoin brut, mais aussi quelque chose de plus profond, quelque chose qui fait vibrer les recoins les plus vulnérables de mon cœur.

Quelque chose qui emplit le puits de solitude laissé par les ruines de mon mariage.

J'ignore combien de temps Peter m'embrasse ainsi, mais lorsqu'il relève enfin la tête, nous avons tous deux le souffle court et la chaleur qui coule dans mes veines est un véritable brasier.

Étourdie, j'ouvre les yeux et croise son regard comme il me dépose sur le lit. Il n'y a aucune froideur dans ses profondeurs métalliques, aucune noirceur terrifiante, rien d'autre que cette tendresse affamée et, lorsqu'il s'installe entre mes cuisses, recouvrant mon corps de la puissance du sien, je sais que ce pourrait être simple.

Je pourrais arrêter de lutter et accepter le fantasme, accepter cette version ténébreuse du conte de fées.

— Sara…

Sa grande main étreint mon visage avec une telle douceur, et la douleur qui me transperce la poitrine est aussi puissante que perverse. Il me regarde comme si j'étais tout pour lui, comme s'il voulait réaliser tous mes rêves. C'est ce que j'ai toujours voulu, ce que j'ai toujours souhaité… mais pas avec le meurtrier de mon mari.

En rassemblant les vestiges de ma raison, je ferme les yeux, éloignant ainsi la tentation de ce regard hypnotique. *Aucun choix*, me dis-je comme ses lèvres se posent sur les miennes en un baiser incandescent. *Aucun choix*, scandé-je en silence, en l'entendant ouvrir un préservatif et en sentant ses jambes rugueuses se presser contre la chair tendre de mes cuisses pour les ouvrir davantage et nicher son sexe contre le mien. *Aucun choix*, hurlé-je en silence, comme il plonge en moi, m'étirant, m'emplissant… allumant un brasier de désir.

C'est mal, c'est tordu, mais en moins d'une minute je jouis, son rythme dur me faisant exploser avec une intensité qui m'arrache un cri et me fait monter les larmes aux yeux. Mon corps frissonne sous l'effet de cette extase, se contractant autour de son membre et je crie son nom, lui griffant le dos comme il continue de me posséder, me faisant jouir deux autres fois avant de se laisser enfin aller.

Il m'étend sur lui, nos jambes entremêlées, et il me caresse paresseusement le dos. La tête contre son épaule, j'entends le battement régulier de son cœur, et l'éclat de satisfaction sexuelle fait place à un enchevêtrement familier de honte et d'affliction.

Je le hais, et je me hais.

Je me hais parce que quelque chose de pervers en moi est heureux de cet ultimatum.

C'était bien de ne pas avoir de choix.

— Tu ne déménageras pas dans quelques semaines, murmure-t-il, sans arrêter sa douce caresse. Le couple d'avocats n'est plus propriétaire de cette maison, je le suis. Ou plutôt l'une de mes sociétés fictives est propriétaire.

Je devrais être surprise, mais ce n'est pas le cas. Je m'y attendais d'une certaine manière. Mes doigts se serrent, écrasant le coin de l'oreiller.

— Les as-tu menacés ? Tués ?

Il rit, son torse puissant bougeant sous moi.

— J'ai payé le double de la valeur de la maison. Même chose pour ton futur propriétaire. Il a été bien compensé pour la rupture de ton bail.

Je ferme les yeux, si soulagée que je pourrais pleurer. Je ne sais pas ce que j'aurais fait si une autre personne avait souffert par ma faute, comment aurais-je pu vivre ainsi ?

Lorsque je suis sûre que ma voix ne tremblera pas, je soulève la tête pour croiser son regard.

— Alors, quoi ? Nous allons continuer ainsi ?

— Oui… pour l'instant.

Ses yeux brillent sombrement.

— Nous verrons ensuite.

Puis, il attire à nouveau ma tête vers son épaule, et m'enveloppe de son bras, m'étreignant comme si j'étais à ma juste place.

PARTIE III

CHAPITRE 41
SARA

Au cours des jours suivants, nous tombons dans une vie domestique insolite. Chaque soir, Peter nous prépare un dîner délicieux et le repas attend déjà sur la table lorsque j'arrive. Nous mangeons ensemble, puis nous couchons ensemble, souvent deux fois ou plus avant de nous endormir. Lorsqu'il est là le matin à mon réveil, et c'est souvent le cas, il me prépare aussi le petit-déjeuner.

C'est comme si j'avais un mari au foyer, mais qui passe ses temps libres à des assassinats secrets.

— Que fais-tu toute la journée ? Demandé-je lorsque j'arrive à la maison après une journée particulièrement épuisante à l'hôpital et que je découvre un repas gastronomique de côtelettes d'agneau et de salade russe à base de betteraves. Tu ne te contentes pas de rester ici et de cuisiner, non ?

— Non, bien sûr que non.

Il me lance un regard amusé.

— Ce que nous faisons demande beaucoup de planification logistique, alors je me penche là-dessus avec les gars, et je m'occupe aussi du côté affaires de la chose.

— Le côté affaires ?

— Les interactions avec les clients, les paiements, les investissements et la distribution des fonds, l'acquisition d'armes et de munitions, et ainsi de suite, répond-il.

Je l'écoute avec fascination me donner un aperçu d'un monde où des sommes d'argent insensées changent de mains et où l'assassinat est un moyen de développer les activités.

— Nous travaillons beaucoup pour les cartels et d'autres organisations ou personnes puissantes, me raconte-t-il comme nous dégustons l'agneau. Le job au Mexique, par exemple, c'était à propos d'un chef de cartel nous contactant pour éliminer son rival afin de prendre possession de son territoire. Certains autres de nos clients comprennent des oligarques russes, plusieurs dictateurs, des personnes royales du Moyen-Orient, et quelques-unes des plus importantes mafias. Parfois, lorsque nous sommes entre deux contrats, nous acceptons quelques petites missions pour des brutes locales, mais celles-ci sont si peu rentables que nous les considérons comme du travail bénévole, une façon pour nous de rester alertes pendant une période creuse.

— Bien sûr, bénévole.

Je n'essaie même pas de cacher mon sarcasme.

— Comme mon travail à la clinique.

— Exactement, dit Peter avant de sourire.

Il sait qu'il me choque et il le fait exprès. C'est un jeu qu'il affectionne, de m'horrifier, puis de me séduire jusqu'à ce que j'accueille ses caresses malgré la répugnance que je ressens… ou que je devrais ressentir.

Cela fait partie de notre relation perverse que pratiquement rien de ce qu'il dit ou fait n'a d'effet durable sur mon désir pour lui. Mon incapacité à lui résister est une plaie ouverte dans ma poitrine et, peu importe ce que je fais, je ne peux pas la guérir. Chaque fois que je mange le repas qu'il prépare, chaque fois que je dors dans ses bras et que j'éprouve du plaisir à son contact, la plaie s'ouvre à nouveau, me laissant nauséeuse de honte et paralysée par ce dégoût de moi-même.

Je vis une vie de famille avec le meurtrier de mon mari et ce n'est pas aussi terrible que cela devrait l'être.

Une partie du problème est que, depuis notre première fois, Peter ne m'a pas fait mal. Pas physiquement, du moins. Je sens la violence en lui, mais lorsqu'il me touche, il prend soin de se maîtriser, d'empêcher les ténèbres de déborder. Le fait que je ne puisse pas vraiment lutter contre lui aide ; avec sa menace d'enlèvement qui pèse sur moi, je n'ai d'autre choix que d'obéir à ses demandes… du moins, c'est ce que je me dis.

C'est la seule manière qui peut justifier ce qui se passe, le fait que je commence à avoir besoin de l'homme que je hais.

Si tout ce qu'il voulait de moi était du sexe, ce serait facile, mais Peter semble déterminé à prendre également soin de moi. Des repas cuisinés romantiques aux étreintes la nuit, je suis inondée d'attention, choyée, et parfois même il me fait ma toilette. Nous ne sortons pas, probablement parce qu'il ne veut pas se montrer en public, mais vu la façon dont il me traite, je pourrais facilement être sa petite amie trop gâtée.

— Pourquoi aimes-tu faire ça ? Lui demandé-je lorsqu'il me brosse les cheveux après m'avoir lavée dans la douche. Est-ce un genre de fantasme tordu ?

Il me lance un regard amusé dans le miroir.

— Peut-être. Avec toi, ça y ressemble, c'est certain.

— Non, sérieusement, qu'est-ce que tu en retires ? Tu sais que je ne suis pas une enfant, n'est-ce pas ?

Les lèvres de Peter se serrent et je réalise que j'ai involontairement touché un point sensible. Nous ne parlons pas beaucoup de sa famille, mais je sais que son fils n'était qu'un bambin lorsqu'il a été tué. Serait-ce que, d'une certaine façon, je suis un substitut à sa famille décédée ? Qu'il est obnubilé par moi parce qu'il avait besoin de quelqu'un... n'importe qui ?

Mon tueur russe pourrait-il avoir besoin d'amour au point de se contenter de cette perversion ?

C'est une pensée captivante, surtout quand, après la deuxième semaine, je me retrouve de plus en plus dépendante du confort et du plaisir que Peter m'offre. Après un long quart, mon corps réclame les massages de cou et de pieds qu'il me donne souvent, et c'est un défi de ne pas saliver chaque fois que j'entre dans le garage et hume les arômes délicieux flottant dans la cuisine.

Je ne me contente pas de m'habituer à la présence de mon harceleur dans ma vie ; je commence à l'apprécier.

Ou du moins, certains éléments de celle-ci. Je suis encore loin d'être réjouie par les gardes du corps qui me suivent partout. Je ne les vois pratiquement jamais, mais je peux les sentir m'observer, et ça me perturbe autant que ça m'irrite.

— Je ne fuirai pas, tu sais, dis-je à Peter lorsque nous sommes étendus dans le lit une nuit. Tu peux rappeler tes chiens de garde.

— Ils sont là pour ta protection, me dit-il, et je sais que c'est un point sur lequel il ne fléchira pas.

Pour une raison que j'ignore, il est convaincu que je cours un danger, une chose contre laquelle il doit me protéger.

— Que crains-tu ? Dis-je en traçant les contours fermes de ses abdominaux de mon doigt. Crois-tu qu'un cinglé pourrait s'introduire chez moi ? Peut-être me torturer et tuer mon mari ?

Je lève les yeux et le vois sourire, comme si j'avais dit quelque chose de drôle.

— Quoi ? Dis-je, froissée. Tu crois que je plaisante ?

Son expression se fait sérieuse.

— Non, ptichka. Je ne crois pas du tout ça. Pour ce que ça vaut, je suis désolé de t'avoir fait mal. J'aurais dû trouver un autre moyen.

— Bien sûr. Un autre moyen de tuer George.

Me sentant nauséeuse, je m'éloigne de lui et m'enferme dans la salle de bain, le seul endroit où mon tortionnaire me laisse tranquille. Parfois, j'oublie presque comment tout cela a commencé, mon esprit oubliant à point nommé l'horreur du début de notre relation.

C'est comme si quelque chose en moi voulait que je cède au fantasme de Peter, que je prétende que tout cela est réel.

―――――――――――――

— Alors, tu ne m'as jamais dit ce qui est arrivé entre George et toi, me dit Peter pendant que nous dégustons un brunch dominical environ trois semaines après son retour. Pourquoi n'étiez-vous pas le couple parfait que tout le monde voyait ? Tu ne savais pas ce qu'il faisait réellement, alors qu'est-ce qui a mal tourné ?

Le morceau d'œuf poché que je mâche se coince dans ma gorge et je dois ingurgiter presque tout mon café pour le faire descendre.

— Qu'est-ce qui te fait croire que quelque chose n'allait pas ?

Ma voix est trop aiguë, mais Peter m'a totalement prise au dépourvu. Généralement, il évite le sujet de mon défunt mari, probablement pour alimenter l'illusion d'une relation normale.

— Parce que c'est ce que tu m'as dit, me répond-il calmement. Lorsque tu étais sous l'effet de la drogue que je t'ai donnée.

Je le regarde bouche bée, incapable de croire qu'il parle à nouveau de ça. Depuis notre conversation à propos des gardes du corps la semaine dernière, et mes pleurs dans la salle de bain, nous avons évité le sujet de ce qu'il m'a fait, aucun de nous ne voulant gratter cette blessure à vif.

— Ça…

Réprimant mon choc, je me reprends.

— Ça ne te concerne pas.

— Est-ce qu'il te battait ?

Peter se penche vers l'avant, ses yeux métalliques se durcissant.

— Te faisait mal d'une autre façon ?

— Quoi ? Non !

— Il était pédophile ? Nécrophile ?

J'inspire pour me calmer.

— Non, bien sûr que non.

— Il t'a trompée ? Consommait de la drogue ? Maltraitait les animaux ?

— Il a commencé à boire, d'accord ? Dis-je, à bout. Il a commencé à boire, et il n'a jamais arrêté.

— Ah.

Peter s'adosse à sa chaise.

— Un alcoolique, alors. Intéressant.

— Ah bon ? Demandé-je amèrement.

En prenant mon assiette, je vide les restes de mon petit-déjeuner dans les ordures et place l'assiette dans le lave-vaisselle.

— Tu aimes entendre que l'homme que je connaissais et que j'aimais depuis mes dix-huit ans, l'homme que j'ai *épousé*, s'est transformé après notre mariage sans cause apparente ? Qu'en quelques mois, il est devenu quelqu'un que je peinais à reconnaître ?

— Non, ptichka.

Il s'arrête derrière moi et le souffle me manque lorsqu'il m'attire contre lui, repoussant mes cheveux pour pouvoir embrasser mon cou. Son souffle réchauffe ma peau lorsqu'il murmure :

— Je n'aime pas du tout entendre ça.

— C'est juste… Je ne l'ai jamais compris.

Je me retourne dans ses bras, la vieille douleur refaisant surface comme je croise le regard de Peter.

— Tout allait si bien. J'ai terminé l'école de médecine, nous avons acheté cette maison et nous sommes mariés… Il voyageait beaucoup pour le travail, alors il n'avait rien contre mes heures comme interne et, en retour, j'acceptais tous les voyages. Et puis…

Je m'interromps en réalisant que je me confie au tueur de George.

— Et puis, quoi ? demande-t-il, ses doigts s'enroulant autour de ma paume. Que s'est-il passé, Sara ?

Je me mords la lèvre, mais la tentation de tout lui dire, de dévoiler l'entière vérité pour une fois est trop forte. Je suis épuisée de prétendre, de porter le masque de perfection que tout le monde attend de moi.

Retirant ma main de sa poigne, je retourne à la table et m'assieds. Peter me rejoint et après un moment, je commence à parler.

— Tout a changé plusieurs mois après notre mariage, dis-je à voix basse. En quelques semaines, mon mari chaleureux et bon vivant est devenu un étranger froid et distant, qui me repoussait constamment, peu importe ce que je faisais. Il a commencé à avoir ces étranges humeurs, à diminuer les voyages professionnels et…

Je reprends mon souffle.

— Il a commencé à boire.

Peter hausse les sourcils.

— Il ne buvait pas avant ?

— Pas ainsi. Il prenait quelques verres lorsque nous sortions avec des amis et un verre de vin au dîner. Rien d'extraordinaire… et rien que je ne faisais pas moi-même. Ça, c'était différent. Je parle d'ivre mort, trois ou quatre soirs par semaine.

— C'est beaucoup. Tu ne l'as jamais confronté à ce sujet ?

Un rire amer s'échappe de ma gorge.

— Le confronter ? C'est la seule chose que j'ai faite, le confronter. Les premières fois, il m'a expliqué que c'était le stress du travail, puis une soirée entre copains, puis un besoin de se détendre et puis…

Je me mords la lèvre.

— Puis, il a commencé à me blâmer.

— Toi ?

Peter fronce les sourcils.

— Comment pouvait-il bien te blâmer ?

— Parce que je ne le laissais pas tranquille. Je le harcelais, je voulais qu'il soit traité, qu'il participe aux réunions des AA, qu'il parle à quelqu'un, n'importe qui, qui pourrait l'aider. Je lui posais les mêmes questions, encore et encore, tentant de comprendre pourquoi, qu'est-ce qui l'avait amené à changer ainsi.

Ma poitrine se contracte sous l'effet de cette souffrance.

— Tout allait si bien avant, vois-tu. Mes parents, nos amis… tout le monde était enchanté de notre mariage et nous avions cet avenir prometteur devant nous. Il n'y avait aucune raison pour cette attitude, rien à quoi je pouvais m'accrocher pour expliquer sa soudaine transformation.

J'ai continué à le harceler et il a continué de boire, de plus en plus. Et puis…

J'inspire avec peine, la gorge nouée.

— Je lui ai dit que je ne pouvais pas continuer ainsi, qu'il devait choisir entre notre mariage ou la boisson.

— Et il a choisi la boisson.

— Non.

Je secoue la tête.

— Pas au début. Nous sommes tombés dans le cycle classique d'abus de substances. Il me suppliait de rester, me promettait de s'améliorer, et je le croyais, mais après une semaine ou deux, les choses revenaient comme elles étaient. Et lorsque je soulignais ses humeurs et lui demandais de consulter un psychiatre, il s'en prenait à moi, affirmant que j'étais la raison de son alcoolisme.

Le froncement de sourcils de Peter s'intensifie.

— Ses humeurs ?

— C'est ainsi que je les appelais. C'était peut-être une dépression clinique ou une autre forme de maladie mentale, mais comme il refusait de consulter, nous n'avons jamais eu de vrai diagnostic. Les humeurs commençaient juste avant qu'il ne se mette à boire. Nous étions ensemble et soudainement, il semblait se refermer, comme s'il partait mentalement dans un autre monde. Il devenait distrait et étrangement agité, comme nerveux. Comme s'il était sous l'effet d'une drogue, mais je ne crois pas que c'était le cas. Du moins, ça ne me semblait pas être de la drogue. Il ne faisait que se retirer quelque part dans son esprit, et il était impossible de lui parler lorsqu'il se mettait ainsi, aucun moyen afin qu'il se calme et soit seulement *présent*.

— Sara…

Une étrange expression fige les traits de Peter.

— Quand as-tu dit que tout ça a commencé ?

— Quelques mois après notre mariage, dis-je, les sourcils froncés. Donc, aujourd'hui, il y a environ cinq ans et demi. Pourquoi ?

Puis, ça me frappe.

— Tu ne crois pas que…

— Que la transformation de ton mari a quelque chose à voir avec son rôle dans le massacre de Daryevo ? Pourquoi pas ?

Peter se penche vers l'avant, les yeux plissés.

— Réfléchis. Il y a cinq ans et demi, Cobakis a fourni des renseignements qui ont causé le massacre de dizaines d'innocents, y compris des femmes et des enfants. Que ce soit par ambition, par cupidité ou par simple stupidité, il s'est planté, et largement. Tu dis qu'il était un homme bien ? Quelqu'un qui avait une conscience ? Eh bien, comment un homme comme ça se sentirait-il après avoir causé le massacre d'innocents ? Comment pourrait-il vivre avec tout ce sang sur les mains ?

Je me recule, l'horrible vérité de ses paroles me frappant comme une balle. Je ne sais pas pourquoi je n'ai pas fait ce rapprochement avant, mais maintenant que Peter en parle, ça prend tout son sens. Lorsque j'ai découvert la vérité sur George, il m'est venu à l'esprit que son travail réel était peut-être la cause de sa transformation, mais j'étais si préoccupée par la présence de Peter dans ma vie, et j'avais une telle répugnance à m'attarder sur ses révélations, que je n'avais pas poussé l'idée jusqu'à sa conclusion logique.

Je n'avais pas envisagé que les événements tragiques qui avaient fait entrer mon bourreau dans ma vie pouvaient être les mêmes qui avaient ruiné mon mariage... que nos destins avaient été entremêlés depuis bien plus longtemps que je ne le pensais.

Nauséeuse, je me lève, les jambes tremblantes.

— Tu as raison.

Ma voix est étranglée et rauque.

— Ce doit être la culpabilité qui l'a conduit à boire. Tout ce temps, je me suis demandé si c'était quelque chose que j'avais fait ou dit, si notre mariage le décevait, et c'était ces événements depuis le début.

Peter acquiesce, son visage figé en un masque dur.

— À moins que ton mari n'ait causé de multiples massacres dans sa carrière, c'est la seule chose qui a du sens.

J'inspire avec peine et me détourne, marchant vers la fenêtre pour regarder dans la cour arrière. Les chênes énormes sont comme des gardiens dehors, leurs branches nues malgré les premiers signes du printemps. Je me sens comme ces chênes, dépouillée, dénudée dans toute ma laideur. Et en même temps, je me sens plus légère.

L'alcoolisme, au moins, n'était pas ma faute.

— Je suis responsable de l'accident, tu sais, dis-je à voix basse lorsque Peter vient me rejoindre.

Il ne me regarde pas, son profil dur et implacable, et même s'il lutte contre ses propres démons, sa présence me réconforte à un niveau fondamental.

Je ne suis pas seule lorsqu'il est à mes côtés.

— Comment ? demande-t-il sans tourner la tête. Le rapport disait qu'il se trouvait seul dans le véhicule.

— Il avait bu la nuit d'avant. À un point tel de, vomir plusieurs fois dans la nuit.

Je frissonne, me rappelant l'odeur du vomi, de la maladie, des mensonges et des espoirs brisés. Me retenant avec peine, je continue :

— Au matin, j'en avais assez. J'en avais assez de ses excuses, des accusations sans fin parsemées de promesses de faire mieux. J'avais réalisé que George et moi n'étions pas différents des autres ; nous n'étions qu'un autre alcoolique et sa femme trop stupide pour le voir. Ce n'était pas seulement qu'un mauvais passage. Notre mariage était simplement brisé.

Je m'interromps, la voix trop tremblotante pour continuer, lorsqu'une grande main chaude me prend la main. L'expression de Peter n'a pas changé, son regard ne quittant pas le paysage extérieur, mais son appui silencieux me calme, me donnant le courage de poursuivre.

— Il était encore comateux lorsque je suis partie travailler, alors je l'ai confronté à mon retour, dis-je aussi fermement que je peux. Je lui ai dit de faire ses bagages et de partir, que je demanderais le divorce dès le lendemain. Nous nous sommes disputés et avons tous deux prononcé des mots horribles et je…

Je déglutis avec peine.

— Je l'ai jeté dehors.

Peter me jette un regard de légère surprise.

— Comment as-tu pu le jeter dehors ? Il n'était pas l'homme le plus imposant que j'aie vu, mais il devait bien faire vingt kilos de plus que toi.

Je bats des cils, distraite par son étrange question.

— J'ai jeté ses clés et son sac dans le garage et lui ai hurlé de partir.

— Je vois.

À mon grand étonnement, un léger sourire étire les lèvres de Peter.

— Et tu crois que tu es responsable parce qu'il a conduit et a eu un accident ?

— Je *suis* responsable. La police a dit qu'il avait le double du taux d'alcoolémie permis. Il avait bu et je l'ai forcé à conduire. Je l'ai jeté dehors et…

— Tu as jeté ses *clés* dehors, pas lui, dit Peter, son sourire s'effaçant comme ses doigts se resserrent sur ma main. Il était adulte, à la fois plus grand et plus fort que toi. S'il avait voulu rester, il l'aurait fait. Et puis, savais-tu qu'il avait bu lorsque tu lui as dit de partir ?

Je fronce les sourcils.

— Non, évidemment pas. Je venais d'arriver du travail et il ne semblait pas ivre, mais…

— Mais rien du tout.

La voix de Peter est aussi dure que son regard.

— Tu as fait ce que tu devais faire. Les alcooliques peuvent sembler à jeun, même avec beaucoup d'alcool dans leur système. Je le sais ; j'ai vu beaucoup de cas en Russie. Ce n'était pas à toi de vérifier son taux d'alcoolémie avant de lui dire de faire ses bagages. S'il était trop ivre pour conduire, il n'avait pas sa place au volant. Il aurait pu appeler un taxi ou te demander de le conduire à un hôtel. Bordel, il aurait pu dormir dans le garage et *ensuite* partir.

— Je…

C'est à mon tour de tourner mon regard vers la fenêtre.

— Je le sais.

— Vraiment ?

En relâchant ma main, Peter prend mon menton, me forçant à croiser son regard.

— J'en doute, ptichka. As-tu avoué à qui que ce soit ce qui s'est vraiment passé ?

Mes entrailles se crispent, un poids désagréable se déposant dans mon estomac.

— Pas vraiment. Enfin, les policiers savaient qu'il avait bu, mais…

— Mais ils ignoraient que c'était habituel, n'est-ce pas ? Devine Peter, en baissant la main. Tu étais la seule à le savoir.

Je me détourne, ressentant la brûlure familière de la honte. Je sais que c'est l'erreur conjugale classique, mais je ne pouvais me résoudre à révéler nos problèmes, à admettre que le mariage que tout le monde louait était pourri à l'intérieur. Au début, c'était une part égale de fierté et de déni. J'étais censée être une jeune médecin intelligente avec un avenir prometteur. Comment avais-je pu faire une telle erreur ? Avais-je raté des signaux d'alarme ? Et sinon, comment une telle chose avait-elle pu arriver à l'homme merveilleux que j'avais épousé, l'homme qui, selon tout le monde, était si prometteur ? C'était sûrement une situation temporaire, un mauvais passage dans une vie autrement parfaite. Et lorsque j'avais enfin compris que ce problème était là pour de bon, une autre raison m'avait empêchée d'en parler.

— Mon père a eu une crise cardiaque environ un an après notre mariage, dis-je, en fixant les branches nues se balançant dans le vent. Elle était grave. Il en est presque mort. Après un triple pontage, les médecins lui ont dit de maintenir le stress à un minimum.

— Ah. Et apprendre que le mari de sa fille chérie s'était changé en un alcoolique déchaîné aurait causé un stress.

— Oui.

J'aurais pu arrêter là, laisser Peter croire que j'étais uniquement une bonne fille, mais une étrange compulsion me fait lancer :

— Ce n'était pas tout. J'avais peur de ce que les gens diraient et de leurs jugements. George était bon pour cacher sa dépendance à tout le monde ; avec le recul, je suppose que ses talents d'acteur auraient dû être un indice de toute cette histoire d'espionnage. J'étais moi-même très bonne pour faire semblant. La nature de nos carrières était un plus. Je pouvais toujours être « de garde » si nous devions annuler une sortie à la dernière minute et George pouvait avoir une « histoire urgente » à couvrir s'il avait de la difficulté à dessouler.

Peter ne dit rien pendant un moment, et je me demande s'il me condamne pour ma couardise, pour ne pas avoir demandé de l'aide avant qu'il ne soit trop tard. C'est une autre chose qui me pèse : la possibilité que j'aurais pu faire quelque chose si j'avais été plus ouverte au sujet de nos problèmes. J'aurais pu amener George en détox ou le faire suivre par un psychiatre, et la tragédie de l'accident aurait été évitée.

Évidemment, l'homme à mes côtés l'aurait quand même tué, alors…

Incapable d'affronter cette pensée, je la repousse comme Peter me demande :

— Qu'en est-il de son travail ? Comment pouvait-il continuer à fonctionner dans son état. À moins… tu as dit qu'il a arrêté d'accepter des mandats à l'étranger ?

— Pratiquement.

En inspirant pour calmer les contractions de mon estomac, je me concentre sur le balancement hypnotique des branches à l'extérieur.

— Il a voyagé quelques fois après notre mariage, mais dans l'ensemble, il s'occupait d'histoires locales, comme celle sur la mafia soudoyant la police de Chicago et des représentants gouvernementaux.

— Celle pour laquelle il avait prétendument besoin de protection.

J'acquiesce, pas surprise qu'il le sache. Il avait probablement un microphone parabolique fixé sur moi pendant ma conversation avec l'agent Ryson. Avec tout ce que j'ai appris sur mon harceleur dans les dernières semaines, c'est tout à fait possible.

Les millions qu'il empoche à chaque assassinat ouvrent la porte à toute sorte d'équipement.

— Il a dû arrêter de travailler pour la CIA, alors, dit Peter.

Je jette un œil vers lui et le vois fixant les branches.

— Soit parce qu'il a été viré ou parce qu'il ne pouvait faire face aux conséquences de son erreur. C'est la seule chose qui explique l'absence de mandats à l'étranger.

— Oh.

Ma tête bat sous l'effet d'une tension tenace et mon estomac continue de se retourner et de se tordre, comme si mes entrailles étaient enroulées de plus en plus fortement. Le bas de mon dos me fait mal aussi, une réalisation qui me fait calculer rapidement.

C'est bien ça, mes règles sont sur le point de commencer.

Nous restons à la fenêtre encore un long moment, observant les arbres, puis je me dirige vers l'armoire à pharmacie et prends deux Advil, les avalant avec un verre d'eau.

— Que se passe-t-il ? demande Peter, en me suivant avec une expression inquiète. Es-tu malade ?

— Ce n'est rien, dis-je ne voulant pas rentrer dans les détails.

Puis, je réalise qu'il le découvrira de toute façon plus tard et j'ajoute :

— C'est seulement ce moment du mois.

— Ah.

Contrairement à la majorité des hommes, il ne semble pas le moins du monde mal à l'aise.

— Est-ce que tu as généralement mal ?

— Malheureusement, oui.

Comme je parle, je sens les crampes s'aggraver et remercie les dieux de la planification d'horaire que je ne suis pas de garde aujourd'hui. J'avais l'intention d'aller faire quelques heures à la clinique dans l'après-midi, mais je revois ce plan au profit de me blottir dans mon lit avec un coussin chauffant.

— Pourquoi ne prends-tu pas de contraceptifs oraux ? demande Peter, en me suivant comme je monte l'escalier.

Je ne t'ai pas vu en prendre tout ce temps, et je crois que ça aide normalement en cas de règles douloureuses.

— Un expert de la santé reproductive des femmes, c'est ça ?

Peter ne cille pas devant mon sarcasme.

— Loin de là, mais j'ai déjà obtenu une ordonnance pour Tamila parce qu'elle avait de fortes crampes. Je suppose qu'il y a une raison pour laquelle tu ne fais pas la même chose ?

Je soupire en entrant dans la chambre.

— Oui. Je suis l'une de ces rares femmes qui ne peuvent pas tolérer les contraceptifs hormonaux. Ça me donne des migraines et des nausées, peu importe la dose. Même les DIU hormonaux me donnent des maux de tête, alors je dois choisir entre me sentir mal quelques jours par mois, ou tout le temps.

— Je vois.

Peter s'appuie contre le chambranle pendant que je me déshabille. Je peux voir le désir dans son regard comme il me regarde me dévêtir, et j'espère qu'il n'a pas l'intention de me rejoindre dans le lit. Il laisse rarement passer une occasion de me posséder.

Ignorant son regard, j'attrape mon coussin chauffant dans la table de chevet et me recroqueville en une position fœtale, en l'étreignant sous la couverture, et j'attends que l'Advil fasse effet.

J'entends un bruit de pas sourds, puis le lit s'affaisse à mes côtés.

Non, non, non. Va-t'en. Pas de sexe maintenant. Je ferme les yeux, espérant qu'il comprendra, mais l'instant d'après, la couverture est rabattue et une main calleuse caresse mon dos nu.

— Veux-tu que je t'apporte quelque chose ?

Sa voix profonde au léger accent est basse et apaisante.

— Peut-être des rôties ou du thé ?

Étonnée, je roule sur le dos, appuyant le coussin chauffant contre mon abdomen.

— Euh, non, merci. Ça va.

— Tu es sûre ?

Il repousse mes cheveux de mon visage.

— Qui dirais-tu si je te frottais le ventre ?

Je bats des cils.

— Euh…

— Tiens.

Il retire doucement le coussin chauffant et dépose sa main chaude sur mon ventre.

— Essayons ça.

Il déplace sa main en un geste circulaire, avec une légère pression, et après quelques minutes, la sensation de crampe s'atténue, la chaleur de sa peau et le mouvement du massage repoussant le pire de ma tension douloureuse.

— C'est mieux ? murmure-t-il comme je ferme les yeux sous l'effet d'un soulagement heureux.

J'acquiesce, mes pensées commençant à dériver comme l'engourdissement s'empare de moi.

— C'est très bien, merci, marmonné-je.

Comme le massage apaisant se poursuit, je me laisse engloutir par la brume chaude du sommeil.

CHAPITRE 42
PETER

J'observe Sara dormir quelques minutes, puis je me lève sans un bruit et sors de la chambre. Je pourrais rester assis près d'elle pendant des heures, me contentant de la regarder, mais j'ai un appel avec un client potentiel à midi et je dois discuter de quelques détails avec Anton avant.

Je n'ai besoin que de quelques minutes pour ranger la cuisine, puis je sors par la porte arrière pour passer par la cour d'un voisin. Le SUV blindé d'Ilya est stationné dans la rue à deux pâtés de maisons de là et, tout en marchant, je porte attention à tout : le jappement lointain d'un petit chien, un écureuil qui traverse à toute vitesse la rue, la marque des chaussures du joggeur qui vient de tourner le coin… Cette hypervigilance fait autant partie de moi que mes réflexes ultrarapides, et tous deux m'ont maintenu en vie depuis des années.

Ilya démarre le véhicule comme je m'approche et, dès que je suis installé, quitte le bas-côté pour descendre la rue de banlieue tranquille à exactement deux kilomètres au-dessus de la limite de vitesse.

Il croit que se fondre dans le décor nécessite d'agir comme un civil normal, jusqu'aux plus petites infractions de circulation.

— Des problèmes ? Fais-je en russe, et il secoue sa tête rasée.

— Tout est tranquille, comme toujours.

Contrairement à son jumeau et à Anton, il ne semble pas déçu. Je crois qu'il apprécie notre petite pause en banlieue, bien qu'il ne l'admette jamais. Des quatre membres fondamentaux du groupe, Ilya est celui qui ressemble le plus au voyou par excellence, avec ses tatouages de têtes de mort et sa mâchoire épaissie par un flirt de jeunesse avec des stéroïdes. Son jumeau Yan, à l'opposé, a tout du professeur ou du banquier, avec ses vêtements soigneusement repassés et ses cheveux bruns à la coupe classique. Mais pour ce qui est de la personnalité, c'est Yan qui se délecte de notre vie haute en émotions, alors qu'Ilya préfère se concentrer sur la stratégie et rester dans les coulisses.

Je crois que si Ilya n'avait pas suivi son frère dans l'armée, il serait devenu un programmeur informatique ou un comptable.

— Des nouvelles des Américains ? Demandé-je, lorsque nous nous arrêtons à un feu.

Puisque mes hommes sont plutôt occupés, j'utilise la main-d'œuvre du coin comme sécurité de rechange. Ils doivent garder un œil sur Sara lorsque je ne suis pas avec elle et nous informer de toute activité inhabituelle dans le quartier.

— Non. Ta belle ne dévie pas beaucoup de sa routine, mais je suis sûr que tu le sais.

J'acquiesce, tout en balayant du regard les pelouses bien soignées sur notre chemin vers notre planque. Quelque chose me dérange, mais je ne peux pas mettre le doigt dessus. Peut-être est-ce seulement trop calme, avec aucune mission importante en vue et peu de progrès pour localiser le général de Caroline du Nord, le dernier nom sur ma liste. Le salaud paranoïaque a disparu avec sa famille et il s'y est si bien pris que même les pirates informatiques que j'ai engagés ont de la difficulté à le trouver.

Je devrai peut-être me rendre en Caroline du Nord, pour voir ce que je peux découvrir en personne.

— Dis-leur que je veux examiner les prochains rapports moi-même, dis-je comme Ilya s'arrête dans l'entrée de notre planque. Et dis-leur d'étendre le périmètre à vingt pâtés de maisons, pas dix. Si quiconque ne fait aussi peu qu'éternuer dans le quartier de Sara ou autour de l'hôpital, je veux le savoir.

— Compris, dit Ilya.

Je sors du véhicule.

Je suis peut-être paranoïaque, mais je ne peux pas laisser quoi que ce soit perturber ce que j'ai avec Sara.

J'ai trop besoin d'elle pour risquer de la perdre.

Elle est étendue sur le canapé avec un coussin chauffant et une tablette lorsque j'arrive à la maison, ses jambes gracieusement croisées et sa chevelure marron brillante retenue en un chignon lâche haut sur la tête. Même vêtue d'un survêtement et d'un immense tee-shirt, mon petit oiseau donne l'impression qu'elle pourrait être la vedette d'un film en noir et blanc, la délicatesse de ses traits accentuée par les mèches échappées qui encadrent son visage en forme de cœur.

Mes poumons se serrent lorsqu'elle lève les yeux, son regard noisette se fixant sur mon visage. Chaque fois que je la vois, je la veux, mon envie d'elle comme une faim déchirante dans ma poitrine. Au cours des trois dernières semaines, je l'ai possédée tant de fois que ce besoin devrait avoir diminué, mais il n'a fait que croître, s'intensifiant à un point insupportable.

Je la veux, et je veux ça... le plaisir tranquille de partager sa vie, de savoir que je peux l'étreindre au milieu de la nuit et la voir devant moi à la table le matin. Je veux prendre soin d'elle lorsqu'elle se sent mal et jouir de son sourire lorsqu'elle va bien. Et parfois, lorsque mon chagrin remonte, je veux aussi la faire souffrir... une envie que je réprime de toutes mes forces.

Elle est mienne et je la protégerai.

Même de moi-même.

— Comment te sens-tu ? Demandé-je en m'approchant du canapé.

Je n'ai pas eu la chance de la prendre ce matin et je sens un début d'érection juste à l'avoir près de moi. Toutefois, mon désir passe après mon besoin de savoir qu'elle va bien.

Sara ne mourra pas de crampes menstruelles, mais je ne veux pas la voir souffrir.

— Mieux, merci, répond-elle, en déposant la tablette près d'elle.

Elle regardait des vidéos de musique… quelque chose que je l'ai vue faire lorsqu'elle veut se détendre.

— Tu peux continuer, dis-je, en faisant un geste de la tête vers la tablette. Je dois préparer le dîner, alors n'arrête pas pour moi.

Elle ne fait pas mine de reprendre la tablette, se contentant de pencher la tête et de m'observer comme je vais me laver les mains et sors les ingrédients pour le dîner simple de ce soir : les poitrines de poulet que j'ai fait mariner la nuit dernière et les légumes frais pour la salade.

— Tu sais, tu n'as jamais répondu à ma question, dit-elle après une minute. Pourquoi fais-tu vraiment ça ? Qu'est-ce que tu retires de toute cette vie domestique ? Un homme comme toi n'a pas quelque chose de mieux à faire avec sa vie ? Je ne sais pas… peut-être descendre en rappel un immeuble ou faire exploser quelque chose ?

Je soupire. Encore ça. Mon ambitieuse jeune médecin ne peut pas comprendre que j'aime tout simplement faire ça… pour elle et pour moi. Je ne peux pas remonter le temps et passer plus de temps avec Pasha et Tamila, ne peux pas mettre en garde l'homme que j'étais de renoncer au travail en faveur de ce qui importe, parce que tout pourrait disparaître en un instant. Je ne peux que me concentrer sur le présent, et mon présent est Sara.

— Ma femme m'a appris à préparer quelques plats simples, dis-je en déposant les poitrines de poulet dans la poêle avant de commencer à couper les légumes. Dans sa culture, les femmes s'occupaient de toute la cuisine, mais elle n'était pas forte sur la tradition. Elle voulait veiller à ce que je sois à même de m'occuper de notre fils si quelque chose lui arrivait, alors pour lui faire plaisir, j'ai accepté d'apprendre quelques recettes… et j'ai découvert que j'aimais préparer des repas.

Une douleur familière m'étreint la poitrine à ces souvenirs, mais je repousse le chagrin, me concentrant sur la curiosité sympathique dans les yeux noisette qui m'observent depuis le canapé.

Parfois, je suis convaincu que Sara ne me hait pas.

Pas tout le temps, du moins.

— Alors, tu as commencé à cuisiner pour ta femme ? demande-t-elle lorsque je reste silencieux un moment, et j'acquiesce tout en vidant les légumes coupés dans un grand bol à salade.

— Oui, mais je n'ai rien appris de plus que les bases jusqu'à sa mort, dis-je et, malgré moi, ma voix est rauque, à vif de toute mon agonie réprimée. Deux mois après le massacre, j'ai croisé une école culinaire à Moscou et, sur le coup, j'ai décidé d'entrer et de suivre un cours. Je ne sais pas pourquoi je l'ai fait, mais lorsque j'ai eu terminé, mon *bortsch* mijotait sur le poêle et je me suis senti un peu mieux. C'était quelque chose de différent sur lequel je pouvais me concentrer, quelque chose de tangible et de réel.

Quelque chose qui calmait la rage brûlante en moi, qui me permettait de planifier ma vengeance comme une recette, avec les étapes et les mesures nécessaires pour y arriver.

Je n'aborde pas ce point, car le regard de Sara s'adoucit encore plus. Je suppose que mon petit loisir me rend plus humain à ses yeux. Ça me plaît, alors je passe sous silence que je me trouvais à Moscou pour tuer mon ancien supérieur, Ivan Polonsky, pour avoir participé à la dissimulation du massacre, ou qu'une heure après le cours, je lui tranchais la gorge dans une ruelle.

Son sang ressemblait beaucoup à du bortsch ce jour-là.

— Je suppose qu'on ne réalise jamais ce qu'on a avant de l'avoir perdu, songe Sara, étreignant le coussin chauffant contre elle, et je sens une flambée de jalousie devant la note de mélancolie dans sa voix.

J'espère qu'elle ne pense pas à son mari, parce qu'en ce qui me concerne, ce n'est pas une grande perte.

Ce *sookin syn* méritait tout ce qu'il a eu, et même plus.

Lorsque le repas est prêt, Sara se joint à moi à la table et nous mangeons pendant que je lui raconte certaines des villes où j'ai suivi des cours de cuisine : Istanbul, Johannesburg, Berlin, Paris, Genève… Après avoir décrit les cuisines, je partage quelques récits à propos de chefs capricieux et Sara rit, un sourire sincère illuminant son visage comme elle m'écoute. Pour éviter de gâcher l'ambiance, je tais les parties sombres, comme le fait qu'Interpol m'a trouvé à Paris et que j'ai dû quitter l'immeuble de l'école de cuisine avec une arme à la main, ou que j'ai fait exploser une voiture à Berlin avant de me rendre au cours. Nous terminons donc le repas sur une note agréable, Sara m'aidant à ranger avant que je la chasse.

— Va te détendre, lui dis-je. Prends une douche et mets-toi au lit. Je serai là dans un moment.

Son expression se fait méfiante.

— D'accord, mais sache que je viens de commencer mes règles.

— Et alors ? Tu crois qu'un peu de sang me répugne ?

Je souris devant son expression.

— Je plaisante. Je sais que tu n'es pas au mieux de ta forme. Nous nous contenterons de dormir comme au bon vieux temps.

— Ah, pigé.

Un sourire, sincère et chaleureux, étire ses lèvres.

— Dans ce cas, je te retrouve en haut dans un moment.

Elle sort en hâte de la cuisine et je reste là, le souffle coupé, avec l'impression qu'on vient de me poignarder les entrailles.

Bordel, ce sourire… Ce sourire était tout.

Pour la première fois, je comprends pourquoi je me sens ainsi près d'elle.

Pour la première fois, je réalise à quel point je l'aime.

CHAPITRE 43
SARA

Le dimanche matin, je me sens mieux et décide d'aller rendre visite à mes parents. Je ne les ai revus qu'une seule fois depuis le retour de Peter, occupée par mon harceleur et inquiète de les mettre en danger. Toutefois, je suis maintenant de plus en plus convaincue que Peter ne leur ferait pas arbitrairement mal. Il valorise trop la famille pour me faire ça.

Aussi longtemps que je satisfais ses exigences, mes parents devraient être en sécurité.

Ma mère est aux anges lorsque je l'appelle, et nous projetons un déjeuner sushi. Lorsque j'en informe Peter, il hoche la tête distraitement et écrit quelque chose sur son téléphone.

— Qu'écris-tu ? Demandé-je avec curiosité.

— J'avise seulement mes gars que je serai finalement là aujourd'hui, dit-il en rangeant le téléphone. Pourquoi ? Voulais-tu que je me joigne à vous ?

Ses yeux gris brillent comme il me regarde.

Je ris.

— Non, je crois que la partie où le FBI prend d'assaut le restaurant pour capturer l'un des hommes les plus recherchés nous couperait l'appétit.

Peter ne me rend pas mon sourire et je réalise qu'il est sérieux.

— Tu… tu sortirais avec moi en public ?

— Pourquoi pas ?

Il hausse les sourcils calmement.

— Je t'ai bien rencontrée au Starbucks, non ?

— Eh bien, oui, mais c'était avant. Enfin… peu importe.

J'inspire.

— Je suppose que tu ne crains pas d'être vu en public ?

— Je ne paraderais pas devant le bureau local du FBI, mais je peux sortir occasionnellement pour un déjeuner ou un dîner si l'endroit est fouillé avant et que je peux m'assurer qu'il n'y a pas de caméra.

— Oh.

Je mordille l'intérieur de ma lèvre comme j'attrape mon sac.

— Eh bien, nous pourrions alors dîner dehors plus tard cette semaine…

— Mais pas aujourd'hui, dit-il.

J'acquiesce, gênée, mais ne sachant que faire d'autre. Il n'est pas question que je présente le tueur de George à mes parents.

C'est déjà beaucoup de lui avoir offert d'aller dîner avec lui.

— C'est bon. Je te verrai à ton retour, dit-il, et je m'éloigne avant qu'il ne propose autre chose, comme des tatouages assortis ou un mariage sur la plage.

C'est une pure folie, et la partie la plus dingue c'est que ça commence à me sembler normal.

Je commence à m'habituer à avoir Peter dans ma vie.

Au déjeuner, j'informe mes parents que j'ai décidé de ne pas vendre la maison. Je leur ai déjà annoncé il y a deux semaines que l'offre des avocats avait échoué, alors ils ne sont pas particulièrement surpris d'apprendre ma décision. En fait, ils sont très heureux, puisque la maison est à seulement vingt minutes de route d'eux, alors que mon nouvel appartement se trouvait à au moins quarante-cinq minutes de route.

— C'est une jolie maison, dit papa, en se versant un peu de sauce soja. Je crois que toute l'idée de l'appartement était une réaction excessive. Tu es jeune, mais les années défilent et, très bientôt, tu pourrais penser à former une famille. Tu sais, sortir et rencontrer un homme…

— Oh, ça va, Chuck, dit sèchement maman. Sara a tout le temps du monde.

Se tournant vers moi, elle dit d'une voix plus douce :

— Tu prends tout le temps qu'il te faut, chérie. Ne laisse pas ton père te forcer à quoi que ce soit. Nous *sommes* heureux que tu gardes la maison, mais ça ne veut pas dire que nous nous attendons à ce que tu nous présentes des petits-enfants si vite.

— Maman, je t'en prie.

J'ai toutes les peines du monde à ne pas lever les yeux au ciel comme une adolescente. Mes parents jouent au gentil et au méchant flic avec moi, en espérant semer en moi l'idée de « sortir et de rencontrer un homme agréable ».

— Lorsque j'en serai aux petits-enfants, je promets que papa et toi serez les premiers informés.

Maman lance à papa un sourire béat.

— Tu vois ? Elle fera le saut lorsqu'elle sera prête.

— C'est ça, dis-je.

Je m'occupe en séparant mes baguettes en bois.

— Lorsque je serai prête.

Ce qui, vu les événements dans ma vie, pourrait ne jamais arriver. Du moins, pas tant que Peter n'en aura pas assez de moi… quelque chose qui semble de moins en moins possible. En fait, je crois qu'il est encore plus obsédé par moi maintenant, ses yeux gris m'observant avec une lueur étrange qui me donne des frissons agréables.

Avant de pouvoir en analyser la raison, le serveur dépose notre plateau de sushi, et mes parents s'extasient devant le poisson joliment disposé, m'épargnant plus de leurs machinations pas si subtiles. J'aimerais pouvoir leur dire la vérité, mais il m'est impossible d'expliquer Peter sans les terrifier complètement.

Je suis encore incertaine de la manière dont je gère moi-même la chose.

———

À la fin de la semaine, mes règles sont terminées et je reprends mon rythme normal, avec deux quarts de garde au début de la semaine et trois heures à la clinique le mercredi en plus de mes heures normales à l'hôpital. Je travaille tant que je ne suis pratiquement pas à la maison, mais Peter ne proteste pas, bien que je sente qu'il est loin d'être enchanté par la situation. Malgré mes règles, nous avons couché ensemble dans les derniers jours ; il ne mentait pas lorsqu'il m'a dit ne pas être dégoûté et, chaque fois, il s'est montré inhabituellement avide, ses caresses déchaînées et presque brutales.

C'est comme s'il avait peur de me perdre, comme s'il entendait le tic-tac définitif d'une horloge.

Le vendredi, je passe la majorité de la journée à mon bureau, rencontrant des patientes, mais juste au moment où je suis sur le point de partir, je reçois un message urgent que l'une de mes patientes a commencé son travail. En réprimant un soupir exténué, je me dirige en hâte vers le vestiaire pour enfiler mon uniforme et je croise Marsha, qui termine son quart.

— Salut, dit-elle avec un sourire sympathique. Tu commences ?

— Ça en a tout l'air, dis-je, en fourrant mes vêtements dans le casier. Est-ce que vous sortez ce soir ?

— Non. Andy ne peut pas être là et Tonya est occupée avec ce mignon barman. Tu te souviens de lui ?

Je rassemble ma chevelure en une queue de cheval.

— Celui du club où nous sommes allées ?

Marsha hoche la tête et je demande :

— Oui, pourquoi ? Ils se fréquentent ?

— Tu as deviné.

Marsha sourit.

— Bon, je vois que tu es pressée, alors je te laisse. Appelle-moi si tu veux faire quelque chose ce week-end. Andy fait un barbecue demain soir et je suis sûre qu'elle aimerait t'y voir.

— Merci. Je t'appelle si je peux y être, dis-je, et je sors en hâte du vestiaire.

Je sais que je ne l'appellerai pas, et cette fois-ci, ce n'est pas par crainte pour mes amies.

Aussi tentant que ce barbecue semble, je suis surtout impatiente de passer ce week-end tranquille à la maison.

Avec Peter.

L'homme que j'ai de plus en plus de difficulté à détester.

Plusieurs heures plus tard, je traîne les pieds jusqu'au vestiaire, exténuée. L'utérus de ma patiente s'est déchiré et j'ai dû pratiquer une césarienne d'urgence pour les sauver, son bébé et elle. Par chance, les deux s'en sont sortis, mais j'ai un énorme mal de tête, résultat de la faim et d'une fatigue extrême.

J'ai hâte d'arriver à la maison, de réchauffer le dîner que Peter a dû préparer et, si j'ai de la chance, de me faire masser avant de m'endormir.

— Dr Cobakis ?

La voix féminine me semble vaguement familière et je me tourne d'un coup, le cœur battant. C'est bien elle, Karen, l'infirmière/agente du FBI qui était auprès de l'agent Ryson lors de mon réveil après l'attaque de Peter. Comme la dernière fois, elle est vêtue d'un uniforme d'infirmière, même si je sais qu'elle ne travaille pas à cet hôpital.

Elle doit vouloir passer inaperçue.

— Karen ?

J'essaie de ne pas trahir ma nervosité.

— Que faites-vous ici ?

Elle s'approche et s'immobilise à quelques pas de moi.

— Je voulais vous parler quelque part où nous ne serions pas vues, et ça me semblait une bonne occasion.

Je jette un œil dans le vestiaire. Elle a raison, nous sommes seules en ce moment.

— Pourquoi ?

Je tourne mon attention vers elle.

— Quelque chose ne va pas ?

— Il y a quelques mois, vous avez communiqué avec l'agent Ryson, dit-elle à voix basse. Vous aviez l'impression d'être observée. À ce moment, nous avions écarté vos inquiétudes, mais depuis nous avons depuis reçu d'autres renseignements.

Ma gorge se serre.

— Quels... quels renseignements ?

— Ils concernent Peter Sokolov, le fugitif qui vous a attaquée dans votre maison.

— Oh ?

Ma voix est une octave trop haute.

— Il a été aperçu dans la région, à quelques rues de cet hôpital. Une caméra de circulation cachée a enregistré son profil et notre programme de reconnaissance a signalé la photo.

Elle penche la tête de côté.

— Sauriez-vous quelque chose à ce sujet, Dʳ Cobakis ?

— Je…

Mon cœur bat à un rythme vertigineux, mes pensées tournoient en panique. Voilà, c'est l'occasion d'obtenir de l'aide sans que Peter n'en sache quoi que ce soit. Le FBI sait déjà qu'il est ici, et ils n'arrêteront pas avant de l'avoir trouvé. Je peux accroître leurs chances, leur dire qu'il est probablement chez moi, et s'ils réussissent à capturer ses hommes et lui, ce sera réellement la fin.

Ma vie sera à nouveau mienne.

— Tout va bien, Dʳ Cobakis.

Karen place une main douce sur mon bras.

— Je sais que tout ça est très stressant pour vous, mais nous veillerons à ce que vous soyez en sécurité. Réfléchissez seulement aux dernières semaines. Est-ce possible que quelqu'un vous ait suivie ? À certains moments, vous êtes-vous sentie observée ?

Tout le temps, parce que je suis *observée.* Je veux le lui dire, mais les mots ne viennent pas ; ma respiration se fait rapide jusqu'à être sur le bord de l'hyperventilation.

Peter ne se laissera pas faire lorsque les agents se pointeront ; il luttera, et des gens mourront. *Il* pourrait mourir. La nausée me prend comme j'imagine son corps puissant troué de balles, son regard métallique intense vide et éteint dans la mort. Cette image devrait me réjouir, mais je me sens plutôt malade, ma poitrine se serrant avec douleur comme j'imagine ma vie sans lui.

À quel point je serais libre… et seule.

— Je… Non.

Je recule d'un pas, en secouant la tête. Je sais que je ne pense pas clairement, mais je ne peux pas me résoudre à parler. Mes lèvres ne peuvent simplement pas former les mots.

— Je n'ai rien remarqué.

Karen fronce les sourcils.

— Rien ? En êtes-vous sûre ? À notre connaissance, votre défunt mari et vous êtes son seul lien dans cette région.

— Oui, j'en suis sûre.

C'est comme si une étrangère prononçait ces mensonges. Mon mal de tête s'intensifie jusqu'à ce que ce soit un tambour battant dans mon crâne et que je me sente sur le point de vomir. Mes pensées s'agitent d'une solution à l'autre, mon esprit comme un rat dans un labyrinthe. Je ne sais même pas pourquoi je mens. C'est fini. D'une façon ou d'une autre, c'est fini... parce que maintenant qu'ils savent que Peter est dans la région... ils *vont* le trouver, peu importe ce que je dis. Et s'ils ne réussissent pas à le tuer ou à le capturer, il pourrait penser que je l'ai trahi et tenir sa promesse de m'enlever, et peut-être aussi de punir les gens qui m'importent le plus pour me donner une bonne leçon.

Je *devrais* aider le FBI.

C'est ma meilleure chance de me libérer.

— D'accord, dit Karen lorsque je reste silencieuse. Si vous pensez à quoi que ce soit, voici mon numéro.

Elle me tend une carte et je la prends de mes doigts gourds, comme elle ajoute :

— Nous ne voulons pas l'effrayer, dans le cas où il vous observe *vraiment* pour une raison quelconque, alors nous ne vous placerons pas en détention préventive. Nous vous affecterons plutôt une protection discrète et s'il y a quelque chose, et je veux vraiment dire quoi que ce soit, qui sort de l'ordinaire, nous agirons rapidement pour votre sécurité. Entre-temps, continuez vos activités normales et soyez assurée que l'homme qui a tué votre mari paiera pour ses crimes.

— D'accord. Je… je vais faire ça.

En m'accrochant avec peine à mon sang-froid, j'attrape mon sac dans le casier ouvert et ferme la porte avant de sortir en hâte de la pièce.

Je suis déjà près de ma voiture lorsque je réalise que je porte encore mon uniforme.

Avec l'embuscade de Karen, j'ai oublié de me changer.

Du heavy métal joue à plein volume comme je sors du parc de stationnement, me châtiant pour ma stupidité. Même avec mon mal de tête, la musique est en quelque sorte apaisante, le rythme violent plus ordonné que le fatras dingue de mes pensées. Je ne peux pas croire que je ne me suis pas confiée à Karen et n'ai pas supplié le FBI de m'aider lorsque j'en avais la chance. Maintenant, je n'ai aucune idée de quoi faire, comment agir ou même où aller. Est-ce que je vais à la maison avec le FBI qui me suit ? Et si oui, réaliseront-ils que Peter est là ou bien les précautions qu'il prend, comme ne pas se stationner dans mon entrée, seront suffisantes pour qu'ils ignorent sa présence ? Je devrais peut-être aller chez mes parents ou dans un hôtel ou seulement rester quelque part dans l'hôpital. Mais alors, qu'en sera-t-il des hommes de Peter qui me suivent toujours ? Ils réaliseront que quelque chose ne va pas, et Peter pourrait se pointer et qui sait ce qui arriverait alors ? Le FBI repérera-t-il mes gardes du corps ou ces derniers verront-ils les agents en premier pour avertir Peter ? Si je vais chez moi, est-ce que je découvrirai qu'il est déjà parti, ayant échappé à nouveau aux autorités ?

À quel point ai-je tout fait planter ?

Mes jointures sont blanches sur le volant comme mon esprit repasse ma conversation avec Karen, encore et encore. Mon Dieu, j'avais tant d'occasions de lui dire la vérité, d'expliquer toute la complexité de la situation et de laisser les experts s'occuper de tout. Pourquoi ne l'ai-je pas fait ? Comment ai-je pu être aussi stupide ? Après avoir réalisé que je ne m'étais pas changée, je suis retournée au vestiaire, me promettant de tout raconter à Karen si celle-ci s'y trouvait encore, mais elle était déjà partie.

Elle était partie, et j'avais été soulagée, parce qu'au fond de moi, je savais que je ne l'aurais pas fait.

Même avec la menace de Peter contre moi, je ne peux pas me résoudre à précipiter la confrontation qui pourrait causer sa mort.

Avec Metallica qui crie en arrière-plan, je conduis sans y penser, trop prise par mes pensées pour me rendre compte que mon subconscient a déjà choisi ma destination. Ce n'est que lorsque je tourne dans ma rue que je réalise où je me dirige et, alors, il est trop tard.

Je suis à la maison.

CHAPITRE 44
SARA

Je tremble lorsque j'entre dans la maison par le garage, ma gorge serrée par l'anxiété et mon cœur cognant en rythme avec mon mal de tête. Il est passé minuit et toutes les lumières sont éteintes, mais je peux humer les arômes appétissants de ce que Peter a préparé plus tôt. Mon estomac gronde, mon corps exigeant du carburant malgré l'adrénaline qui met à l'épreuve mes nerfs. Je devrai manger quelque chose bientôt, mais avant, je dois voir où se trouve Peter et savoir s'il sait ce qui se passe.

— Tu as faim ?

La voix profonde familière me surprend tant que je saute, un cri paniqué m'échappant.

Une lumière s'allume, illuminant la silhouette de Peter sur le canapé de la salle de séjour. Malgré la température confortable, il porte son blouson en cuir, son grand corps puissant installé en une pose désinvolte qui me rappelle la posture paresseuse d'un prédateur.

— Euh, oui.

Oh, mon Dieu, le sait-il ? Pourquoi est-il assis ici dans le noir ?

— L'une de mes patientes a commencé son travail et je n'ai pas dîné.

— Ah non ?

Peter se lève en un mouvement fluide.

— Ce n'est pas bon. Viens, nous devons te nourrir avant que tu ne t'évanouisses.

Je le suis dans la cuisine sur des jambes flageolantes. Le fait qu'il soit ici, me réchauffant un plat, doit signifier que ses hommes n'ont pas remarqué que le FBI me file. Le contraire est-il vrai ? Les agents du FBI assignés à ma protection ont-ils pu ne pas remarquer les hommes de Peter qui me suivent ?

Mes pieds et mes mains sont glaciaux par la faute de tout ce stress, et je sais que je dois avoir une mine de papier mâché comme je me lave les mains et m'assieds à la table. J'espère que Peter attribuera ma pâleur à l'exténuation plutôt qu'au fait que le FBI pourrait défoncer la porte à tout moment.

Il dépose un bol de soupe copieuse aux légumes et une tranche de pain au levain croustillant devant moi, puis s'assied devant moi comme à son habitude, son visage indéchiffrable alors qu'il m'observe prendre ma cuillère et la plonger dans la soupe. Mes mains tremblent un peu, un fait qu'il ne peut pas rater, mais qu'il attribuera aussi avec un peu de chance à ma fatigue. Sinon, s'il soupçonne quelque chose, les choses pourraient se détériorer rapidement. Il pourrait me ficeler et me traîner jusqu'à une planque inconnue avant même que les gardes du FBI puissent appeler les renforts.

Bordel, pourquoi prendre de tels risques ? Pourquoi n'ai-je pas simplement tout raconté à Karen ?

Pourtant, alors même que je me blâme, je connais la réponse à cette question : elle est assise devant moi, ses yeux gris fixés sur moi avec une intensité qui me glace autant qu'elle me réchauffe. Je devrais vouloir me libérer de mon tortionnaire, devrais faire tout ce qui est en mon pouvoir pour le voir disparaître de ma vie, mais je ne peux pas. Je ne suis pas assez cinglée pour le mettre en garde et risquer qu'il m'enlève, mais je ne peux me résoudre à précipiter le moment où la justice le retrouvera et où il ne pourra plus ni fuir ni lutter.

C'est ce qui arrivera de toute façon ; je dois seulement y survivre.

— Tu travailles trop, murmure Peter, en penchant la tête pendant qu'il m'examine, et je laisse échapper un soupir tremblant.

Quel soulagement ! Il attribue *vraiment* mon anxiété à ma fatigue.

— Tu devrais te reposer, ptichka, te la couler douce de temps à autre, continue-t-il, et j'acquiesce, baissant les yeux sur mon bol pour échapper à l'intensité de son regard.

— Oui, je suppose.

Je mords dans le pain et goûte à la soupe, me concentrant sur les saveurs pour calmer les cris dans ma tête. Le résultat laisse à désirer, mais c'est suffisant pour me laisser manger, une cuillère à la fois.

J'ai terminé ma tranche de pain et j'en suis presque à la moitié de mon bol lorsque je trouve le courage de relever les yeux.

— Pourquoi m'attendais-tu ici ? Demandé-je, me rappelant à quel point la maison était sombre à mon arrivée. Je croyais que tu serais au lit, ou dans la douche.

— Parce que je t'ai à peine vu ces derniers jours, ptichka, et tu m'as manqué.

Ses yeux brillent de cette étrange douceur que j'ai remarquée toute la semaine.

Mon estomac se serre et une boule se forme dans ma gorge.

— Ah… ah bon ?

Il ne m'a jamais dit une telle chose avant ; bien que nous sachions tous deux qu'il est obsédé par moi, il n'a jamais admis avoir de réels sentiments.

— Oui. Tiens, mange encore.

Il pousse une autre tranche de pain vers moi.

— Tu es encore beaucoup trop pâle.

Je prends le pain et mords dedans, baissant une nouvelle fois les yeux pour cacher mon expression. La boule dans ma gorge croît, mes yeux sont brûlants de larmes irrationnelles. Pourquoi devait-il choisir aujourd'hui, de tous les jours, pour me dire de telles choses ? Je veux qu'il me traite mal, et non bien. Je dois me rappeler qu'il est un monstre, un tueur, un homme qui a fait des choses qui feraient pâlir Ted Bundy.

J'ai besoin qu'il me sorte de ce fantasme pour ne pas me languir de lui lorsqu'il ne sera plus là.

Je réussis à retenir mes larmes alors que je termine ma soupe sous le regard de Peter, silencieux. C'est déconcertant cette façon qu'il a de simplement m'observer sans rien faire, comme si ma seule vue le fascinait. Je l'ai pris sur le fait plus d'une fois ; je me suis même déjà réveillée pour le découvrir, qui m'observait ainsi.

C'est à la fois déconcertant et flatteur, tout comme son envie de moi apparemment intarissable.

Lorsque mon bol est vide, je fais mine de me lever pour le ranger dans le lave-vaisselle, mais Peter me le prend des mains.

— Je m'en occupe, dit-il doucement, en déposant un doux baiser sur mon front. Monte et va te préparer pour la nuit. Je serai là dans une minute.

Je hoche la tête, cillant pour retenir de nouvelles larmes, et monte sans protester. Il fait souvent ça : me libérer de toutes les tâches, même les plus petites, lorsque je suis épuisée. Il doit réaliser que de déposer un bol dans un lave-vaisselle n'est pas un effort, mais il me traite tout de même comme si j'étais une invalide, plutôt qu'un médecin épuisé après de longues heures.

Il me dorlote et j'adore ça, même si je ne le devrais pas. Je devrais détester tout ce qu'il fait, parce que rien de ceci n'est réel.

C'est impossible.

Je suis déjà hors de la douche lorsque Peter monte, et il entre dans la salle de bain, me coinçant contre le comptoir au moment où je finis de me laver les dents. Je suis enveloppée dans une serviette, mais il me la retire, la laissant tomber sur le sol, et la vue de nos deux corps dans le miroir embué moi, pâle et entièrement nue, lui, encore vêtu de ses vêtements sombres, fait battre mon cœur d'excitation nerveuse.

Il est particulièrement affamé ce soir, et plus qu'un peu dangereux.

De fait, il enroule une grande main autour de ma gorge, et bien qu'il ne serre pas, je sens la noirceur derrière le voile mince de son sang-froid, la menace implicite dans le geste contrôlé. En même temps, son autre main agrippe mon sein, le bord calleux de son pouce frottant contre sa pointe tendue. Ses yeux retiennent les miens dans le miroir et je vois une étrange faim dans les profondeurs argentées, du désir accompagné d'une possessivité et de ce quelque chose d'intense qui fait faiblir mes genoux et me donne des frissons brûlants.

— Regarde-toi, me souffle-t-il à l'oreille, et je m'arrache à son regard hypnotique pour porter mon attention sur l'image que nous donnons : lui, si imposant et dangereusement séduisant, et moi, petite et féminine, presque fragile dans son étreinte ténébreuse.

— Regarde comme tu es jolie, comme tu es douce, tendre et pure. Cette peau si douce, si mince et délicate, si facilement meurtrie.

Il caresse ma gorge comme je déglutis, mon cœur battant encore plus vite à ses mots.

— Tu sais ce que je me demande parfois ? Continue-t-il doucement, et j'agrippe le rebord du comptoir comme ses doigts pincent mon mamelon, le tordant avec une brutalité délibérée. Je me demande si je devrais mettre une chaîne autour de ce joli cou, t'attacher à moi et jeter la clé. Pleurerais-tu alors, ptichka ? Ragerais-tu ?

Il mordille mon oreille, ses dents blanches glissant sur ma peau comme sa main passe de mon sein à mon sexe.

— Ou bien, aimerais-tu secrètement ça ?

J'inspire, tremblante, si brûlante que je pourrais m'enflammer. La vision qu'il me dépeint est à la fois terrifiante et excitante, aussi érotiquement ténébreuse que l'image dans le miroir. Avec ses bras autour de moi, je peux humer le cuir de son blouson, sentir la fermeture métallique contre mon dos, et un sentiment de vulnérabilité aigu me traverse comme ses doigts ouvrent mes plis moites et touchent mon clitoris, la brusque vague de plaisir exacerbant la sensation d'impuissance, de déraper complètement.

— Je t'en prie.

Ma voix tremble.

— Je t'en prie, Peter…

— Je t'en prie, quoi ?

Ses doigts me pénètrent, se pressant contre mon point G et ses dents effleurent à nouveau mon cou.

— Je t'en prie, quoi, ptichka ? Je t'en prie, touche-moi ? Je t'en prie, prends-moi ? Je t'en prie, va-t'en ?

Je ferme les yeux,

— Je t'en prie, prends-moi.

J'ai dépassé la gêne et le déni. C'est comme si chaque cellule de mon corps palpitait de désir, brûlait de cette faim sombre qu'il a éveillée en moi. Peut-être, qu'en d'autres circonstances, je serais restée forte, j'aurais tenté de m'accrocher à ce qui passe par dignité, mais je suis trop épuisée, et bien trop consciente que ce pourrait être la fin.

Cette nuit pourrait être notre dernière ensemble.

— Ouvre les yeux, grogne-t-il, et j'obéis, hagarde, luttant contre l'attrait étourdissant du plaisir.

Le regard de Peter est sombre et intense dans le miroir, son visage figé dans un masque de désir violent. Et sous ce masque, je sens ce *quelque chose* déroutant, cette douceur que je ne peux pas vraiment définir.

— Dis-moi, Sara. Dis-moi comment tu veux que je te prenne. Le veux-tu brutal…

Ses doigts plongent brutalement en moi.

— Ou doux ? Fort…

Il écrase sa paume contre mon sexe.

— Ou tendre ?

Relâchant la pression, il baisse la tête pour lécher mon oreille, son souffle chaud réchauffant ma peau comme il dit d'une voix rauque :

— Veux-tu des fleurs et de jolies paroles, ptichka ? Ou aimerais-tu plutôt quelque chose de brut et de vrai, même si la société le voit mal… même si ce n'est pas ce que tu as toujours voulu ?

Mon souffle s'échappe de façon saccadée entre mes dents comme son pouce tourne autour de mon clitoris, la chaleur palpitant sous ma peau m'empêchant de penser. Mes muscles internes se contractent sur ces doigts calleux et je ne comprends pas ce qu'il me demande, ce qu'il veut de moi. Je veux plus de ce plaisir douloureux et, en même temps, j'ai besoin de soulager la tension qui me comprime de plus en plus.

— Peter, je t'en prie…

Mon cœur bat beaucoup trop vite.

— Oh, mon Dieu, je t'en prie…

Sa poigne sur mon cou se resserre comme ses doigts se courbent en moi, pressant à nouveau contre mon point G.

— Dis-moi, et je te prendrai.

Ses dents glissent sur mon cou, la sensation me faisant frissonner.

— Je te donnerai exactement ce que tu veux, emplissant ton sexe étroit jusqu'à ce que tu m'implores pour plus. Dis-moi ce que tu veux de moi, et je te le donnerai, Sara. Je te donnerai tout, et plus encore.

— Fort, laissé-je échapper, mes mains glissant du rebord du comptoir pour agripper les piliers forts de ses cuisses vêtues d'un jean.

Mon sexe se contracte autour de ses doigts comme j'appuie mon pubis contre sa main, désespérée pour plus de pression contre mon clitoris. Je ne sais pas ce que je dis, mais je sais ce que je veux.

— Prends-moi fort, Peter. Je t'en prie…

Sa mâchoire se serre et j'aperçois un éclat sinistre dans ses yeux gris. Brusquement, il me libère et balaie le comptoir d'une main, faisant chuter tout ce qui s'y trouve. Me retournant, il me soulève et m'assied sur le marbre froid, les cuisses bien écartées. Je bats des cils, surprise, mais il ouvre déjà son jean et m'attire vers l'avant jusqu'à ce que mes fesses ne touchent presque plus le rebord.

— Peter… Oh, Seigneur.

Je hoquette comme il plonge en moi, si gros et si dur que j'aie l'impression qu'il meurtrit mes entrailles. Il n'a pas été aussi brutal depuis notre première fois, mais je suis si moite aujourd'hui que cette revendication violente ne m'effraie pas, le risque de douleur ne faisant qu'accroître mon plaisir. Plutôt que de me refermer, je reste souple et douce autour de son sexe. Alors qu'il entame un rythme rapide et rude, ses doigts s'enfonçant dans la chair tendre de mes fesses, j'entoure ses hanches de mes jambes et enroule mes bras autour de son cou, m'accrochant à lui comme s'il était mon ancre dans la tempête. Et il pourrait tout aussi bien l'être. Il me possède avec une telle fureur que je me sens comme un copeau dans un ouragan, submergée par sa violence, ballottée par son désir. C'est trop, trop intense, mais la sensation d'impuissance ne fait qu'ajouter à la tension qui monte en moi. Dans un cri, je jouis en me contractant autour de lui, pourtant il n'arrête pas. Il continue jusqu'à ce que je jouisse à nouveau, puis une autre fois.

Ce n'est que lorsque je m'effondre contre lui, haletante et étourdie à la suite de mon troisième orgasme, qu'il se laisse aller. Dans une dernière forte poussée, il jouit, son bassin s'écrasant contre le mien comme un grognement profond roule dans sa gorge. Je sens son sexe palpiter en moi comme je m'accroche à lui, tremblante, et mon sexe se contracte une dernière fois, forçant un dernier frisson de plaisir de ma chair trop sensible.

Je suis si bouleversée que j'ai de la difficulté à rester debout lorsqu'il me descend du comptoir et me met sur mes pieds. Vaguement, je note une moiteur inhabituelle entre mes jambes… plus que ça, vraiment, mais ce n'est que lorsque Peter recule et que je sens cette moiteur couler contre ma cuisse que je comprends ce qui se passe.

— Oh, Seigneur.

Mes yeux tombent sur son sexe, encore un peu dur et luisant des fluides de nos deux corps.

— Peter, nous…

— Avons oublié un préservatif ? Oui.

Il ne semble pas particulièrement préoccupé. Comme je le regarde, choquée et horrifiée, il se lave plutôt avec désinvolture, remet son sexe dans son jean et relève sa fermeture éclair. Puis, il humidifie une serviette et nettoie doucement la semence sur mes cuisses.

— Voilà.

Il laisse tomber la serviette dans le lavabo, les yeux brillants comme il se tourne vers moi.

— Ne t'en fais pas. Tu viens d'avoir tes règles, donc nous ne devrions pas encore être dans la période à risque. Et je suis en bonne santé ; j'utilise toujours des préservatifs et je me fais régulièrement tester. Je suppose que la même chose est vraie pour toi ?

— Oui.

Je le fixe, secouée autant par l'oubli que par son attitude. En théorie, tout devrait bien aller, mais le simple fait que cette omission soit survenue, avec *lui*… Ma tête se remet à pulser douloureusement, et mon épuisement est de retour, dix fois plus fort. Comment ai-je pu être aussi négligente ? Avec George, j'ai toujours tout fait pour qu'il n'oublie pas une protection et, pendant les périodes « à risque », nous évitions souvent tout rapport, ne voulant pas risquer le taux d'échec de cinquante pour cent des préservatifs avant d'être prêts pour un enfant. Toutefois, avec le tueur de mon mari, je n'ai jamais été aussi prudente, couchant avec lui à tout moment. Et maintenant, ceci…

C'est comme si une partie insensée de moi voulait me retenir près de lui, pour poursuivre cette mascarade.

— Tout devrait bien aller, alors, dit Peter, en s'approchant de moi. Quoique…

Il s'interrompt, m'observant avec une expression spéculative.

— Quoique, quoi ? Demandé-je lorsqu'il reste silencieux.

Mon cœur bat à un rythme sourd et rapide.

— Quoique, quoi ?

— Quoique cela ne me dérangerait pas.

Ses mots sont légers, désinvoltes, mais il n'y a aucune trace d'humour dans sa voix.

— Pas avec toi.

— Tu… quoi ?

Mon mal de tête s'intensifie, mon crâne semblant sur le point d'imploser. Il ne peut pas vraiment penser ce qu'il dit.

— Pourquoi ne serais-tu pas… ? C'est insensé !

— Et pourquoi ?

Une lueur d'amusement apparaît maintenant dans son regard.

— Pourquoi, ptichka ?

— Parce que… parce que tu es *toi*.

Ma voix est étranglée sous l'effet de l'incrédulité.

— Tu m'as droguée et torturée avant de tuer mon mari et de t'imposer dans ma vie. Je ne sais pas ce que tu imagines, mais nous ne sommes pas un couple. Ce n'est pas un genre d'histoire d'amour…

— Non ?

Son expression se durcit, toute trace d'amusement disparaissant.

— Alors, que crois-tu que je ressens pour toi ? Pourquoi suis-je incapable de passer une heure sans penser à toi, sans te vouloir… sans avoir une maudite envie *irrépressible* de toi ? Tu crois que c'est mon désir qui me garde ici, jour après jour, alors que tout le monde veut ma tête et que mes hommes s'arrachent les cheveux d'ennui ?

Il s'approche encore plus, et mon souffle s'accélère comme ses paumes claquent contre le comptoir de chaque côté de mon corps, me piégeant contre le lavabo. Ses yeux brillent d'une étincelle farouche comme il se penche, sa voix se durcissant.

— Tu crois que je suis ici plutôt qu'à la poursuite du dernier *ublyudok* sur ma liste parce que je ne peux pas me passer de ton petit sexe étroit ?

Mon visage est rouge alors que je le regarde, la vulgarité de ses mots intensifiant mon trouble. Je ne sais que dire, comment tout assimiler. Il semble en colère pourtant ce qu'il me raconte ressemble presque à…

— Oui, je vois que tu comprends.

Ses lèvres s'étirent en un sombre sourire moqueur.

— Ce n'est peut-être pas une histoire d'amour pour *toi*, ptichka, mais aussi cinglé que ce soit, c'est précisément ce que c'est pour moi. J'ai commencé par te haïr, mais en cours de chemin, tu es devenue la seule chose qui m'importe, la seule personne qui m'est encore importante. Et, oui, ça veut dire que je t'aime, aussi dingue que ce soit. Je t'aime, même si tu étais à *lui*... même si tu me vois comme un monstre. Je t'aime plus que la vie même, Sara, parce que lorsque je suis avec toi, je ressens plus que de la souffrance et de la rage... et je veux plus que la mort et la vengeance.

Son torse s'ouvre sous une inspiration profonde, son expression se faisant encore plus sombre alors qu'il ajoute à voix basse :

— Lorsque je suis près de toi, ptichka, je vis.

Je me rends compte que je pleure seulement lorsque son visage s'embrouille devant mes yeux. Ma poitrine est trop comprimée, mes inspirations sont trop courtes. Je savais que Peter était obsédé par moi, mais je n'aurais jamais cru que, pour lui, cette obsession était de l'amour, qu'il voulait un véritable futur avec moi... un futur où nous sommes unis comme une famille.

Un futur où des agents du FBI ne sont pas sur le point de défoncer la porte.

— Ne pleure pas, ptichka.

Son pouce effleure ma joue humide, et je vois le sourire moqueur réapparaître.

— Ça ne change rien. Tu peux encore me détester. Le fait que je t'aime ne me rend pas moins un monstre... et je ne disparaîtrai pas plus de ta vie.

Mais c'est le cas. Je veux hurler la vérité, mais je ne peux pas. Je ne peux pas le mettre en garde, même si j'ai l'impression que mon cœur se déchire. Je ne l'aime pas... je ne peux pas... mais j'ai mal comme si c'était le cas, comme si le perdre sera la pire chose qui soit. Un sanglot étranglé s'échappe de ma gorge, puis un autre, et je me retrouve dans ses bras, solidement retenue contre son torse alors qu'il me porte dans la chambre.

En atteignant le lit, il s'assied, me retenant sur ses genoux, et je pleure, mon visage enfoui dans son cou pendant qu'il caresse mon dos dans un geste doux et apaisant. Il a raison : sa déclaration d'amour ne devrait rien changer, mais elle rend les choses pires. Elle me donne l'impression de perdre quelque chose de vrai... comme si je le trahis lui et *nous*.

Comment un monstre peut-il m'étreindre aussi tendrement ? Comment un psychopathe peut-il aimer ?

Je me sens comme si on sciait mon crâne en deux de l'intérieur, mon mal de tête aggravé par mes larmes, et je repousse Peter, me tordant dans ses bras... seulement pour tomber sur le lit, geignant pendant que je presse mes tempes.

Il se penche sur moi, l'inquiétude assombrissant ses traits.

— Que se passe-t-il, ptichka ? dit-il, en caressant mon bras.

Je réussis à marmonner quelque chose à propos d'un mal de tête avant de fermer les yeux. Ça ressemble plus à une migraine, mais j'ai trop mal pour le lui expliquer.

Le lit s'affaisse comme il se lève, et j'entends des pas comme il sort de la chambre. Quelques minutes plus tard, il revient avec des Advil et un verre d'eau. Je m'efforce d'ouvrir mes paupières gonflées assez longtemps pour avaler le médicament, puis je referme les yeux, attendant que le battement violent dans mon crâne devienne un gronde-ment acceptable.

Je m'attends à ce qu'il parte à ce moment-là, ou qu'il se mette au lit avec moi, ou peu importe, ce qu'il avait en tête, mais j'entends à la place la porte de la salle de bain s'ouvrir et, une minute plus tard, une serviette froide et humide recouvre mes yeux et mon front, m'apportant un peu de soulagement bienvenu.

Une fois de plus, il prend soin de moi, m'offrant du ré-confort lorsque j'en ai le plus besoin.

Les larmes reviennent, coulant sous la serviette comme il m'enveloppe dans la couverture et s'assit sur le bord du lit, sa main glissant sous mon cou pour masser les mus-cles tendus de ma nuque. C'est une autre forme de torture, cette tendresse. Elle soulage mon mal de tête, mais intensi-fie la douleur brûlante dans ma poitrine. Je me bernais lors-que j'appelais ce que nous avons un fantasme cinglé. C'est peut-être cinglé, mais c'est réel, et lorsqu'il partira, il me manquera *réellement*, tout comme il m'a manqué lorsqu'il est parti au Mexique. Ce n'est pas de l'amour que je ressens pour lui, l'amour ne peut pas être aussi sombre, aussi il-logique et dingue, mais *c'est* quelque chose.

Quelque chose autre que de la haine, quelque chose de profond, une dépendance troublante.

Un chien jappe au loin, et j'entends une portière claquer. Il est possible que ce soit mes voisins à une rue de là, mais mon cœur s'emballe tout de même, mes entrailles se tordant comme j'imagine le SWAT défoncer la porte et tirer sur Peter à mon chevet. Les images défilent comme un film : les silhouettes vêtues de noir qui accourent, les balles déchirant les draps, les oreillers, son torse, sa tête…

La bile me monte à la gorge, ma tête sur le point d'exploser sous la souffrance.

Oh, mon Dieu, je ne peux pas.

Je ne peux pas me taire et risquer ces événements.

— Peter…

Ma voix tremble comme je serre les poings sous la couverture. Je sais que je regretterai mes paroles de mille façons, mais je ne peux retenir les mots.

— Tu as été repéré. Ils vont te trouver.

La main sur ma nuque se fige, puis reprend son doux massage.

— Je sais, ptichka, murmure-t-il, et je sens ses lèvres effleurer ma joue humide lorsque quelque chose de froid et de dur pique mon cou. Je le sais.

Une léthargie coule dans mes veines et, dans un élan d'étrange soulagement, je réalise que ça y est.

Il savait pour le FBI depuis le début.

Il savait, et je ne serai plus jamais libre.

CHAPITRE 45
PETER

— Allez, siffle Anton de la fenêtre côté passager, comme je m'approche du SUV, portant le corps de Sara enveloppé dans la couverture contre mon torse. N'as-tu pas reçu mes textos ? Ils sont à moins de dix rues d'ici.

Je resserre mon étreinte sur mon paquet humain.

— Je ne pouvais pas partir avant d'apprendre ce qu'il me fallait.

— Qu'est-ce que c'est ? demande Yan, en ouvrant la portière arrière de l'intérieur. Il se glisse sur le siège et je m'installe, veillant à ne pas cogner la tête de Sara comme je monte dans le véhicule.

C'est déjà suffisant qu'elle souffrait d'un mal de tête lorsque je l'ai droguée.

Ignorant la question de Yan, je dépose la silhouette inconsciente de Sara entre nous et ferme la portière avant de croiser le regard d'Ilya dans le rétroviseur.

— À l'aéroport. Et dépêche-toi.

— C'est comme si c'était fait, marmonne Ilya, en appuyant sur l'accélérateur.

Nous démarrons d'un coup, filant le long de la rue de banlieue silencieuse.

— Qu'avais-tu besoin d'apprendre ? Insiste Yan, en jetant un regard sur le visage de Sara, la seule partie de son corps pas enveloppée dans la couverture.

Avec ses longs cils ombrant ses joues pâles, elle ressemble à une princesse de Disney endormie, et je ne peux pas blâmer mon collègue pour la lueur d'intérêt dans son regard.

Je ne le blâme pas, mais je veux tout de même le tuer.

— Quelque chose à voir avec elle ? Continue-t-il, inconscient puis, il lève les yeux vers moi et pâlit.

— Oui.

Ma voix est glaciale.

— Quelque chose à voir avec elle.

Il hoche la tête, détournant prudemment le regard, et je passe mon bras autour des épaules de Sara, l'appuyant confortablement contre moi. Au loin, j'entends les sirènes, accompagnées du grondement des hélicoptères, mais malgré le danger imminent, je me sens calme et satisfait.

Non, plus que satisfait… heureux.

Sara m'a mis en garde.

Elle m'a choisi, alors qu'elle n'avait aucune raison de le faire. Elle ne m'aime peut-être pas encore, mais elle ne me déteste pas et, comme je la serre contre moi, humant la fragrance délicate de ses cheveux, je suis convaincu qu'un jour, elle m'aimera *vraiment*… qu'un jour, j'aurai tout d'elle.

Elle m'a mis en garde, elle m'a choisi, et maintenant elle restera près de moi.

Je l'aime, et je vais la garder.

Quoiqu'il arrive.

EXTRAITS EN AVANT-PREMIÈRE

Merci de votre lecture ! Vos commentaires seraient grandement appréciés. L'histoire de Peter et Sara continue dans *Mon Obsession*. Si vous souhaitez être informé de sa parution, veuillez-vous abonner à ma liste de nouvelles parutions à http://annazaires.com/series/francais/.

Si vous avez aimé *Mon Tourmenteur*, vous aimerez probablement les livres suivants :

- *Trilogie L'Enlèvement* – L'histoire de Julian et Nora, où Peter apparaît comme personnage secondaire pour obtenir sa liste
- *Trilogie Capture-Moi* – L'histoire de Lucas et Yulia
- *La trilogie Mia et Korum* – Une romance sombre de science-fiction
- *La captive des Krinars* – Une romance de science-fiction autonome

Collaborations avec mon mari, Dima Zales :

- *Série Les Dimensions de l'esprit* – Fantastique urbain
- *Trilogie Les Derniers Humains* – Science-fiction dystopique/postapocalyptique
- *Le Code arcane*– Fantastique épique

Tournez maintenant la page pour un aperçu de *L'Enlèvement* et *Capture-Moi* et de *La captive des Krinars.*

EXTRAIT DE
L'ENLÈVEMENT

Note de l'auteure : *L'Enlèvement* est une trilogie érotique sombre sur Nora et Julian Esguerra. Les trois livres sont maintenant disponibles.

Kidnappée. Séquestrée sur une île privée.

Je n'aurais jamais cru que cela puisse m'arriver. Je n'ai jamais imaginé qu'une rencontre fortuite la veille de mon dix-huitième anniversaire pourrait ainsi changer ma vie.

Désormais, je lui appartiens. J'appartiens à Julian. Un homme aussi impitoyable que beau. Un homme dont les caresses me consument. Un homme dont la tendresse me fait plus de mal que sa cruauté.

Mon ravisseur est une énigme. Je ne sais ni qui il est ni pourquoi il m'a enlevée. Il y a des ténèbres en lui, des ténèbres qui me font peur tout en m'attirant.

Je m'appelle Nora Leston, et voici mon histoire.

AVERTISSEMENT : Ce roman n'est pas un roman traditionnel. Il traite de sujets troublants comme le consentement discutable et le syndrome de Stockholm et les scènes de sexe y sont explicites. Ce roman est destiné à des lecteurs âgés de plus de dix-huit ans. L'auteur n'approuve ni ne tolère le comportement de ses personnages.

C'est le soir maintenant. Chaque minute qui passe accroit mon anxiété à la pensée de revoir mon ravisseur.

Le roman que je lis ne m'intéresse plus. Je l'ai posé et je tourne en rond dans la pièce.

Je porte les vêtements que Beth m'a donnés tout à l'heure. Ce n'est pas ce que j'aurais choisi de porter, mais c'est toujours mieux qu'un peignoir de bain. Un panty sexy en dentelle blanche et un soutien-gorge assorti, voilà mes sous-vêtements. Et une jolie robe d'été bleu qui se boutonne sur le devant. Étrangement, tout est exactement à ma taille. Est-ce qu'il m'a espionnée pendant un certain temps ? Et tout appris de moi, y compris la taille de mes vêtements ?

Cette pensée me rend malade.

J'essaie de ne pas penser à ce qui va arriver, mais c'est impossible. Je ne sais pas pourquoi je suis convaincue qu'il va venir me voir ce soir. Peut-être a-t-il tout un harem dissimulé dans cette île et qu'il rend visite à une femme différente chaque jour de la semaine comme le faisaient les sultans.

Et pourtant je sais qu'il va bientôt arriver. La nuit dernière n'a fait qu'aiguiser son appétit. Je sais qu'il n'en a pas fini avec moi. Loin de là.

Finalement, la porte s'ouvre.

Il entre en maître des lieux. Ce qui est précisément le cas.

De nouveau, je suis frappée par sa beauté virile. Avec un visage comme le sien, il aurait pu être modèle ou acteur de cinéma. S'il y avait un peu de justice dans ce monde, il aurait été petit ou il aurait d'autres imperfections en contrepartie de ce visage.

Mais non. Il est grand et musclé, parfaitement proportionné. En me souvenant de ce que j'ai ressenti quand il était en moi, mon excitation se réveille bien malgré moi.

De nouveau, il porte un jean et un tee-shirt. Gris cette fois-ci. Il semble préférer s'habiller simplement et il a raison. Il n'a pas besoin que ses vêtements le mettent en valeur.

Il me sourit. Un sourire d'ange déchu, à la fois sombre et séducteur.

— Bonsoir, Nora.

Je ne sais que lui dire, alors je laisse échapper la première chose qui me vient à l'esprit.

— Combien de temps allez-vous me garder ici ?

Il penche légèrement la tête sur le côté.

— Ici, dans cette pièce ? Ou sur cette île ?

— Les deux.

— Beth te fera visiter demain, elle t'emmènera nager si tu veux, dit-il en s'approchant de moi. Tu ne seras pas enfermée, sauf si tu fais une bêtise.

— Quel genre de bêtise ? ai-je demandé, le cœur battant en le voyant s'arrêter près de moi et lever la main pour me caresser les cheveux.

— Essayer de faire du mal à Beth ou de te faire du mal. Sa voix est douce, son regard hypnotique quand il baisse les yeux sur moi. Étrangement, sa manière de me caresser les cheveux m'aide à me détendre.

Je cligne des yeux pour tenter de rompre le charme.

— Et sur cette île ? Combien de temps allez-vous m'y garder ?

Sa main caresse mon visage, se pose sur ma joue. En m'apercevant que je me frotte contre sa main comme un chat que l'on caresse, je me raidis immédiatement.

Ses lèvres dessinent un sourire entendu. Ce salaud sait l'effet qu'il a sur moi.

— Longtemps, j'espère, dit-il.

Sans savoir pourquoi, ça ne m'étonne pas. Il n'aurait pas pris la peine de m'amener jusqu'ici pour me baiser deux ou trois fois. Je suis terrifiée, mais pas surprise.

Je prends mon courage à deux mains et pose la question qui s'ensuit logiquement.

— Pourquoi m'avoir kidnappée ?

Il cesse de sourire. Il ne répond pas et se contente de me regarder, ses yeux bleus restent mystérieux.

Je commence à trembler.

— Vous allez me tuer ?

— Non, Nora, je ne vais pas te tuer.

Sa réponse me rassure, mais évidemment c'est peut-être un mensonge.

— Allez-vous me vendre ? J'ai du mal à le dire. Comme prostituée, ou alors quelque chose de ce genre ?

— Non, dit-il d'une voix douce. Jamais de la vie. Tu es à moi et rien qu'à moi.

Je suis un peu plus calme, mais il reste encore quelque chose que j'ai besoin de savoir.

— Allez-vous me faire du mal ?

Il ne répond pas immédiatement. Une lueur obscure traverse son regard.

— Probablement, dit-il à voix basse.

Alors il s'est penché sur moi et m'a embrassée, ses lèvres sur les miennes étaient douces, douces et ardentes.

Pendant un instant, je suis restée figée, inerte. Je croyais ce qu'il disait. Je savais qu'il disait la vérité en disant qu'il allait me faire du mal. Il y a quelque chose chez lui qui me terrifie, qui m'a terrifiée depuis le début.

Il ne ressemble pas aux garçons avec lesquels je suis sortie. Il est capable de tout.

Et je suis entièrement à sa merci.

Je pense essayer de lui résister de nouveau. Ce serait normal dans ma situation. Ce serait courageux.

Et pourtant je ne le fais pas.

Je sens les ténèbres en lui. Il y a quelque chose de mauvais en lui. Sa beauté extérieure dissimule quelque chose de monstrueux.

Je ne peux pas lui permettre de donner libre cours au mal. Je ne sais pas ce qui arriverait si je le faisais.

Alors je m'immobilise dans ses bras et je le laisse m'embrasser.

Et quand il me soulève et me porte sur le lit, je n'essaie nullement de lui résister.

Au contraire, je ferme les yeux et m'abandonne à mes sensations.

L'Enlèvement est déjà disponible . Allez visiter mon site http://annazaires.com/series/francais/ pour en apprendre plus et vous inscrire sur ma liste de diffusion.

EXTRAIT DE
CAPTURE-MOI

Note de l'auteur: *Capture-Moi* est le premier volume du sombre roman d'amour de Yulia et de Lucas. L'extrait que vous allez lire est écrit du point de vue de Yulia. La scène a lieu à Moscou où Lucas et Julian se sont rendus pour rencontrer de hauts fonctionnaires russes.

Elle a eu peur de lui au premier coup d'œil.

Yulia Tzakova a l'habitude des hommes dangereux. Elle a grandi avec eux. Et elle a survécu. Mais quand elle rencontre Lucas Kent, elle comprend que cet ancien soldat risque d'être le plus dangereux de tous.

Une nuit a suffi. C'était l'occasion de se rattraper après avoir raté sa mission et d'obtenir des renseignements sur le patron de Kent, un trafiquant d'armes. Quand son avion est abattu ce devrait être la fin de l'histoire.

Alors qu'elle ne vient que de commencer.

Il la désire au premier coup d'œil.

Lucas Kent a toujours aimé les blondes aux longues jambes et Yulia Tzakova est de toute beauté. L'interprète russe a eu beau essayer de séduire son patron elle arrive dans le lit de Lucas et il fera tout pour l'y retrouver.

Puis son avion est abattu et il apprend la vérité.

Elle l'a trahi.

Elle doit payer.

Il entre dans mon appartement dès que la porte s'ouvre. Ni hésitation ni salutation, il se contente d'entrer.

Prise au dépourvu, je recule d'un pas, tout à coup l'entrée me semble si petite qu'elle en est oppressante. J'avais oublié à quel point il est grand, à quel point ses épaules sont larges. Je suis grande pour une femme, du moins suffisamment pour passer pour un mannequin si un contrat le demande, mais il me domine d'une tête. Avec le gros anorak qu'il porte, il prend presque toute la place dans l'entrée.

Toujours sans dire un mot il ferme la porte derrière lui et s'avance vers moi. Instinctivement, je recule, j'ai l'impression d'être une proie traquée.

— Bonsoir, Yulia, murmure-t-il en s'arrêtant quand nous arrivons dans la pièce principale. Son regard pâle fixe mon visage. Je ne m'attendais pas à vous voir comme ça.

J'avale ma salive, mon pouls s'accélère.

— Je viens juste de prendre un bain. Je veux paraitre calme et sûre de moi, mais il me déconcerte complètement. Je n'attendais personne.

— Effectivement, je m'en rends compte. Un léger sourire apparaît sur ses lèvres et en adoucit la dureté. Et pourtant vous m'avez laissé entrer. Pourquoi ?

— Parce que je ne voulais pas continuer à parler avec la porte fermée. Je respire pour retrouver mon calme. Puis-je vous offrir du thé ? C'est idiot de dire ça étant donnée la raison de sa présence ici, mais j'ai besoin de quelques instants pour reprendre une certaine contenance.

Il hausse les sourcils.

— Du thé ? Non merci.

— Alors voulez-vous me donner votre veste ? Je n'arrive pas à cesser de jouer la carte de l'hospitalité, la courtoisie me permet de cacher mon anxiété. Elle semble très chaude.

Ses yeux glacials ont un éclair d'amusement.

— Bien sûr. Il enlève son anorak et me le tend. Il n'a plus qu'un pull noir et un jean sombre glissé dans des bottes d'hiver noires. Son jean est moulant et révèle des cuisses musclées et des mollets puissants, et à sa ceinture je vois un revolver dans son étui.

En le voyant, ma respiration s'affole et je dois faire un véritable effort pour empêcher mes mains de trembler en prenant sa veste pour la mettre dans ma minuscule penderie. Il n'est pas surprenant qu'il soit armé, c'est le contraire qui le serait, mais son arme me rappelle brutalement qui est Lucas Kent.

Ce qu'il fait.

J'essaie de me dire que ce n'est pas grave pour calmer mes nerfs à vif. J'ai l'habitude des hommes dangereux. J'ai été élevée parmi eux. Cet homme est comme eux. Je coucherai avec lui, j'obtiendrai les informations que je pourrai et puis il disparaîtra de ma vie.

Voilà, c'est ça. Plus vite, ça sera fait, plus vite ça sera fini.

En fermant la porte de la penderie, j'affiche un sourire d'emprunt et me retourne pour lui faire face, enfin prête pour jouer le rôle de la séductrice sûre d'elle.

Sauf qu'il est déjà près de moi, il a traversé la pièce sans un bruit.

De nouveau, mon pouls s'affole, la contenance que je viens de retrouver me fait défaut une fois de plus. Il est si près que je peux voir les stries grises de ses yeux bleu pâle, si près qu'il peut me toucher.

Et une seconde plus tard, il me touche.

En levant la main, il caresse ma joue.

Je le fixe, la réaction de mon propre corps me trouble. Ma peau s'embrase, mes tétons se durcissent, ma respiration s'accélère. Il n'est pas logique de désirer cet inconnu dur et impitoyable. Son patron est plus beau que lui, plus frappant, et pourtant, c'est Kent qui provoque mon désir. Et il n'a encore touché que mon visage. Ce devrait être sans importance et pourtant c'est intime.

Intime et très déconcertant.

De nouveau, j'avale ma salive.

— M. Kent, Lucas, vous êtes sûr que je ne peux pas vous offrir quelque chose à boire ? Peut-être, un café ou… ma phrase s'interrompt et la surprise me faire perdre le souffle, quand il attrape la ceinture de mon peignoir et tire dessus, aussi nonchalamment que s'il ouvrait un paquet.

— Non. Il regarde tomber le peignoir qui révèle mon corps nu. Pas de café.

Les trois livres de la trilogie *Capture-Moi* sont maintenant disponibles. Pour en savoir plus, veuillez visiter mon site web à http://annazaires.com/series/francais/.

EXTRAIT DE LA CAPTIVE DES KRINARS

Note de l'auteure : *La captive des Krinars* est une longue histoire d'amour autonome qui se passe environ cinq ans avant la trilogie *Les Chroniques Krinar*.

———

Emily Ross ne pensait jamais survivre à sa chute mortelle dans la jungle costaricaine, et elle ne pensait jamais qu'elle s'éveillerait dans une insolite demeure futuriste, captive de l'homme le plus magnifique qu'elle ait jamais vu. Un homme qui semble plus qu'humain…

Zaron est sur Terre pour préparer l'invasion des Krinars… et pour oublier la terrible tragédie qui a déchiré sa vie. Pourtant, lorsqu'il découvre le corps brisé d'une jeune humaine, tout change. Pour la première fois depuis des années, il ressent autre chose que de la rage et de la souffrance, et Emily en est la cause. La laisser partir compromettrait sa mission, mais la garder pourrait le détruire à nouveau.

———

Je ne veux pas mourir. Je ne veux pas mourir. Je vous en prie, je ne veux pas mourir.

Elle répétait sans cesse ces mots dans sa tête, une prière désespérée qui resterait à jamais sans réponse. Ses doigts glissèrent un autre centimètre sur la planche en bois brut, ses ongles se brisant alors qu'elle tentait de raffermir sa prise.

Emily Ross s'accrochait par ses ongles, littéralement, à un vieux pont brisé. Des dizaines de mètres plus bas, l'eau se ruait contre les rochers, le torrent de montagne en crue après les dernières pluies.

Ces pluies étaient en partie la cause de sa situation actuelle. Si le bois du pont avait été sec, elle aurait pu éviter de glisser et de se fouler la cheville. Et elle ne se serait certainement pas écrasée contre la rambarde, celle-ci cédant sous son poids.

Seule une dernière tentative désespérée de s'agripper l'avait empêchée de chuter vers sa mort. En tombant, sa main droite avait agrippé une petite saillie sur le rebord du pont, la retenant dans les airs à des dizaines de mètres au-dessus de rocs durs.

Je ne veux pas mourir. Je ne veux pas mourir. Je vous en prie, je ne veux pas mourir.

Quelle injustice ! Ça ne devait pas se passer ainsi. Elle était en vacances, sa période de récupération. Comment pouvait-elle mourir maintenant ? Alors qu'elle n'avait pas encore commencé à vivre ?

Des images des deux dernières années s'imposèrent à son esprit, comme les présentations PowerPoint qu'elle avait passé tant de temps à réaliser. Chaque longue soirée, chaque week-end au bureau… ça n'avait rien changé. Elle avait perdu son emploi au cours des mises à pied et elle était maintenant sur le point de perdre la vie.

Non, non !

Emily battit des jambes, ses ongles s'enfonçant davantage dans le bois. Son autre bras s'étira vers le pont. Ça ne se passerait pas comme ça. Elle ne se laisserait pas faire. Elle avait travaillé trop durement pour se laisser vaincre par un stupide pont en pleine jungle.

Du sang coula le long de son bras alors que le bois dur arrachait la peau de ses doigts, mais elle ignora la douleur. Sa seule chance de survie était d'attraper le rebord du pont de son autre main, pour pouvoir se remonter. Personne ne viendrait l'aider, personne ne la sauverait si elle échouait.

La possibilité de mourir seule dans la forêt tropicale n'avait pas effleuré Emily lorsqu'elle s'était lancée dans cette randonnée. Elle était une habituée des randonnées et du camping. Et, même après l'enfer des deux dernières années, elle était encore en bonne forme, forte de la course à pied et des sports qu'elle avait pratiqués tout au long du lycée et de l'université. Le Costa Rica était considéré comme une destination sûre, avec un faible taux de criminalité et une population conviviale. C'était également un endroit bon marché, un facteur plus qu'important pour ses économies à la dérive.

Elle avait réservé ce voyage *avant*. Avant que le marché décline, avant une autre série de mises à pied qui avait touché des milliers de travailleurs de Wall Street. Avant qu'Emily ne retourne au bureau le lundi, l'œil hagard après un week-end à travailler, pour en ressortir le jour même avec toutes ses possessions dans une minuscule boîte de carton.

Avant que sa relation amoureuse de quatre ans ne s'effondre.

Ses premières vacances en deux ans, et elle allait mourir.

Non, ne pense pas ainsi. Ça n'arrivera pas.

Emily savait pourtant qu'elle se mentait. Elle pouvait sentir ses doigts glisser, la douleur cuisante de son bras et de son épaule droits forcés de soutenir le poids de tout son corps. Sa main gauche n'était qu'à quelques centimètres du rebord du pont, mais ces centimètres auraient tout aussi bien pu être des kilomètres. Sa poigne n'était jamais assez solide pour qu'elle puisse se soulever avec un seul bras.

Vas-y, Emily ! Ne pense pas, vas-y !

Rassemblant toutes ses forces, elle balança ses jambes dans le vide, utilisant son élan pour soulever son corps pendant une fraction de seconde. Sa main gauche agrippa la planche saillante, s'y accrochant… et le délicat morceau de bois se brisa, la faisant crier de terreur et de surprise.

La dernière pensée d'Emily avant que son corps ne percute les rochers fut l'espoir que sa mort serait instantanée.

———

L'odeur de la végétation, riche et âcre, taquinait l'odorat de Zaron. Il inspira profondément, laissant l'air humide emplir ses poumons. L'air était propre ici, dans ce coin reculé de la Terre, presque aussi propre que sa planète.

Il en avait besoin. Il avait besoin de l'air frais, de l'isolation. Au cours des six derniers mois, il avait tenté de fuir ses pensées, de vivre dans le moment présent, mais il avait échoué. Même le sang et le sexe ne lui suffisaient plus. Il pouvait se distraire en s'envoyant en l'air, mais la douleur revenait toujours après, aussi puissante.

Finalement, cela s'était révélé trop pour lui. La saleté, la foule, la puanteur de l'humanité. Lorsqu'il n'était pas perdu dans un brouillard d'extase, il était dégoûté, ses sens submergés par trop de temps passé dans les villes humaines. C'était mieux ici, où il pouvait respirer sans inhaler de poison, où il pouvait respirer la vie, et non des produits chimiques. Dans quelques années, tout serait différent, et il tenterait peut-être à nouveau de vivre dans une ville humaine, mais pas tout de suite.

Pas avant qu'ils ne soient établis ici.

C'était la tâche de Zaron : superviser les colonies. Après plusieurs décennies à étudier la faune et la flore sur Terre, il n'avait pas hésité lorsque le Conseil avait demandé son aide pour la prochaine colonisation. Tout était mieux que de rester chez lui, où la présence de Larita se faisait sentir partout.

Il n'y avait pas de souvenirs ici. Malgré toutes les similitudes avec Krina, cette planète était étrange et exotique. Sept milliards d'*Homo sapiens* sur Terre, un nombre inconcevable, et ils se multipliaient à une vitesse vertigineuse.

Leur courte existence et leur manque de vision à long terme les amenaient à brûler les ressources de leur planète sans égard pour l'avenir. À certains égards, ils lui rappelaient une espèce de criquets, *Schistocerca gregaria*, qu'il avait étudiée plusieurs années plus tôt.

Bien sûr, les humains étaient plus intelligents que des insectes. Certains, comme Einstein, se rapprochaient même des Krinars dans certains aspects de leur raisonnement. Ça ne surprenait pas vraiment Zaron ; il avait toujours pensé que c'était possiblement l'objectif de la grande expérimentation des Anciens.

Marchant à travers la forêt costaricaine, il se prit à penser à sa tâche. Cette partie de la planète était prometteuse ; il était facile d'imaginer des plantes comestibles de Krina fleurir ici. Il avait mené des tests poussés sur le sol et il avait quelques idées sur la manière de le rendre encore plus hospitalier pour la flore Krinar.

Alentour, la forêt était luxuriante et verte, emplie de la fragrance des héliconies en floraison, du bruissement des feuilles et des cris des oiseaux natifs. Au loin, il pouvait entendre le cri d'un *Alouatta palliata*, un singe hurleur natif du Costa Rica, et autre chose.

Les sourcils froncés, Zaron écouta attentivement, mais le son ne se répéta pas.

Curieux, il se dirigea dans cette direction, ses instincts de chasseur en alerte. Pendant une seconde, le son lui avait semblé être un cri de femme.

Se déplaçant avec aise à travers la végétation dense, Zaron accéléra la cadence, sautant par-dessus une petite crique et les arbustes sur son chemin. Dans ce coin reculé, loin des humains, il pouvait se déplacer comme un Krinar sans devoir s'inquiéter d'être aperçu. En quelques minutes, il fut assez près pour détecter l'odeur. Âcre et cuivrée, l'odeur lui mit l'eau à la bouche et il sentit son sexe remuer.

Du sang.

Du sang humain.

Une fois à destination, Zaron s'arrêta, observant la scène devant lui.

Devant lui se trouvait une rivière, un ruisseau de montagne gonflé par les pluies récentes. Et sur les larges rochers noirs au milieu, sous un vieux pont de bois traversant la gorge, se trouvait un corps.

Le corps brisé et tordu d'une jeune humaine.

La captive des Krinars est maintenant disponible . Veuillez visiter mon site web à
http://annazaires.com/series/francais/ pour en savoir plus et vous abonner à ma liste électronique de nouvelles parutions.

À PROPOS DE L'AUTEUR

Anna Zaires est une auteure à succès international du *New York Times* et du *USA Today* de romances de science-fiction et de romances érotiques sombres contemporaines. Elle a découvert son amour des livres à l'âge de cinq ans, quand sa grand-mère lui a appris à lire. Depuis elle a toujours vécu en partie dans un monde de fantaisie dont les seules limites sont celles de son imagination. Elle habite actuellement en Floride et vit heureuse avec son mari Dima Zales, qui écrit des romans de science-fiction et des romans fantastiques, et avec qui elle travaille en étroite collaboration pour chacune de leurs œuvres.

Pour en savoir plus, veuillez visiter
http://annazaires.com/series/francais/.

30643731R00233

Printed in Poland
by Amazon Fulfillment
Poland Sp. z o.o., Wrocław